JN032344

Nasty, Brutish, and Short: Adventures in Philosophy with Kids

Scott Hershovitz

父が息子に語る壮大かつ圧倒的に面白い哲学の書

スコット・ハーショヴィッツ＝著
御立英史＝訳

ダイヤモンド社

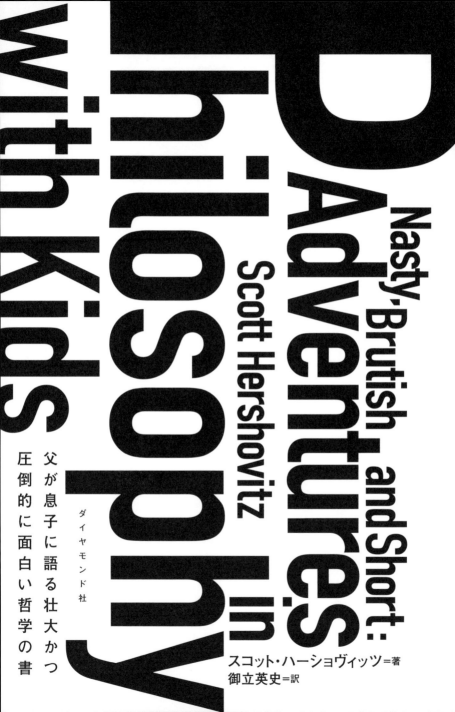

ジュリー、レックス、ハンクへ

Nasty, Brutish, and Short
by
Scott Hershovitz

Copyright © Scott Hershovitz, 2022
Japanese translation and electronic rights arranged
with Scott Hershovitz, D.Phil
c/o The Park Literary Group, LLC, d/b/a Park & Fine Literary and Media, New York
through Tuttle-Mori Agency, Inc., Tokyo

Introduction

考える技術

哲学者求む

「フィロソファーちょうだい」

裸のハンクがバスルームでもごもごと言った。

「何て言ったの？」とたずねたのは母親のジュリー。

「フィロソファーちょうだい」

「せっけんの泡は流したの？」

「フィロソファー取って」とハンクは苛立っている。

「泡を落として、お湯に浸かって」

「フィロソファー！」とハンクは要求した。

「スコット！」とジュリーが私の名前を叫ぶ。「ハンクが哲学者《フィロソファー》が要るんだって」

私は哲学者だが、これまで人に必要とされたことはない。不思議に思いながら、バスルームに向かった。

「ハンク、パパは哲学者だけど、なんで哲学者が要るの？」

彼はきょとんとした表情でこっちを見た。

「パパはフィロソファーじゃないよ」と、にべもない。

「ハンク、パパは哲学者だよ。それがパパの仕事だ。何か困ったことでもあるのか？」

彼はそれには答えず、口を大きく開いて私に見せた。

「なんだよ、それ？」

「ほふのはに、なにはひっはははっは」

糸ようじ《フロッサー》！　ハンクが必要としていたのは、歯に何かがひっかかったときに掻き出す、プラスチックのフォークにデンタルフロスをくっつけた例の小物だった。そりゃそうだ。糸ようじなら必要なこともある。手にするあらゆるモノに興味津々の2歳児ならなおさらだ。

それにひきかえ、哲学者が必要だなどと言う人はいない。当の哲学者にわざわざそれを言ってくる人もいるぐらいだ。

哲学者の自己紹介

「哲学者って、毎日何をしてるんですか？」

「そうですねえ、まあ……たいてい考えてますね」

「何について？」

「あらゆることです。正義、公平、平等、宗教、法律、言語……」

「それなら私も考えることがありますが、私は哲学者ですか？」

「そうかもしれません。でも、深く突きつめて考えてますか？」


何度こんな話をしたか数えられない。正確に言うと、こんな話はしたことがないから数えられない。初対面の相手に「私は哲学者です」と自己紹介したら、話がこんなふうに進むのではないかと想像してみただけだ。

私は初対面の人には、法律関係の仕事をしている、と自己紹介する。相手が法律関係の仕事をしている場合は、法学の教授だと言って少し偉そうに見せる。相手も法学の教授だったら哲学者だと言い、相手が哲学者だったら、最初にもどって法律関係の仕事をしていると言う。話がどう転んでも突っ込まれないように予防線を張るためだ。手の込んだ経歴詐称をしているような気がする。

哲学？ 何だそれは？

冗談はこのへんにしておこう。私は哲学者だ。哲学者になったことが自分でも信じられない。最初から哲学者をめざしたわけではない。ジョージア大学に入学したとき、心理学入門のコースが定員オーバーで、仕方なく、もう一つの必修だった哲学入門を選択したのだ。

心理学の講座に空きがあれば、いまごろ心理学者になっていたかもしれないし、この本も、子育てのアドバイスを満載した実用書になっていたかもしれない。この本にもそれっぽいことを少し書いているが、実用的ではない。煎じつめれば、私のアドバイスは「子どもと話をしよう」ということだけだ。もちろん、自分の子どもでなくてもかまわない。子どもと話すのは楽しいし、少し話せば、子どもはすぐれた哲学者だということがわかる。

話がそれたが、私は哲学入門の初回の授業を欠席してしまった。私の周囲の人びと――哲学のほうではなくユダヤ人のほう――は毎年秋に新年を祝うが、たまたまその年は新年祭が授業初日と重なったために出席できなかったのだ。

でも2回目の授業には出席し、1時間ほど経ったときにはすっかり哲学に魅入られていた。クラーク・ウルフ教授は、学生一人ひとりに、きみたちが大切だと考えているものは何かとたずね、その回答と学生の名前をボードに書いていった。そして、似たようなことを言った有名な哲学者の名前を書き添えた。こんな具合だ。

幸福――ロビン、ライラ、**アリストテレス**
快楽――アン、**アリスティッポス**、**エピクロス**
正しい行為――スコット、ニーラジ、**カント**
無――ビジェイ、エイドリアン、**ニーチェ**

ボードに書かれた自分の名前を見ているうちに、自分が大切だと思っていることは、もしかしたら本当に大切なことなのかもしれないと思えてきて、アリストテレスやカントやニーチェとも話ができるような気がしてきた。

だがそれは、他人の目には、ばかげた思い込みと映ったようで、私の両親も息子の哲学熱を快く思わなかった。ローストチキンのレストランで、哲学を専攻するつもりだと父に話したときのことはいまでも覚えている。

「哲学？　何だそれは？」

これは深い問いだ。父は大学で心理学のコースを履修したのでその答えを知らない。

だが私は、自分もその答えを知らないことに気づいた。すでに何回も哲学の授業を受けているのに、そんな問いにさえ答えられないとは。

哲学とは何だろう？　なぜ自分は哲学を学びたいと思っているのだろう？

私は、哲学とは何かを正面から説明するのではなく、哲学の一端を披露することにした。

「ぼくたちはいまテーブルに着いてるよね。チキンを食べながら、大学の専攻がどうとかこうとか話をしている。でも、本当はそうじゃなかったらどうする？　だれかがぼくたちの脳を盗んで水槽に入れて、電極につないで、ぼくたちがチキンを食べながら大学のことを話していると思うように刺激を与えているとしたら？」

「そんなことができるのか？」と父。

「できないだろうけど、問題はそこじゃない。自分は水槽の中の脳ではなく、チキン料理を幻視しているのでもないことが、どうすればわかるかが問題なんだ」

「おまえはそんなことを研究したいのか？」

父は複雑な表情を浮かべたが、そこに激励の気持ちが含まれていないことは明らかだった。

「まあ、そういうことかな。父さんは心配にならない？　知っているつもりのことが、全部間違っているかもしれないんだよ」

父はそんな心配はしていなかった。「マトリックス」が公開される前のことだから、キアヌ・リーブスの権威を借りてこの問題の緊急性を訴えることもできなかった。

さらに数分、脳と水槽についてもごもごしゃべったあとで、「哲学科には論理学の授業もたくさんあるよ」と私は付け加えた。

「そうか。そっちをたくさん取ってくれることを願うよ」

哲学をやめることで大人になる？

さっき私は、自分が哲学者になったことが信じられないと言ったが、正確ではない。正しく言い直すと、私がまだ哲学者であり続けていることが信じられないということだ。あの夕食のとき、いやそのずっと前でも、父には子どもだった私に哲学をやめさせる機会はいくらでもあったのだから。

何が言いたいのかというと、私はなんとか言葉をしゃべれるようになった子どものころから哲学者だったということだ。私が特別だったわけではない。子どもはみんな——例外なく——哲学者なのだ。

だが、大人になると哲学者であることをやめてしまう。

言い換えると、哲学をやめてもっと実用的な何かを始めることが、大人になるということなのかもしれない。だとしたら、私はまだ大人ではないことになるが、だとしても私を知っている人は驚かないだろう。

ママの赤はどんな赤？

私が大人になれていないのは、両親が子育てをサボったからではない。

自分が初めて哲学的な疑問に取り組んだときのことを、私はよく覚えている。その疑問は、5歳のとき、JCC（ユダヤ・コミュニティ・センター）の幼稚園で遊んでいるときに突然舞い降りてきた。

その日はその後、そればかり考えていた。母はセンターの幼児教室で教えていたので、仕事が終わるころを見計らって、私は母のいる教室に駆け込んだ。

「ママ、ぼくわからないんだけど、ママには赤はどんな色に見えるの？」

「それは……赤に決まってるじゃない」

「……そうじゃなくて」と私は口ごもった。「赤がどんな色かは知ってるけど、ママにはどんな色に見えているかを知りたいんだ」

母は少し困惑したようだった。私も筋道立てて話せたわけではない。なんと言っても、まだ5歳だったのだ。でも、なんとか自分の思いをわかってもらおうと一生懸命だった。

母は、「ママにはこれが赤に見えるけど」と言いながら、手近なところにあった赤いモノを指差した。

「それが赤なのはわかってるよ」と私。

「じゃあ何が問題なの？」

「ママには赤がどんな色に見えているかがわからないんだ」

「このとおりの赤に見えてるけど」と、母はかすかに苛立ったようだ。

「そうなんだけど、それがママにはどんな色に見えているかがわからないんだ。ぼくにどう見

ょ？」

「わかってるわよ」と言いながら、彼女はまた同じモノを指差した。「これが赤。そうでし

「そんなことわからないだろ⁉」と私は反発した。

「あなたと同じように見えてるわよ、スコット」

えるかは、わかってるけど」

なかなか理解してもらえなかったが、私はあきらめずに説明を続けた。

「ぼくとママが同じ色を見て赤だと言っていることはわかるよ。ママが指差したモノは、ぼくにも赤く見えるから。でも、その赤が、ママにはどんな色に見えているのかがわからないんだ。ママにはその赤が、ぼくの青みたいに見えているかもしれないでしょ？」

「そんなことないわ。これは赤。青じゃない」

「ママがそれを赤だと思っていることはわかってるって。ぼくも赤だと思う。でも、ママに見えている色と、ぼくに見えている色は違うかもしれないでしょ？」

そんなやりとりを何度繰り返したかわからないが、母はぼくが言いたかったことをついに理解できなかった（母さん、読んでくれてる？　もう1回ぼくの説明を聞いてくれる？）。

私はいまでも、母がこう言って話を終わらせたのをはっきり覚えている。

「心配しなくて大丈夫。問題ないわ。あなたにはちゃんと正しく見えてるから」

哲学することをやめさせられそうになったのは、これが最初だった。最後でもなかったが。

幼稚園児が考える「逆転スペクトル」

私が母に突きつけた問題を、哲学者は「**逆転スペクトル**」と呼んでいる。[1] 合衆国憲法の起草者たちにも影響を与えたとされる、17世紀イギリスの哲学者**ジョン・ロック**が提起した哲学的な問題だ。

だが、賭けてもいいが、数えきれないほど多くの幼稚園児が同じことを考えたはずだ。実際、心の哲学者として有名な**ダニエル・デネット**は、彼の教え子の多くが幼児期にこの問題に頭を悩ませたことを記憶していると報告している。[2]

その子たちの両親も、わが子が言っていることを理解できず、その意義を察知できなかったかもしれないが、この哲学パズルは重要だ。実際それは、世界とは何か、そして私たちは世界のどこにいるのかという深遠な謎をのぞき見るための窓なのだ。

ロックはこのパズルを次のように説明した。

ある同じ対象が、人びとの心の中に異なる観念を同時に生じさせたとしても、それを偽りだと非難することはできない。スミレを見た人の心の中に生じたものと、マリーゴールドを見た人の心の中に生じたものが同じであったとしても、またその逆であったとしても。[3]

これを読んで、あなたがどう思ったかは想像できる。5歳のときの私のほうが、ロックよりわかりやすい言葉を話せていたようだ。少なくとも、私はこんなもってまわった言い方はしない。でも、昔の哲学者が書いた文章をこれ以上読ませるつもりはないのでご安心を。

私が言いたいのは、だれでも哲学ができるということであり、子どもはみんな哲学をしているということだ。ロックなど読んだことのない幼稚園児に哲学ができるのだから、だれにでもできるはずだ。

とはいえ、せっかくロックの文章を読んだのだから、意味を考えてみよう。彼は何を言いたかったのか？

この短い一節にはたくさんの謎が潜んでいる。色の性質、意識の性質、そして私たちの経験を言葉にするのは難しいという事実（あるいは不可能だという事実）などだ。

それらについてはあとで改めて考えるとしても、最後の謎はどうにも気がかりだ。それは、人間の心は根本的な意味において他者に対して閉ざされている、という意味なのだろうか。

ほかの人は私と違う世界を見ているのかもしれない。たんに何かについて意見が分かれることを上品な言い方で表しているのではなく、実際に違う世界を見ているのかもしれない。

私があなたの頭の中に入り込んで、あなたの脳と目で世界を見ることができたら、そこにあるのは——私の観点からは——了解不可能な混沌とした世界かもしれない。赤いはずの通行止めや進入禁止の道路標識が青く、青いはずの空が赤いかもしれない。くすみ具合や鮮やかさなど、微妙な違いを感じるかもしれない。

だが、私はあなたの頭の中に入ることができないので、あなたに世界がどう見えているのかを知ることはできない。私がいちばんよく知っている人たち、つまり妻や子どもたちにはどう見えているのかさえわからない。

これはさびしいことだ。ロックが正しければ、私たちは重要な意味で、自分の頭の中に閉じ込められ、他者の体験から遮断されていることになる。他者の体験は、想像することはできても知ることはできない。

幼稚園児の多くがこんなことを考えるのは偶然ではない。この年ごろの子どもは、まわりの人のことを理解しようと必死だ。相手の心を読もうと懸命に努力している。他者の考えが理解できなければ何もできないからだ。他者がどう行動するか、こちらの行動にどう反応するかを予測できなくてはならない。

そのために子どもは、いつも周囲の人びとの考え、意図、動機について、自分なりの理論を構築し、その妥当性を検証している。もちろん、そんな難しい言葉で自分がしていることを意識しているわけではないが、反射的にそうしているわけでもない。カップを何度もテーブルから払い落とすのは、子どもにとっては物理学と心理学の実験なのだ（そうすることで、カップは必ず床に落ち、だれかが必ず拾ってくれることを知るのである）。

幼稚園児だったあの日、私はなぜ色について考えたのだろう。あのとき、子どもなりに考え抜いて発見したことは、人の心を読む自分の能力には限界があるということだ。

子どもの私にも、母が言っていることを聞き、していることを見れば、母の考えや動機、意図など多くのことがわかった。しかし、どうがんばっても、母には赤という色が私と同じように見えているのかを知ることはできなかった。

この問題については、またあとで戻ってこよう。

さっきも言ったが、この謎は世界をもっとも深いところまでのぞき込む窓のようなものだ。子どもたちはつねにその謎について考えているが、ほとんどの大人は、そんな窓があることささえ忘れてしまっている。

ランチの選択をめぐる哲学的な問い

子どもたちはこの窓から世界をのぞいているのだと説明すると、みんな半信半疑の表情を浮かべる。

「なるほど、あなたは幼稚園児のときに逆転スペクトルとかいう問題に気づいたようだけど、哲学者になったぐらいだから、特別だったのでは？　普通の子どもはそんなことまで考えないでしょう」

私も自分に子どもがいなければ、そう考えたかもしれない。だが私には二人の息子がいる。ハンクはすでに登場した。兄のレックスはハンクより3歳年上だ。レックスは3歳になるころには、自覚していなくても、哲学めいたことを話すようになっていた。

長じるにつれて、哲学はだんだん子どもたちの話の前面に出てくるようになった。

ある日、ジュリーはハンク（当時8歳）にランチに何が食べたいかとたずねた。ケサディーヤか前の晩の残りのハンバーガーか、二つの選択肢があったが、ハンクはどちらを選ぶか、ものすごく悩んだ。知らない人が見たら、父と母のどちらの命を救うべきかを考えていると思ったかもしれないほどだ。* 結論が出るまでにかなりの時間がかかった。

「ハンバーガー」とハンクが言ったのは、ずいぶん時間が経ったあとだった。

「テーブルの上にあるわよ」とジュリー。ハンクがハンバーガーを選ぶことはお見通しだった。

ところが、それが面白くなかったのか、ハンクは泣き出してしまった。

「どうした、ハンク？」と私はたずねた。「ハンバーガーが食べたいんだろ？」

「ママはぼくに決めさせてくれなかった」

「どうして？　決めさせたじゃないか。ハンクがハンバーガーを選んだじゃないか」

「違う。ママはぼくがハンバーガーを選ぶと思ってた」

「そうだよ。でも、そのとおりになったんだから、別にいいじゃないか」

「それって、ぼくをばかにしてる」とハンクは言い張った。泣いているうちに、ハンバーガーは冷めてしまった。

その翌週、私は大学の法哲学の授業で、「**予罰**」について話した。だれかが罪を犯すことが、合理的疑いのレベルを超えて確実に予見できる場合、実際に罪を犯す前に罰するという考え方だ。そんなレベルの予知はできないという理由で、これに反対する人はいる。私もそう思う。だが、これについては、予知できるかできないかとは関係なく、ハンクが試みたのと似たような反論もある。

たとえ相手がどう決定するかわかっていても、まだ決定していないうちに、すでに決定したかのように事を進めるのは敬意を欠く、という考え方だ。

右に行くか左に行くかを決めるのは本人でなくてはならず、最終的に決めるまでは、いつでも方向を変える自由がなくてはならない。変えないことがわかっているとしても、この際それは関係ない。

変える自由がなくてはならないと言ったが、そもそも何をするか正しく予測できるとしたら、その人には自由意志がないことになってしまうのではないだろうか？

私はハンクとの一件を大学の授業で話し、自分は軽んじられたと感じる彼の感覚は正しいかを話しあった。ハンクがそう感じるのはもっともだと考える学生が多かった。

私は授業で子どもたちの話をすることが多い。そして、子どもたちが言っていることが正しいかどうか議論する。研究者仲間と話すときにも持ち出すほど、子どもたちが提供してくれる

＊その質問ならハンクは即座に答えることができる。残念だが私に勝ち目はない。

ネタは秀逸だ。レックスとハンクは、いまや法哲学者のあいだではちょっとした有名人だ。

どこかに「第一のノミ」がいるはずだ

私の子どもたちについては、普通の子とは違うとか、哲学的に考えるのは哲学者である父親の影響だろう、などと言われることが多い。だが私はそうは思わない。子どもたちの考えは、私やジュリーと交わした会話とは関係なく、どこからともなく出てくることが多い。

ある日、夕食の席で、レックス（当時4歳）は、自分はずっと夢を見続けているのだろうかと考え込んでしまった。昔の哲学者たちも抱いた疑問だ。しかし、だれもレックスにそんな質問をしたことはなかったし、レックスに聞こえる場所でそんな哲学談義をしたこともなかった（これは夢の懐疑と呼ばれる問題で、8章で扱う）。

私の子どもたちとほかの子どもたちに違いがあるとすれば、レックスやハンクが哲学をしているとき、私がそれに気づき、もっと考えるよう奨励したことだと思う。

ガレス・マシューズの研究を知ったとき、私はわが意を得た思いがした。

マシューズはキャリアのほとんどを子どもたちのために捧げた哲学者だ。彼は2011年、レックスがまだ1歳のときに亡くなった。哲学者としての子どもの能力について、だれよりもよく知っていたマシューズと話ができなかったのが残念でならない。

子どもに対するマシューズの興味は、私と同じようなきっかけで始まった。彼の子どもが哲学的なことを言ったのである。飼い猫のフラッフィーにノミがついたとき、サラ（そのとき4歳）が、どうしてノミがついたのかとたずねた。[4]

ほかの猫から飛び移ったんだろう、とマシューズは言った。

「じゃあ、その猫にはどうやってノミがついたの？」とサラ。

「やっぱり別の猫から飛び移ってきたんじゃないかな」

「でも、パパ」とサラは異議を唱えた。「そんなのずーっと続かないでしょ。どこまでも続くのは数字だけよ！」

当時マシューズは、神の存在についての「**宇宙論的証明**」を授業で扱っていた。[5] この議論にはさまざまなバージョンがあり、複雑なものもあるが、基本的な考え方は単純だ。すなわち、すべての出来事には原因がある、だが原因を永遠にさかのぼり続けることはできない、ゆえに、それに先立つ原因のない「**第一原因**」があるはずで、その第一原因こそ神だ、というものだ。そう考えるもっとも有名な人物は**トマス・アクィナス**である。

この考え方にはいくつか問題がある。なぜ原因の連鎖に終わりがなくてはならないのか？もしかしたら宇宙は永遠かもしれない。つまり、原因も結果も永遠に続いて果てがないのかもしれない。また、仮に第一原因があったとしても、なぜそれが神でなくてはならないのか？

しかし、ここで問題にしたいのはこの考え方の妥当性ではない（神の存在については12章で論じる）。ここでのポイントは、幼いサラがその考えに到達したということだ。

マシューズは、「私は大学生に第一原因《ファースト・コーズ》について教えていたが、4歳になる私の娘は、私に教わってではなく、自らの考えで第一のノミ《ファースト・フリー》の議論を考え出した！」と書いている。[6]

マシューズは発達心理学の造詣もあったので、そのことに不意を突かれた。認知発達論で有名なスイスの心理学者**ジャン・ピアジェ**が言うように、サラは「前操作的思考」の段階にあるはずだからだ。[7]この段階の子どもはまだ論理を扱うことができないのでそう呼ばれている*。しかし、サラの論理は絶妙で、宇宙論的証明より強力だ。原因の連鎖についてどのように考えるにしても、猫のノミの原因を無限にさかのぼるのは簡単ではない。

一人より三人のほうがわがままが言えるか？

それでもこんな声が聞こえてきそうだ。サラも親が哲学者だから特別だったのではないか？サラ一人の例から、子ども一般について何か言うのは間違いなのでは？

もっともな反論だが、マシューズが挙げているのは自分の子どものことだけではない。[8]彼は哲学者ではない親たちとも話をし、その子どもたちについて、同じような話をたくさん聞き取っている。いくつも学校を訪ねて、直接多くの子どもと対話もしている。子どもたちに哲学的な問いを含むストーリーを読み聞かせ、それに対する子どもたちの意見にも耳を傾けた。

私がいちばん好きなのは、マシューズがイアンという幼い少年の母親から聞いた話だ。[9]イアンと母親が家にいるとき、別の家族が訪ねてきた。その家族の三人の子どもがテレビを独占してしまい、イアンは見たい番組を見ることができなかった。その家族が帰ったあとで、イアンは母親にこうたずねた。

「どうして一人より三人のほうがわがままを言えるの？」

私はこの質問がとても気に入っている。シンプルだが、問題の本質を突いている。

経済学者の多くは、公共政策は人びとの選好を最大限に満足させるべきだと考えており、哲学者のなかにもそう考える人がいる。

だが、イアンはこう問いかけている——利己的なだけの人間の選好を考慮する必要があるのか？　これは**民主主義**への問いかけでもある。どのテレビ番組を見るか投票で決めることになったとして、わがままな子どもたちが投じた票の数で決めることは、見る番組を決めるためのよい方法と言えるだろうか？

私はそうは思わない。もし私がイアンの親だったら、あの子たちに見る番組を選ばせたのは、あの子たちが客だったからで、数が多いからではないと説明しただろう。それが人をもてなすということだ。一人と三人が逆でも同じことだ。

これを民主主義に当てはめたら何が言えるだろう。レックスはわが家は民主的であるべきだと考えているので、この問題はあとでしっかり考えることにするが、とりあえずここでは、

＊ピアジェが子どもの言っていることを理解しそこね、子どもの思考の機微を見落としているケースを、マシューズはいくつか紹介している(10)。つまり、問題はピアジェがしばしば子どもたちほど創造的でなかったことにある。

「民主主義は人びとの利己的な選好の数を数えるだけのものであってはならない」ということだけ言っておこう。有権者には公共の精神が求められる。自分の利益ではなく、共通の利益――正義や公正といった重要な価値――の促進をめざさなくてはならない。

誤解してほしくないが、理想的とは言えなくても私は民主主義を信じている。だが、ここはイアン同様、利己的に行動する人間が増えれば社会全体が利己的になるだけで、民主主義はよい意思決定システムではなくなる、ということを指摘しておきたい。

イアンの母親は、わが子の質問に戸惑った。どう答えればいいか、わからなかったのだ。たぶん、ほとんどの大人が同じように困惑するのではないだろうか。

小さな子どもは、大人が当たり前だと思っていることに疑問を持つ。それこそが、彼らがすぐれた哲学者である理由の一つだ。「大人は、よりよく哲学をするために必要な素朴さを努力して養わなければならないが、子どもはそれをまったく自然に備えている」とマシューズは述べている。[11]

少なくとも、うんと幼い子どもについてはそう言える。3歳から7歳までの子どもは、「ごく自然に哲学の世界に入り込む」ことが珍しくないとマシューズは気づいた。[12] 8歳か9歳になると、心の中まではわからないが、外に表れる言動から判断するかぎり、そうした素朴さは弱まるようだ。[13]

その理由を説明するのは難しい。興味が別のことに移るのかもしれないし、子どもっぽい質問をすることに対して、友だちや親からのプレッシャーを感じるのかもしれない。

それでもマシューズにとって、3歳ぐらい以上の子どもと哲学的な話をするのは難しいことではなく、子どもたちの聡明さにたびたび驚かされたという。ある面では、子どもは大人よりすぐれた哲学者だ、とマシューズは指摘している。

世界は不思議に満ちた場所

だが、変だと思わないだろうか？　子どもは年齢とともに成熟し、大人になっていくはずではないのか。マシューズによれば、少なくともいくつかのスキルについては、それと正反対のことが起こっているという。＊ 子どもは、「どんなに想像力に富む大人もかなわない新鮮さと独創性」を持って哲学をする。[14] その新鮮さは、子どもたちが世界を不思議に満ちた場所だと感じていることに起因する。

数年前、**ミシェル・シュイナード**という心理学者が、幼い子どもと親の会話を録音して分析した。[15] すると、およそ2000時間のあいだに、子どもたちは2万5000回近い質問をしていた。1分間に二つ以上の計算になるが、その4分の1は、「なぜ？」とか「どうやって？」と

＊10章で論じるが、いまでは多くの発達心理学者がマシューズに同意している。つまり、子どもの心《マインド》は、大人より進んでいるとか遅れているということではなく、「違う」ということだ。

いった説明を求める質問だった。

子どもは謎を解くのが好きだ。別の研究では、「なぜ？」とか「どうやって？」といった質問に答えてもらえなかった子どもは、自分なりに説明を考え出すことが明らかになっている。答えてもらっても、すんなり納得しないことが多い。「なぜ？」を重ねたり、与えられた答えに反論したりする。[16]

だが、子どもがすぐれた哲学者である最大の理由はそういうことではなく、ものを知らないと思われるのを気にしないことだ。まともな大人なら口にしない質問があることを、子どもはまだ学んでいないのだ。そのことをマシューズはこう説明する。

哲学者は、「時間とは何か」と問う。哲学者ではない大人は、そんなことを問う必要を感じない。彼らが気にするのは、買い物をする時間はあるか、新聞を読む時間はあるか、ということだ。いま何時何分か知りたいことはあっても、「時間とは何か」と問うことはない。**聖アウグスティヌス**がそのことをうまく言い表している。「では、時間とは何だろう？　わかっているつもりでも、いざ問われて人に説明しようとすると、私は途方に暮れてしまう」[17]

私は何年も、同じくらい愚かと思われそうな問いを続けてきた――法とは何か？　私は法学の教授なので、そんなことは知っていて当然だと思われている（ミシガン大学では法科大学院と哲学科で教えている)。だが正直に言うと、ほとんどの法律家はアウグスティヌスと同じで、たずねられるまでは知っているつもりでも、たずねられると答えに窮してしまう。

私の同僚の多くは、そんな自分の無知を気にしていない。もっと重要な仕事で忙しいからだ。そんな問いに立ち往生している私のことを愚かだと思っているかもしれない。

しかし、私たちはみな、たまには愚かになる必要がある。実用的な問題から一歩退《ひ》いて、子どものように考えるべきなのだ。そうすることで、世界を発見した子どものような驚きを取り戻すことができるし、自分がいかに世界を理解していないかを知ることもできる。

哲学は「考える技術」

小学2年生の初日、レックスは学校で、「大きくなったら何になりたいか」を書きなさいと言われた。先生は、クラス全員の将来の夢が書かれた紙を子どもたちに持ち帰らせ、保護者に見せてくれた。

生徒の名前は伏せられていたが、どれがレックスの希望か言い当てるのは難しくなかった。消防士が数人、医者がそれより少し多く、教師もそれなりに人気で、意外なほどエンジニアが多かった。だが、「数学の哲学者」志望は一人だけだった。

その日の夕食時、私はレックスに、自分でも答えがわかっていない質問をした。「レックスは数学の哲学者になりたがっているみたいだけど、哲学って何なの?」

レックスはほんの一瞬考えて答えた。「**哲学は考える技術だ**」

私は父に電話した。「大学に入学して初めて家に帰ったとき、ローストチキンの店で夕食を食べたのを覚えてる？　ぼくが哲学を学びたいって言ったら、父さんは、哲学って何だって訊いたよね。いま、わかったよ！」

そのときのことを父は覚えていなかったし、気にもしていなかった。だがレックスは知っていた。哲学は考える技術だ。哲学的な問いは、自分自身と世界について考えること、より深く理解するよう努力することを私たちに求める。

大人と子どもでは、哲学のスタイルが違う。大人は筋道を立てて考えるが、子どもは創造的な方法で考える。大人は世界について多くのことを知っているが、子どもは、大人は何もわかっていないと教えてくれる。大人は慎重で、外に対して心を閉ざしがちだが、子どもは好奇心旺盛で、外に対して自分を開く勇気がある。

スタンフォード大学で教えている**デイヴィッド・ヒルズ**は、哲学を、「子どもたちがごく自然に抱く疑問に、法律家がごく自然に使う方法で取り組もうとする、気の遠くなるような試み」と表現している。[18] 哲学者の仕事を的確に表現した定義だが、そんな分業は不要だ。大人と子どもは一緒に哲学をすることができる。

というより、そうすべきだ。大人と子どもが話をすると、互いに相手にないものを持ち寄るので、共同作業ができる。しかも、そうすることで哲学は楽しくなる。[19]

哲学は頭を使ってする遊びのようなものだ。[20] 大人は子どものように考えるべきだし、子どもと一緒に考えるべきなのだ。

日常の中の「哲学パズル」を探究する

この本は、子どもたちからインスピレーションを得て書いた本だが、子どものための本ではない。手の内を明かせば、この本で私は、子どもをトロイの木馬のように使っている。私の狙いは子どもではなく、大人のあなただ。

子どもたちは、大人がいてもいなくても哲学をする。私の願いは、子どもではなく、大人であるあなたがもう一度哲学をすることだ。あなたが自信を持って子どもたちに哲学を語ることだ。

そのために、日常の中に潜んでいる哲学的な問いに気づく手助けをして、私が知っていることを少し分かちあうつもりだ。

この本ではたくさんのストーリーを紹介する。その多くはレックスとハンクの話だ。そこでは彼らは哲学をしている。謎の存在に気づき、解き明かそうとしている。自分では気づかないうちに、言葉や行動を通して哲学パズルを提示していることもある。私たちが子育てで犯してしまった失敗の話もあるが、そんなときも哲学は、どこが間違いだったのかに気づかせてくれる。

妻と私は、子どもと一緒に考えることもあれば、子どものことを考えることもある。大人である自分たちの頭に浮かんだ疑問について考えることもあるし、子どもが持ち出してきた疑問を大人の知恵をしぼって考えることもある。子どもたちは話したいことがたくさんあるようで、たいてい私たちのそばにいる。

レックスとハンクは、現代哲学をめぐる旅に私たちを連れ出してくれる。

よくできたツアーがそうであるように、この哲学ツアーも少し風変わりなものになるだろう。扱うトピックのなかには、子を持つすべての親が遭遇する普遍的なものもある。権威や罰、神についての疑問などはその部類だ。レックスとハンクの興味を反映したものもある。宇宙の大きさといった問題がそれだ。何に興味を持つかは子どもによって違う。

私がこんな本を書いていると知ったほかの親たちは、自分の子どもが投げかけてくるさまざまな質問を教えてくれたが、なかには驚くようなものもあった。

ある女の子は、何週間ものあいだ、毎晩寝る前に母親に質問し続けたそうだ。「どうして、毎日次の日がやって来るの？[21]」

母親は地球の自転について説明したが、彼女の興味がそのメカニズムにあるのではないことは明らかだ。

私ならその女の子に「**連続的創造**」の話をするかもしれない[22]。それは、神は最初に世界を創造しただけでなく、あらゆる瞬間に世界を創造しつづけているという、一部のキリスト教思想家が共有する考え方だ。

もちろん、それで彼女が納得するかどうかはわからない。その子の疑問は、世界に対する漠然とした不安のような、悲観的な思いから出てきたものかもしれないからだ。

私の子どもたちの疑問には、いまのところかげりは感じられない。彼らはとにかくいつも好奇心旺盛なので、この本はさまざまなトピックをカバーすることになった。

本書の構成と各章のテーマ

この本は3部構成になっている。第1部は「**道徳を理解する**」だ。まず1章で「権利」とは何か、どんな条件なら他者の権利を制約できるかを考える。その次は悪にどう対処するかだ。2章では「復讐」は正当化できるかを考える。3章では「罰」とは何か、なぜ私たちは罰するのかを考える。4章では「権威」について考察する。親はよく子どもに「黙って言われたとおりにしなさい」と言うが、それは子どもが親の命令に従うべき理由たりうるのだろうか。5章の「言葉」では、口に出してはいけない言葉、不適切な言葉について考える（あらかじめお断りしておくと、私はたまによろしくない言葉を発するが、あまり目くじらを立てないでほしい。そのことについては5章で自己弁護をする予定だ）。

第2部の「**自分を理解する**」では、アイデンティティの問題を扱う。「性」「ジェンダー」「人種」とは何か、じっくり考えてみよう。それらは道徳の視点抜きに論じることはできない。

6章では性やジェンダーのスポーツにおける意味について検討する。7章では「差別」について、人種は親の世代が過去に犯した過ちの責任の根拠となるのか、奴隷制度や人種隔離に対する賠償責任の根拠となるのか、といった問題を掘りさげる。

第3部「**世界を理解する**」は、8章の「知識」から始まる。レックスと一緒に、私たちの一生は夢を見ているだけなのかという疑問について考えよう。一切のことについて何も知ることができないのではないかと心配になる懐疑論についても考える。9章では「真実」について考える。サンタクロースや〝歯の妖精〟にも触れることになるだろう。10章では「心《マインド》」に焦点を合わせ、意識とは何かについて議論する。11章では「無限」について思いをめぐらす。そして哲学の旅の最後は12章の「神」だ。神の存在と世界の意味について考える。

ほかの本とは「違う読み方」をしてください

この本の議論は、哲学者の基準に照らせば、駆け足にならざるをえない。どのトピックも一生かけて追究しなくてはならないほど奥が深いので、主要な論点を提示することぐらいしかできない。だがうまくいけば、読者は哲学的に考える力を身につけることができるだろう。

そうなれば、どんな問題でも、子どもと一緒に、あるいは自分自身で考えられるようになる。哲学はいつでも、どこでもできる。だれかと対話しながらでもできるし、自分一人でもできる。それが、私が哲学でいちばん好きなところだ。とにかくひたすら考え抜けば、それが哲学なのだ。

考える力を身につけるため、この本はほかの本とは少し違う読み方をしてほしい。

ほとんどの著者は、自分が本に書いたことを読者に信じてほしいと思っている。読者が著者である自分の権威を認め、自分の見解を受け入れてくれることを願っている。

だが私の願いは違う。私の考えに同意してほしいと思わないと言ったらウソになるが、読者が自分なりによく考えたうえで、私と違う考え方をするなら、それで満足だ。実際、この本を懐疑的な態度で読み進めることをお勧めする。書かれていることが正しいと思わないでほしい。むしろ、どこかに間違いがあると考え、それを見つけてやろうという態度で読んでほしい。


ただし、一つお願いがある。

同意できない場合、ただ否定して終わりにするのではなく、私の考えのどこが間違っているのかを考えてほしい。その次は、それに対して私がどう反論するかを考えてほしい。それができたら、それにあなたはどう答えるか、それができたら、私がさらにどう反論するか……そうやって、もうこれ以上先に進めないと思えるところまで続けてほしい。追究を簡単にやめてはならない。考え抜いて理解を深めてほしい。

哲学者はそんなふうに研究をしている（大人の哲学者の場合だが）。

私は学生たちに、ある哲学者の見解に異論があるときは、その哲学者は自分が思いつく程度の反論はすでに検討ずみだと思いなさい、とアドバイスしている。「自分の反論は見当違いで言及する価値もないから書かれていないだけ」だと仮定して、なぜ価値がないと判断されたのかを考えるということだ。

それを考え抜き、それでも自分の反論のどこに間違いがあるのかわからなければ、そのとき初めて異論をぶつければよい。つねにこれを心がけていれば、自分の考えを批判的に吟味する習慣も身につく。

この世界は「思っているような世界」ではないかもしれない

このアドバイスは、私が息子たちと話す方法にも表れている。

アメリカ人は「だれもが自分の意見を持つ権利があり、尊重されるべきである」と言いたがるが、わが家では、自分の意見は人に尊重してもらうのではなく、自分で擁護しなければならない。

私は息子たちにたくさん質問する。答えが返ってきたら、それに対してさらに質問する。そうすることで、自分の考えを批判的に再検討させる。子どもたちはうるさがることもあるが、それは子育ての大切な要素だと私は考えている。

子どもが何かに興味を持ったら、親はその思いを励まして新しい世界を発見させようとする。芸術、文学、音楽に触れさせ、スポーツに親しむよう励ます。一緒に料理をする。ダンスをする。科学について教え、自然の中に連れ出す。

ところが、そんな親でも怠っていることが一つある。それは、考える習慣を身につけるよう助けることだ。そうなってしまうのは、それが子育てのテーマだと考えていないからだ。

この本では、子どもが考える習慣を身につけるための方法をたくさん紹介する。もっともシンプルな方法は、子どもに質問し、子どもが答えたら、それについてさらに質問することだ。親が教師役をする必要はない。むしろ、そうしないほうがいい。

ヤナ・モール・ローンは、ワシントン大学で「子どものための哲学センター」を主宰している。マシューズと同じように、彼女も学校を訪れて子どもたちと哲学の対話をする。哲学を教えるのではなく、子どもたちと一緒に哲学をする。[23]

この違いは微妙だが重要だ。

子どもたちはすでに哲学ができる。ある面では、大人よりすぐれているのだから、子どもを共同研究者のように扱おう。彼らのアイデアを真剣に受けとめよう。彼らのために問題を解くのではなく、彼らとともに問題を解こう。あなたもおそらく答えを知らないのだから、それほど難しいことではないはずだ。

そして最後のお願いは、「大人の感覚を脇に置いてほしい」ということだ。

哲学との向きあい方という点で、ほとんどの大人は私の父に似ている。哲学が提起する問題に対し、ほとんど忍耐力がない。哲学パズルは実用の対極にあるからだ。「この世界は、本当に自分が思っているような世界なのか？」と心配したところで、洗濯を終わらせる役には立たないというわけだ。

この本を読んでいるあいだだけでも、そんな考え方はしないでほしい。息子たちもきっと同じことを願うと思う。この世界が「自分が思っているような世界」ではなかったとしたら、洗濯をすることにどんな意味があるだろう。

意地悪で、残酷で、短い

なぜこの本に「意地悪で、残酷で、短い（*Nasty, Brutish, and Short*）」〔原題〕などというタイトルをつけたのか、レックスとハンクは不思議がっている。

このフレーズを聞いたことがある人もいるだろう。ロックとほぼ同時代に生きた**トマス・ホッブズ**の言葉だ。ホッブズは政府が存在しない世界——哲学者が「**自然状態**」と呼ぶ世界——では人間の生活がどうなるかを考えた。悲惨なものになると考えた彼は、その状態を「万人の万人に対する闘争[24]」と表現し、人生は「孤独で、貧しく、意地悪で、残酷で、短い[25]」ものになると言った。

自然状態がどんなものかは知らないが、「万人の万人に対する闘争」というのは、小さな子どものいる家庭の状態を的確に表現している。

幸い、私たちの生活は孤独でもなければ貧しくもない。だが子どもたちは、ときに意地悪で残酷になることもあるし、いまのところ背も低い《ショート》。

もちろん、彼らは愛すべき存在だし善良だ。その点でも私たちは幸運だ。レックスとハンクには並外れたかわいさとやさしさがある。でも、どんな子どもにも意地悪で残酷なところがある。これから本書で、復讐について考えたり、よりよい人間に育てるために罰を用いることの是非を検討したりするのはそのためだ。

子どもたちも、ホッブズの言う自然状態の人間の性質が自分にあることを、少なくとも部分的には認めているようだ。

ハンクに「きみは意地悪で残酷《ブルーティシュ》なの?」とたずねたら、「意地悪かもしれないけど、イギリス人《ブリティッシュ》じゃない」という答えが返ってきた。

レックスはタイトルを「意地悪でも残酷でもなく、チビ《ショート》なだけ」に変えてくれと訴えた。

タイトルの希望は叶えてやれないが、レックスは弟のハンクとともにこの本の主役だ。この二人は私が知るかぎりもっともすぐれた哲学者だ。最高に面白く、楽しい哲学者だ。

父が息子に語る
壮大かつ圧倒的に面白い

哲学の書

目次

Introduction

考える技術

1

哲学者求む／哲学者の自己紹介／哲学？ 何だそれは？／哲学をやめることで大人になる？／ママの赤はどんな赤？／幼稚園児が考える「逆転スペクトル」／ランチの選択をめぐる哲学的な問い／どこかに「第一のノミ」がいるはずだ／一人より三人のほうがわがままが言えるか？／世界は不思議に満ちた場所／哲学は「考える技術」／日常の中の「哲学パズル」を探究する／本書の構成と各章のテーマ／ほかの本とは「違う読み方」をしてください／この世界は「思っているような世界」ではないかもしれない／意地悪で、残酷で、短い

第1部 道徳を理解する

Chapter 1

権利

「わがまま」を言う権利はないのか？

Chapter 2

復讐

「やられたらやり返す」は平等か？

Chapter 3

罰

「おしおき」は哲学的に正当か？

復讐はセックスより気持ちいい？／人間関係の「帳尻」／「分配的正義」と「矯正的正義」／「目には目を」という天才的な方法／「切られた腕」の補償金額はいくらか？／「他人の腕」と「自分の腕」／「共感」は「同情」より強い／現代は「命の値段」が安くなっている／「目には目を」は平等に見えて平等ではない／いじめられることに慣れてはいけない／「怒る」ことは重要である／「最初の悪」と「二度目の悪」は違う／「いつでも別の方法がある」は楽観的すぎる／失ったものは取り戻せない。では、何ができるのか？／嫌なヤツに言い返せる「強力なひと言」

初めてのタイムアウト／親はなぜ子どもを罰するのか？／犬をしつける「プロの方法」とは？／夫を調教師の方法で手なずける？／他者と向き合うときの二つの態度／罰の定義——子どもバージョン／罰は、責任ある者への怒り／理性があるから、行為に責任がある／パートナーを動物扱いしてはならない／子どもは「動物」である／

Chapter 4

権威

親は子どもに命令できるか？

親の仕事は「怒られる子ども」を育てること／叱るときは「行動を叱る」だけではいけない／「気をつけようとしていた」は言い訳にならない／犯罪に対する刑罰の意味／罰は「言葉だけ」では十分ではない／罰を与えなくてもいいときとは？／いちばん大切なメッセージ

言うことを聞かないという「信念」／親は子どもの「ボス」か？／あらゆる権威を疑う「哲学的アナーキズム」／「だれも命令できない」vs.「自分の判断で従うときもある」／「言うとおりにしなさい」と言ってしまうわけ／「サービスを提供する」から権威が成立する／「自分だけでやる」よりうまくできるように助ける／次々と間違いの指摘が飛んでくる学問／三つ星シェフは、二流の料理人に命令できるか？／王の権威を疑う7歳の政治哲学者／権威は「役割」に付随する／上司が命令できるのは「当たり前」ではない／

Chapter 5

言葉

言ってはいけない言葉は言ってはいけないか？

第2部

自分を理解する

Chapter 6

男女

性、ジェンダー、スポーツを考える

Chapter 7

差別

ほかの人がやったのに、責任を取らなきゃいけない？

かつて「男の子はピンク、女の子は青」だった／トランス女性の出場資格をめぐる論争／「平等な競争条件」にこだわることは正しいか？／「女性」と宣言すれば女子スポーツに出場できる？／どのような概念で「女性」を理解するか？／「ノンバイナリー」のアスリートの参加資格は？／あらゆることに哲学はある

ローザ・パークスのバスに座る／「ぼくたち、そんなことしなければよかったのに」／それは「私たち」に責任があるのだろうか？／人種は存在しない？／すべてのヒトは「同じ家族」の一員である／人種は「社会的概念」である／かつてイタリア系移民は「黒人」だった？／「惑星」と「借金」と「人種」／「あの人、黒い」と言った子どもに教えた三つのこと／黒人であることには喜びもある／他者の痛みの上に築かれた特権／白人というだけで責任があるのか？／ボーイング社と「白人」の違い／責任がなくても責任を取る／利益を享受する者は、その負担も負うべき／

第3部 世界を理解する

親にできるのは子どもと話すこと／奴隷にとって7月4日は何の日か？／賠償は「支払い」ではなく「プロジェクト」である／ジャッキーとハンクが出会ったとき／特権と不安定さの奇妙な混合／子どもたちに望むただ一つのこと

Chapter 9

真実

ついていいウソと悪いウソはあるか？

たった3ページの衝撃的論文／解決不可能な難問／
忘れ去られた哲学の業績に光を当てる／冷蔵庫が「空っぽ」とは？／
哲学と日常生活では「知っている」の基準が違う／
「確かなことはわからない」という巧妙な戦略／
「ダウトモンガー」に乗せられるな／
シミュレーション仮説――私たちは仮想現実の世界にいる？／
「世界をシミュレートすること」は可能か？／
「シミュレーション仮説」の問題点／
コンピュータの中のあなたも「本物」である／
人間が何でできていても道徳は変わらない／「われ愛す、ゆえにわれあり」／
「ふり」をして子どもと遊ぶ／「ウソをつくこと」と「ふりをすること」／
子どもが考えた「ゲティア問題」／いつも「正直」でなくてもかまわない／
なぜウソをついてはいけないのか？／相手を欺くから悪いのか？／
ウソは「相互理解」のためのツールを損う／
人殺しに本当のことを言う必要があるか？／

Chapter 10

心

赤ちゃんであるとはどういうことか？

Chapter 11

無限

宇宙が無限なら人間の価値は？

「メアリーの部屋」――唯物論に対する反論／「三人の母」――唯物論に対する反論／「赤いリンゴ」と言って「青いリンゴ」を渡したら？／私たちはみんなゾンビ⁉／「見解を持つ」ことには危険がともなう／物質と意識はどう結びつくのか？／意識の話はやめて、ひと休み

「宇宙の端っこ」でパンチをしたらどうなるか？／壁を突き抜けても突き抜けなくても宇宙は無限／「退屈」はあなどれない／いちばん大きな数は？／風船の表面を歩くアリ／殴りたくても殴れない／ゼノンのパラドックス／数学と物理学による解決／「哲学の方法」と「科学の方法」／宇宙が無限なら人間の行動はどう変わる？／「無限の客室」のあるホテル／宇宙に功利主義を当てはめる／「1千億兆個の星たち」を想像する／宇宙から自分を見ると？／「どうでもいいこと」なのに「とても重要」／「大切に扱う」ことで意味を生む／「自分は小さい、他者は大きい」と考える勇気／人生の「不条理」を飲み込む

Chapter 12

神

「神さま」はいるの？　いないの？

最後に　哲学者の育て方

［ 編集部注 ］

- 番号ルビは参考文献／出典があることを示し、巻末にまとめてリストを掲載した。
- ＊印のルビは原注を示し、奇数ページに傍注として掲載した。
- 〔 〕内の小さな文字は、訳注を示す。

第 1 部

道徳を理解する

Making Sense of Morality

Chapter 1

権利

「わがまま」を言う権利はないのか？

毎日が騒乱状態

私は風呂の準備をする時間が好きだ。

自分が入るためではない。私は古い男なので風呂になど入らない（シャワーを浴びるだけだ）。

しかし、子どもたちは風呂に入るので、私か妻のどちらかが準備しなければならず、私はいつもその役を買って出る。

わが家のバスルームは2階にある。1階はいつも騒乱状態だ。子どもたちは夜になって疲れてくると、なぜか運動エネルギーを増大させて暴れ、ロックコンサート並みの騒音を家中に響かせる。だれかが、ピアノの練習の時間だと叫んでいる。ピアノの練習の時間がないと叫んでいるのかもしれない。デザートを食べさせてと訴えているのか、デザートを服に塗りたくって叱られているのか。あるいは、ただ大声を張り上げずにはいられないだけなのか。

ともかく、わが家に叫び声が途切れる瞬間はない。

なので私は、「ハンクの風呂の準備をしてくる」と言って2階に逃げる。そこからの数分間が私にとっての至福の時というわけだ。

バスルームのドアを閉め、湯を注ぐ。熱すぎず、ぬるすぎず、完璧な温度にするために蛇口レバーを操作する。だが、子どもたちは必ず、熱いとかぬるいとか文句を言う。「あつぬるい」などと、**無矛盾律**《むむじゅんりつ》を気にしない彼らに、私はなす術《すべ》がない。

だが、湯を張っているあいだだけは、私は心穏やかでいられる。湯が注がれる音が階下の叫び声を打ち消してくれるからだ。私はバスルームの床に腰を下ろし、だれにも邪魔されずに考え事をして（つまりスマホをいじるなどして）、一人の時間を楽しむ。

ところが私の魂胆など先刻承知のジュリーが、「お風呂の準備をしてくるね」と機先を制し、私の心を挫《くじ》く。彼女は古い女なので、湯を張りながらスマホをいじったりはしない。洗濯などをして、貴重な機会を無駄にしてしまう。あるいは、私には理解できないが、子どもたちのところに戻ろうとさえする！

それを見ると、私とて罪悪感を感じないわけではない。だが幼い子を持つ親にとって、一人になれる時間は最大の贅沢だ。機会があれば、両親のうちどちらかがその贅沢を満喫すべきだ。私よりジュリーに資格があることはわかっているが、彼女がその機会を見送るなら仕方がない。

「ぼくにはけんりがない」

そういうわけで、私はいまバスルームの床に座っている。階下《した》の大騒ぎは、いつにも増して激しい。ハンク（このとき5歳）がわんわん泣いているので、何か重大事が起きているに違いない。バスタブからあふれそうになったので湯を止め、消音モードをあきらめて階下に向かって叫ぶ。

「ハンク、風呂の用意ができたぞ！」

返事はない。

「ハンク、風呂の時間だ」。子どもたちの叫び声に負けじと声を張り上げる。

「ハンク、風呂の時間だってさ！」。レックスが勝ち誇ったように弟に伝達する。

「ハンク、お風呂に入ってきなさい！」。ジュリーの声には苛立ちがにじんでいる。

しばらくすると、ハンクが泣きじゃくりながら近づいてきた。足取り重く、とぼとぼと階段を上ってくる。私のそばに来たときには、息苦しそうなほど取り乱していた。

落ち着かせるために、私は静かに話しかけた。「どうした？」

返事がなかったので、ささやくように話しかけた。「何か嫌なことがあったのか？」ハンクはまだ自分を取り戻せずにいる。息が整いはじめたので、私は服を脱がせた。彼が湯に浸かったところで、もう一度試してみた。「ハンク、何があったんだ？」

「ぼく……ぼくにはない……」

「何がないんだ、ハンク？」

「ぼくには何のけんりもない！」。ハンクは泣き出し、再び涙があふれた。

「ハンク」とやさしく声をかけた。息子をなだめようとする一方で、いったい何が起こっているのか知りたい気持ちがむくむくとふくらむ。「権利って、何のことを言ってるの？」

「わからないけど、ぼくにはけんりがない」とハンクは泣きじゃくるだけだ。

「できない」けど「できる」

このときのハンクは、フロッサーではなく哲学者《フィロソファー》を必要としていた。幸い、すぐそばに哲学者がいた。

「ハンク、きみには権利がある」

そのひと言が彼の注意を引き、こぼれる涙の量が少し減った。

「ハンク、きみにはいっぱい権利がある」

「そうなの？」。ハンクは息を整えながらたずねた。

「ああ、そうだ。知りたいかい？」

　彼はうなずいた。

「タイギーのことを考えてごらん」と私。タイギーというのは、ハンクが生まれたときからずっと一緒にいるホワイトタイガーのぬいぐるみだ。

「だれかがハンクからタイギーを取り上げることはできる？」

「そんなのだめだよ」

「ハンクに断りなく、勝手にタイギーと遊んでもいい？」

「それもだめ」とハンク。「タイギーはぼくのものだもん」

　涙は消えている。

「そうだよな」と私。「タイギーはハンクのものだ。タイギーに対して権利がある、というのはそういうことだ。きみがＯＫと言わないかぎり、だれもタイギーをどこかに持っていくことはできないし、タイギーと遊ぶこともできないんだ」

「でも、持っていこうと思えば持っていけちゃうんじゃない？」

　ハンクは泣きそうになりながら反論した。

「そう、タイギーをどこかに持っていくことはできる。でも、それって、やっていいこと？　よくないこと？」

「よくない」とハンク。

「それが権利を持つということなんだ。だれかがタイギーを連れていくのは悪いことで、ハンクには、タイギーを連れていったらダメだと言う権利があるんだ」

ハンクの表情が明るくなった。

「ぼくはぼくのぜんぶのどうつぶにけんりがある！」

どうぶつをどうつぶと言うのは、私のお気に入りのハンク語だ。

「そういうこと！　動物さんたちがきみのもの、というのはそういう意味なんだ」

「ぼくにはぜんぶのおもちゃに権利がある！」とハンクは言った。

「そう、そういうことだ！」

ところが、そこでまた表情がくもり、再び涙が頬を伝った。

「何が悲しいの？」

「ぼくはレックスにけんりがない」

どうやら、それが階下の大騒動の原因だったようだ。ハンクは兄のレックスと遊びたかったが、レックスは本を読んでいたかった。ハンクにはレックスと遊ぶ権利がなかったのだ。

私はこう説明した。

「そう、きみにはレックスに対する権利はない。きみと遊ぶかどうかはレックスが決めることだからね。相手が何か約束したのでなければ、その人に対する権利はだれにもないんだ」

注釈を加えておくと、この説明は話を単純化しすぎている。相手の約束や保証がなくても、私たちは相手に権利を主張することがある。でも、ややこしい話は幼いハンクの気持ちが落ち着いてからだ。まずは、レックスが遊んでくれなかったとき、ハンクに何ができるかを話すことにした。

「権利」とは何か？

べそをかきながらも、ハンクは権利というものについて鋭い指摘をしている。私が、だれかが勝手にタイギーを取り上げることができるか、とたずねたとき、彼はいったん「だめだ」と答えたが、すぐに考え直して、「でも、できる」と言った。実際、ハンクもレックスに対して同じことができたし、実際にやってもいた。

ハンクのお気に入りはホワイトタイガーのタイギーだが、レックスのお気に入りはキリンのジラフィーだ。ハンクはいいはいいを始めたころ、しょっちゅうレックスの部屋に入り込み、ジラフィーをあごに挟んで連れ出そうとした。

ハンクにタイギーに対する権利があるのと同様、レックスにはジラフィーに対する権利があった。しかし、ハンクはレックスに断りなくジラフィーを連れ出すことができたし、実際に何度も連れ出した。

このことから、権利について何がわかるだろう。

ハンクにタイギーに対する権利があるというのは、タイギーの持ち主はハンクで、ハンクはいつでも好きなときにタイギーと遊べるという意味だ。

しかし、その権利は物理的な力で保護されているわけではなく、タイギーのまわりに物理的バリアがあるわけでもない。権利が提供する保護は、哲学者の言葉で言えば「**規範的**」なものだ。つまり、何が正しい行動かを決めるルールや規準によってもたらされるものだ。

正しく行動しようとする人なら、ハンクの許可なく、あるいは真に正当な理由なく（「真に正当な理由」については後述）、タイギーを持ち出したりはしない。

だが、だれもが正しく行動するわけではない。したがって、権利が提供する保護は、その権利を認めて尊重しようとする他者の意志に依存する。

「同じ言葉」なのに意味が変わる

話を先に進める前に、言葉づかいにこだわる人のために、ひと言触れておきたい。

だれかが勝手にタイギーを取り上げることができるかとハンクにたずねたとき、最初彼は「ノー」と答えた。その後、考え直して「イエス」と答えた。最初の回答は正しい。二度目の回答も間違いではない。

どうして両方とも正しいと言えるのか？　「できる」という言葉には柔軟性があるからだ。

それを簡単なストーリーを使って説明しよう。

オックスフォードの学生時代、私は友人と学生街のバーに繰り出した。彼はビールを2杯頼んだ。

「申し訳ないけど、もう閉店なんだ」とバーテンダーが言った。

友人が腕時計を見ると11時1分だった。バーは11時閉店だ。
「おいおい、たった2杯ぐらい、出してくれてもいいじゃないか」
「わるいけど、できない。規則なんでね」
「そうじゃなくて、で・き・る、だろ？」と友人は食いさがった。
友人は、バーテンダーが発した「できない」という言葉について、文法や発音が間違っていると指摘したのではない。規則上はビールを出せないとしても、出そうと思えば出せるはずだと指摘したのだ。友人が強調した「で・き・る」は、バーテンダーの意識を、一つ目の意味から二つ目の意味に移そうとするものだった。夜11時を過ぎたからビールを「出すことは許可されていない」と言ったバーテンダーに対し、だれも見ていないのだからビールを「出すことはできるはずだ」と指摘したのだ。*

その作戦は成功し、私たちはビールにありつけた。バーテンダーは、本当は出せないが（許可されていなかったが）、出すことができたのだ（咎《とが》められなかった）。

ハンクが私と話しているときに答えを変えた背景にも、同じような意味の転換があった。

彼は最初、質問について「だれかがタイギーを持ち出せるか（許可されているか）」という意味だと理解して、「できない」と答えた。その「できない」は間違っていない。

しかしその後、だれかがタイギーを持ち出すことができる（物理的可能性）ことに気づき、嬉しくない事態を想像して涙を浮かべたのだ。

さて、こいつは何をくどくど言っているのだとお思いだろうか？

だが、哲学者はいつもこんな調子で、言葉の働きを注意深く観察している。哲学者でなくても、「お茶を飲めますか？」とたずねたら、「そんなことわかりません……私はあなたじゃないから」などと返事してくる人はいないだろうか。

「お茶をいただけますか？」が正しい言葉づかいだと言いたいのだろう。あまり近づかないほうがいい相手だ。そんなときには、こう返せばいい。あなたは言葉づかいのレッスンを受けることができる、受けてもかまわない、受けるべきだ。[1]

権利は手で持てない

話を権利に戻そう。権利とは何か？　ひと言で説明するのは難しい。

ある日の午後、ひょんなきっかけで、ハンクと私のあいだで、権利についての話がはじまった。そのとき彼は8歳で、部屋の片付けをしていた。きれいになった部屋を見せたかったらしく、私を呼んだ。

「わあ、きれいになったじゃないか」と私。

＊このときの「できる」にはさらに別の意味もあった。バーテンダーにはビールとグラス、自由に動かせる手があったので、ジョッキにビールを注ぐ「能力」があった。「できる」という言葉が何を意味するかは文脈によって変わる。

「でしょ！　ほとんど全部片づけたよ」

「権利はどこに片づけたの？」

「え？」

「ハンクの権利のことだよ。たとえば、タイギーに対してハンクは権利を持っているんだよね。その権利は、どこに片づけたの？」

「それは片づけてない」とハンクは言った。「それはぼくの中にあるんだ」

「そうなの？　どこに？　お腹の中？」

「違う」とハンク。「そういう場所のことじゃなくて、ぼくの中にあるということ」

「取り出さないの？　重くない？」

「取り出せるようなものじゃないんだ」とハンクは言った。「手で持つこともできないよ」

「ゲップして吐き出したら出てくる？」と私。

「ダメ。権利はゲップしても吐き出せない」

そう言うと、ハンクはどこかに走っていってしまったので、権利はゲップしても吐き出せないという以上に掘り下げることはできなかった。

権利は「関係性」の中にある

ここでその問題を掘り下げてみよう。ハンクの回答は半分正解で、半分間違っている。権利は手で持てるものではない、というのは正しい。しかし、ハンクの中にあるというのは間違いだ。権利はだれかの中ではなく、関係性の中に存在するものだからだ。

その意味を説明しよう。あなたが私に1000ドル貸しているとする。あなたには私に1000ドル請求する権利がある。その請求権は私に対するもので、あなたがお金を貸しているのが私だけなら、私に対してだけ有効な権利ということになる。複数の人に貸しているなら、請求権は複数の人に対して存在する。

だが、権利のなかには、すべての人に対して有効な権利もある。たとえば、だれからも殴られないという権利がそれだ。その権利によって、殴りかかってきたのがだれであっても、あなたには殴ってはならないという守るべき義務がある、と指摘することができる。

つまり、だれかが何らかの権利を持っているとき、ほかのだれかがそれに対応する義務を負っている。「権利は関係性の中に存在する」と言ったのは、そういう意味だ。すべての権利について、最低二人の当事者——権利を持つ者と義務を負う者——が存在する。権利と責任は一対で、切り離すことはできない。それは、一つの関係を異なる側から表現した言葉なのだ。

権利は関係性の中にあると言うときの「関係」には、どんな性質があるだろう。

ここで、時代を超えて私の大好きな哲学者の一人、**ジュディス・ジャービス・トムソン**に登場してもらおう。トムソンは倫理の専門家で、**思考実験**を考案するのがうまい。哲学の思考実験とは、あるアイデアを検証するために使う短いストーリーのことだ。あとで彼女がつくったストーリーを紹介する。

トムソンは権利に関する理論でも有名だった。[2]トムソンによれば、何であれ権利を持っている人と、それに対応する義務を負う人とのあいだには、さまざまな関係がある。

たとえば、私があなたから1000ドル借りていて、来週の火曜日に返さなくてはならないとしよう。返せそうになければ、私はあなたにそのことを知らせなくてはならない。実際に返せなければ、謝ったうえで何らかの埋め合わせをしなくてはならない。

だが何と言っても重要なことは、すべての条件が等しければ、来週の火曜日に私はあなたに1000ドル返さなくてはならないということだ。

「すべての条件が等しければ」というのは哲学者の言葉で、条件を変えるほどの何かが起こることもある、という事実を反映した表現だ。

私は火曜日にあなたに1000ドル返さなくてはならないが、家賃を払うのにも1000ドル必要で、払えなければ家族全員が路上生活になってしまうとしたらどうだろう？　それでも私はあなたに返済しなければならないのだろうか？　猶予を求めてもよさそうな気がする。

だが、私が返さなければあなたがもっとひどい目に遭うとすれば、猶予は許されないだろう。あなたにそれほど深刻な問題がないなら、私はまず家賃を払い、あなたに謝罪したうえで、できるだけ早く返済するよう努力しなくてはならない。

権利より「幸福の最大化」のほうが大事か？

道徳哲学におけるもっとも切実な問いの一つは、権利はどれほどのことが起これば無効になるか、という問いだ。

たいしたことが起こらなくても無効にできる、というのが一つの答えだ。権利を尊重するより無視したほうがよい結果が得られさえするなら、無視してもかまわないというものだ。この考えに立てば、殴ることで悪いこと以上によいことが起こるなら、あれこれ気にせず殴るべきだということになる。

これをもっともな考えとして認める人がいるが、そう考えるなら、権利という概念が意味を失うことは知っておく必要がある。何かをしようとするとき、だれのどんな権利に抵触するかなど気にせず、その行為がよい結果をもたらすか悪い結果をもたらすかだけ問えばよいことになるからだ。よい結果になりそうなら、やる。悪い結果になりそうなら、やめる。権利は関係ない。

行為の道徳的正しさは行為の結果で決まるとすることから、この考え方には、「**帰結主義**」という名前がつけられている。[3] これに属する考え方として有名なのが「**功利主義**」だ。幸福あるいは効用を最大化することをめざすべきだという考え方である。

幸福や効用を最大化するとはどういうことか？　一般的な考え方は、苦痛を上回る快の量を最大限に増やすというものだ。だれかを殴るべきか殴らざるべきかを考えるとき、功利主義者（正確には一部の功利主義者）は、殴った結果として人びとの満足が苦痛を上回るかどうかを考慮する。そのさい、殴る側の権利も殴られる側の権利も考慮されることはない。

ロナルド・ドゥオーキンは、道徳をそんなふうにとらえることを嫌った。『権利論』（木鐸社）を著し、われわれは権利を真剣に受けとめるべきだと主張した[4]（ドゥオーキンはここ数十年でもっとも影響力のある法哲学者だといって間違いない。私の哲学の研究は、ある意味、彼の研究の延長線上にある）。

ドゥオーキンは、ブリッジのようなカードゲームの概念を使って権利の重要性を説明し、道徳をめぐる議論では、幸福より権利が優先すると論じた[5]。

ドゥオーキンの考え方を理解するために、「**臓器移植**」と呼ばれているストーリーを紹介しよう[6]。

あなたは病院の勤務医で、悩ましい事態に直面している。五人の患者が臓器の移植手術を受けたいと願っているのだ。必要な臓器はそれぞれ異なるが、いますぐ移植手術を行わなければ五人とも死んでしまう。

そのとき、一人のケガ人がやって来た。腕を骨折していたが、命に別状のあるような重傷ではない。しかし、あなたにある考えがひらめいた。

ここで彼に死んでもらい、臓器を摘出すれば、五人の患者の命を救うことができる。あなたはその負傷者に許可を求めたが、とんでもないと断られた。

さて、断られても移植を強行すべきだろうか？

一人に死んでもらえば五人の命が助かるのだから、議論の余地はあるにせよ、幸福の総和が増すことは間違いない。*

だが、そんな理屈はありえない。骨折した男には生きる権利があり、その権利は他の患者の幸福に優先する。

暴走するトロッコをめぐる難問

だが本当にそうだろうか？　この問いは現代哲学のもっとも有名な問題につながる。「**トロッコ問題**」（Trolley Problem）の名で知られる哲学パズルだ。

この問題を適切に考えるには、設定の異なる複数のストーリーが必要だ。それを考えたのが

＊「議論の余地はある」と留保したのは、このようなかたちで進められる臓器移植には二次的な影響がありうるからだ。もし人びとが、「救急集中治療室に運び込まれたら臓器摘出のために殺されるかもしれない」と疑いはじめたら、救急治療を避けはじめ、全体的な幸福が低下する可能性がある。哲学者はこのような二次的影響を抑えるために、思考実験に条件を加えようとする。「臓器移植」のケースでは、殺人は秘密裏に行われて外部に漏れることはないという仮定を置くかもしれない。そうすることで、幸福の総量が増える場合でも殺人は悪か、という問いの意味を際立たせることができる。

ジュディス・ジャービス・トムソンだ。

最初のストーリーは「**転轍機《てんてつき》の横に立つ男**」というもので、次のような話だ。[7]

人を乗せたトロッコが暴走しはじめた。行く手には線路の補修工事をしている五人の作業員がいる。トロッコがそのまま進めば全員が死ぬ。

幸い、いまあなたは転轍機のそばにいるので、スイッチを押せばトロッコの進路を別の線路に変えることができる！

しかし間の悪いことに、切り替えた線路の先にも作業員が一人いる！ 一人だけだが、トロッコの進路を変えたらその一人は必ず死んでしまう。

さあ、あなたならどうする？

たいていの人は、転轍機のスイッチを押して線路を切り替え、一人が死ぬとしても五人の命を救うと答える。

だが、ちょっと待ってほしい。医師が骨折患者一人を殺せば五人の命を救えるという「臓器移植」では、骨折患者から生きる権利を奪うことはできない、という結論を出したばかりだ。なぜ気の毒な保線作業員には同じ権利がないのか？

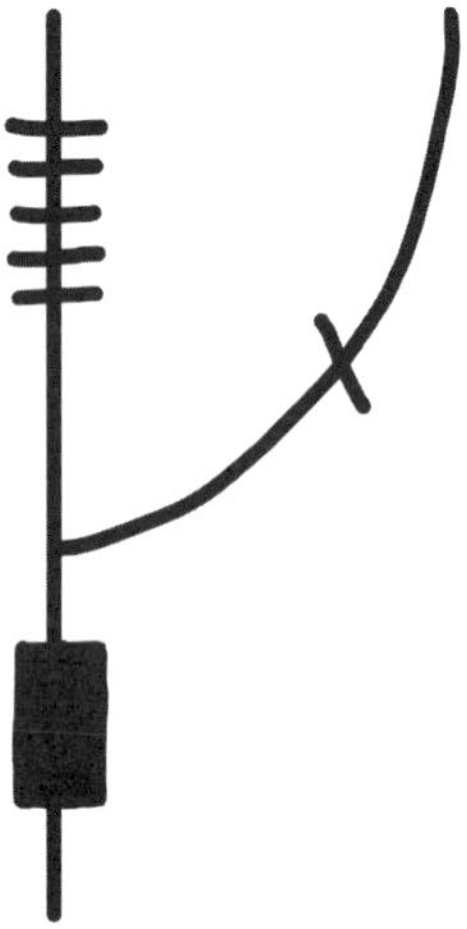

「太った男」を突き落として五人を救うか？

最近、「トロッコ問題」の授業を行った。わが家を教室にして行ったので、息子たちも参加することができた。彼らは鉄道模型で「転轍機の横に立つ男」の状況を再現し、大人たちの議論に合わせて、おもちゃの電車を動かしてくれた。

息子たちは、トムソンがつくったもう一つのストーリーが気に入ったようだった。「**太った男**」という話だ[8]（ネーミングはどうかと思うが、体重が重いことが重要なポイントなので仕方ない）。

このケースでもトロッコは制御不能になり、線路の先には五人の作業員がいる。しかし、あなたがいるのは転轍機のそばではなく線路をまたぐ橋の上で、そこから進行中の事態を見下ろしている。ふと横を見ると、太った男が手すりから身を乗り出して線路を見下ろしている。ちょっと押せば橋から線路に転落するだろう。そうすれば、男は電車に轢《ひ》かれて死んでしまうが、その身体《からだ》で電車が止まり、線路の先にいる作業員は助かる。

さあ、どうする？　その男を突き落として五人を救うか？　トロッコが五人を轢き殺すのを仕方がないと受け入れるか？

たいていの人は、男を突き落とすことはできないと答える。五人の死をやむをえないものとして受け入れるということだ。

なぜ？　道徳の算数――五人死なせるか、一人死なせて五人を助けるか――については二つのストーリーに違いはない。それなのに、「転轍機の横に立つ男」では、ほとんどの人が一人殺してもいいと考え、「太った男」と「臓器移植」では、ほとんどの人がそうは考えない。

何が違うのか？　それを問うのが「トロッコ問題」である。

カントを使って考える

「トロッコ問題」は私たちに、「臓器移植」での結論を考え直すよう求めている。「臓器移植」では、私たちは、骨折患者には生きる権利があり、たとえ五人を救うためでも彼を殺すことは間違っていると考えた。ところが、線路で働く作業員にも生きる権利があるのに、「転轍機の横に立つ男」では、大半の人が一人の死で五人を救うことをよしとした。

多くの人命がかかっているとき、私たちは、だれかの生きる権利について目をつぶることもあるようだ。

そこで、「臓器移植」と「太った男」ではなぜ殺すことが許されないのか、納得のいく説明が必要になる。これら二つのケースでは侵害することが許されないが、「転轍機の横に立つ男」では侵害が許される権利とは、いったいどんな権利なのだろう？

そんな権利があるのだろうか？　あるかもしれない。

この問題を考えるヒントを、**イマヌエル・カント**に求める人もいる。

カントは18世紀のドイツ人だ。プラトンやアリストテレスと並んで、史上もっとも影響力のある哲学者の一人である。几帳面な暮らしぶりは有名で、近所の人は彼が散歩しているのを見て時計の時刻を合わせていたと言われるほどだ。

カントは、他者を目的達成のための手段として扱ってはならない、人間として扱わなければならない、と主張した。[9] そのためには、その人の人間性——人間をモノ（手段として使っても問題のない対象）ではない存在にしているもの——を認識し、尊重しなくてはならない。

人間とモノはどこが違うのか？ 人間には、自分の頭で目的を考え、決定し、達成する方法を工夫する能力があるという点だ。人を人として扱うためには、人が持つその能力を尊重しなければならない。

ここで一つ重要な指摘をしておくと、カントも、人を目的達成の手段として使ってもよい場合があると考えていた。たとえば、私に推薦状を書いてほしいと願い出る学生は、就職するという目的を達成するための手段として私を使おうとしている。だが、書類を作成するパソコンのように私を利用しようとしているわけではなく、人間としての私を巻き込もうとしている。コンピュータは、彼女の目的を自分の目的として受け入れるかどうかを選ぶことができないが、私にはそれができる。

カントから「トロッコ問題」を解決するヒントを得られるだろうか？

得られると考える人がいる。そう考える人は、侵害してはならない権利とは、手段として扱われない権利、一人の人間として扱われる権利だと指摘する。

それをふまえて、もう一度、各ケースについて考えてみよう。「臓器移植」では、腕を骨折した男を殺せば、明らかに彼の権利を侵害することになる。五人を救うために自分を犠牲にするかと問われたとき彼は拒否した。それでも彼を殺すなら、自己決定権を持つ人間としてではなく、臓器の詰め合わせ袋のように扱ったことになる。

「太った男」でも同じことが言える。その男をレールの上に突き落とすのは、彼を人間としてではなく物体として扱うことにほかならない。考慮されているのは、その体重が電車を止められるほど重いかどうかだけだ。

「転轍機の横に立つ男」はどうだろう。一見すると、これも進路を変えた先にいる作業員を人間として扱っていないように見える。彼から許可を得ていないし、許可を求める時間もない。しかし、彼を手段として使っているわけではない。切り替えた線路の先に彼がいるのは、彼を使うためにあなたが計画したことではない。そこに彼がいなければ、あなたは迷うことなく線路を切り替えて電車の進路を変えるはずだ。

いわば彼の死は、別の線路にトロッコを導いて五人を救うという計画の不幸な副産物というわけだ。[10] 彼が逃げて死を免れてくれたら、どんなに嬉しいことだろう。

「太った男」と「臓器移植」はその点が違う。これら二つのケースでは、太った男や骨折患者がいなかったら、そして死んでくれなかったら、計画は成立しない。もしかしたらこの点に――あくまでも、もしかしたらだが――「トロッコ問題」を解く鍵があるのかもしれない。

もし線路が「ループ」していたら？

だが、それも違うのかもしれない。トムソンはもちろんカントを知っており、侵害が許される権利と許されない権利を分けるものは何かという問題について、たったいま私たちが考えたような観点も検討したが、結局それを却下している。[11]

なぜか？　その理由を説明するために、彼女はさらに別のストーリーを考えた。「**ループ**」と呼ばれているストーリーだ。[12]

基本設定は「転轍機の横に立つ男」と同じだが、ひねりが加えられている――というよりループが追加されている。

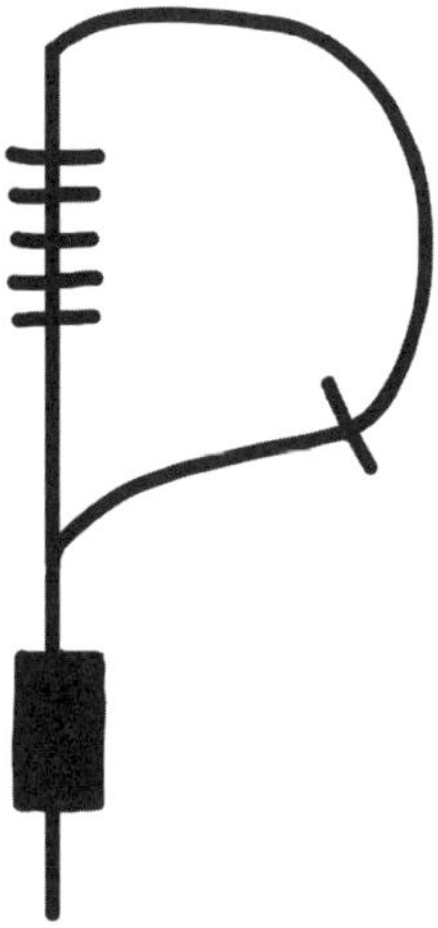

トロッコは五人の作業員に向かって進んでいる。転轍機のスイッチを押すと、作業員が一人いる線路に進路が変わるが、その線路はループして最初の線路とつながっている。もし進路変更した先に作業員がいなければ、トロッコは一周して反対側から五人に衝突することになる。しかし実際には作業員がいて、トロッコが止まるほど体重があるので五人を助けられる。だが、その一人の作業員は死ぬ。

この場合、スイッチを押して、作業員一人のほうにトロッコを進ませることは許されるのだろうか？

それは作業員を手段として使っていることになる。線路に彼がいなかったら（彼が何らかの方法で衝突を免れたら）、五人の作業員を救う計画は失敗に終わる。トロッコを止めるには彼の体重がぜひとも必要で、彼にいてもらわなければ五人は死んでしまう。そう考えると、「ループ」は「太った男」に似ている。

それでもトムソンは、「ループ」の設定で、トロッコを別の線路に進ませることは許されると考えた。作業員の先に線路を追加しても、道徳的には何も変わらないと考えたのだ。

彼女の考えでは、「ループ」と「転轍機の横に立つ男」は同じだ。作業員の先に線路があってもなくても関係ない。なぜなら、トロッコは作業員のところで止まり、その先の線路を進むことはないからだ。

このトムソンの考えが正しければ、人間を目的達成のための手段として扱ってはならず、人間として扱わなくてはならない、というカント的な区別によっては「トロッコ問題」は解決できないことになる。

自分で突き落とさなければ問題ない？

トムソンの考えに同意する哲学者もいる。[13] わがレックスもその一人だ。私はレックスと「ループ」について話をした。

「レックスならスイッチを入れる？」と私はたずねた。

「うん。最初の話と同じだから」と彼は言った。最初の話というのは「転轍機の横に立つ男」のことだ。「線路が延びただけで、ほかは変わってないでしょ」

「いや、変わった点があるぞ」と私は言い、おもちゃのセットでつくったループを示しながら、作業員がいなければ電車は一周して五人は死ぬということを説明した。「そこはむしろ『太った男』と似ている点だな」

「まあ、ちょっと似てるね」とレックス。「でも違う」

「どう違うの？」

レックスは少し言いよどんだが、こう答えた。

「『ループ』は、この人を使ってるみたいだけど、本当は使ってない」

「ん、どういう意味？」

「『ループ』だと、この人は最初から線路の上にいるでしょ。でも『太った男』では、線路の上に突き落とす必要がある。そこが違うと思う」

その点はレックスの言うとおりだ。そこは違う。

だが、その違いは重要だろうか？

重要だと考える哲学者もいる。「臓器移植」と「太った男」では、あなたは殺す相手の身体に触れることになる。少なくとも、あまり気持ちのいいことではない。

では、その違いは道徳的な意味で重要だろうか？

その点を検証するために、もう一つのケースを考えてみよう。そのケースを**「穴から落ちた太った男」**と呼ぶことにする。[14]

トロッコが暴走し、線路の先に五人の作業員、橋の上に太った男がいるという設定は「太った男」と同じだが、都合のいいことに、男は線路の真上にある落とし穴の上に立っている。あなたがレバーを引けば、落とし穴のふたが開いて彼は線路の上に落ち、そこでトロッコが止まり、五人は助かる。落ちた男は死ぬが、あなたは彼に指一本触れることはない。

これなら突き落とすよりましだろうか？　私はそうは思わない。レバーを引くほうが突き落とすより心理的不快感は少ないかもしれないが、落下させて死なせることに違いはない。仕掛けの違いで意味が変わるとは思えない。

「鉄道のプロ」はこう考える

「トロッコ問題」を論じた文献は山ほどある。*目が痛くなるほど大量のケースが存在し、議論は複雑になる一方だ。雪崩《なだれ》、爆弾、2台目の車両、果ては軌道が切り替わる回転プラットフォームまで登場して、にぎやかなことになっている。

この哲学の領域は「**トロッコ学**」(Trolleyology)と呼ばれることがある。[15] そのネーミングには、本来の進路から外れてしまった哲学論議を揶揄《やゆ》する響きがある。真剣で道徳的な問い――権利の範囲とその制約についての問い――から始まったはずなのに、荒唐無稽なストーリー設定と暴走する電車をめぐる果てしない議論にはまり込んでしまっていることへの批判である。

専門外の人間には、まさに常軌を逸した暴走と映るかもしれない。そんな「トロッコ学」に対する批判的論評のなかで私がいちばん気に入っているのは、デレク・ウィルソンという鉄道エンジニアによるものだ。彼はカナダの「グローブ・アンド・メール」紙にこんな投稿をした。[16]

暴走する路面電車をめぐって倫理上の問題が議論されている。鉄道交通の実際を知らない人びとによって、哲学の授業で的外れな議論が行われているようだ。

路面電車にも鉄道にも、運転士が死んだり意識不明に陥ったりした場合に備えて、自動的にブレーキがかかる「デッドマン・ブレーキ」が装備されているので、まず暴走するこ

＊数ある論文のなかで、もっとも驚かされるのは、この哲学パズルに対するトムソンの最終的な結論だろう(17)。彼女は晩年に考えを変えた。最終的に、「転轍機の横に立つ男」でも、電車の線路を切り替えることは許されないという結論に達したのである。「臓器移植」や「太った男」と同じだと考えるようになったのだ。その考えが正しければ、トロッコ問題は消滅する。「臓器移植」と「太った男」の二つと、「転轍機の横に立つ男」とでは、なぜ結論が違うのかというのがトロッコ問題だったからだ。しかし、ほとんどの人はいまでも、「転轍機の横に立つ男」の場合は電車の進路を変えることは許されると考えており、トロッコ問題はいまも未解決のまま存在し続けている。

とはない。

それは措くとしても、万一暴走が始まった場合、それに気づいたところで、転轍機のスイッチは破壊行為を防ぐためにロックされているので、「スイッチを入れる」という選択肢は存在しない。

電車の速度によっても取るべき対応策は異なる。時速15キロ以下なら電車に飛び乗り、急接近を知らせる警笛を鳴らせば五人全員を助けることができる。

時速30キロ以下なら、電車の進路を変更し（スイッチのロック解除キーがあればだが）、支線上の作業員一人だけの犠牲にとどめることができる。

時速30キロを超えていれば、転轍機のスイッチを入れたら電車は脱線する。線路上の作業員は助かるが、乗客に死傷者が出る。この場合は、制御不能に陥った電車をそのまま走らせ、遺憾ながら五人の作業員には死んでもらうのが妥当な選択となる。

私は二つの理由でウィルソンの投書が気に入っている。

第一に、哲学者の仮定がつくり出すストーリーで現実の世界を論じることの限界を思い出させてくれるという点だ。

現実の世界は哲学者のストーリーより複雑だ。哲学では、デッドマン・ブレーキの存在も、電車の速度も、転轍機のスイッチがロックされている可能性が高いという重要な事実も、すべて捨象されている。

一方で、ウィルソンの投書からは、現実世界のほうが単純な面もあることがわかる。なぜなら、路面電車について多少の専門知識があれば、取るべき行動は明らかだ、というのが彼の考えだからである。

いずれにせよ、現実のトロッコ問題は、哲学の「トロッコ問題」とは似ても似つかない。しかし、哲学者が話を単純化するのには理由がある。現実の世界では、厄介なことにいくつもの問題が同時に発生するが、哲学者は一つの問題だけを切り分けて論じたいのだ。

私がウィルソンの投書を気に入った第二の理由は、彼が哲学者を批判しながらも、じつは自ら哲学を実践しているという点だ。

彼は直感的な功利主義者であり、できるだけ多くの人を救おうとしている。だから、電車の速度が時速30キロ以下ならスイッチを入れ、一人を犠牲にして五人を救おうとする。電車のスピードが速ければ、五人の死には目をつぶり、脱線による乗客の死者（おそらく五人を上回る）をなくそうとするのである。

ウィルソンにとっては、何が正しい行動かは自明であり、議論の必要はない。

だが本当にそうだろうか。

もしウィルソンが私のクラスにいたら、「臓器移植」について彼の考えをたずねたい。電車が時速15キロ超30キロ未満で走っている場合には、一人を犠牲にして五人を救うのが当然だと考える鉄道エンジニアは、「臓器移植」でも、骨折患者を犠牲にして五人の命を救うべきだと考えるのだろうか？　もし彼が「ノー」と答えたら、なぜ違う結論になるのかを一緒に考えたい。

「トロッコ問題」は何を考えるためにあるのか？

「トロッコ問題」の正解は何だろう？

ハンクはいつも、それを私にたずねる。

私は大学の授業で話すことをハンクにも話すので、彼は裁判の話を聞くことにも慣れている。一つのケースに飽きると、「別の裁判の話をして」とねだってくる。私はハンクに、どう決着するのが正しいと思うかとたずねるが、何度かそのやりとりを繰り返したら、私から実際の判決を教えてもらえることを知っている。

なので、私が初めて「トロッコ問題」について教えて以来、彼は「裁判官は何て言ったの？」とたずね続けている。これは本当にあった話じゃない、と言っても納得してくれない。なんとしても答えが知りたくてたまらないのだ。

私も知りたい。だが、哲学にはこの問題を解く鍵がない。あなたも答えが知りたければ、知恵をしぼって自分で答えを出すしかない。

午後いっぱいの時間と大きなホワイトボードがあれば、私は「ループ」についてのレックスの考えが間違っていることを説明したい。トムソンが間違っていることも説明したい。線路を付け足すことで結論が違ってくることも論じたい。新しいケースも追加して、カント哲学から導かれる一つの考え方を紹介し、五人を救うために一人を使うことは許されないという立場を擁護する議論を展開することもできるだろう。

それが終わったら話題を転じ、長い議論になるかもしれないが、多くのケースを紹介して、人工妊娠中絶をめぐる議論にも踏み込みたい。国家が妊婦に出産を強制することは、女性の身体を国家のための手段として使っていることにほかならず、たとえ胎児の生命がかかっているとしても許されない、というのが私の主張だ（これをきちんと論じるには時間がかかる）。

最後に、「トロッコ問題」の意義について私の考えを述べて、延々とループし続けるこの議論をしめくくることにしよう。

トロッコ問題は、英国の哲学者**フィリッパ・フット**が書いた人工妊娠中絶に関する論文によって哲学の世界に登場した。[18]そして、トムソンがその論文を精緻化し、あわせて他のストーリーを紹介したことで有名になった。

トロッコ問題が考えようとしているのは、電車が制御不能に陥ったときにデレク・ウィルソンや鉄道関係者が何をすべきかではない。

トロッコ問題は、哲学者が道徳の構造について考えるための道具だ。人間にはどんな権利があるのかを考え、その権利より優先されるべき他者のニーズとは何かを考えるための道具だ。人工妊娠中絶や戦時国際法といった重大な問題について考えるための道具でもある。

あなたがトルーマン大統領で、長崎に原子爆弾（偶然にも「太った男《ファットマン》」という名前だった）を投下するかどうかの決断を迫られたとしたらどうだろう。原爆は何万人もの命を奪う。しかし、原爆は戦争を早く終わらせ、戦死者の数を減らすかもしれない。*

だれかを救うために、別のだれかを殺すことが許されるのは、どんな場合か？

これは重要な問題だ。トロッコ問題はそれを考えるのに役立つ。トロッコ問題を現実離れした思考遊戯のように感じる人が多いとすれば、この思考実験が、それが惹起する重要な問題を抜きに広く世の中に拡散してしまったからだ。

トロッコ問題自体はそれほど重要ではないかもしれないが、権利はゆるがせにしてはならない重要な問題なのである。

子どもへの果てしないレッスン

小さな子どもと一緒に暮らしていると、とくに権利は重要な問題になる。ハンクときたら、権利とは何かを知らなかったくせに、自分には権利がないと言ってべそをかいた。権利を主張することにも熱心だった。

「それ、ぼくの！」と叫んでは、自分のおもちゃに手を出すよその子を遠ざけ、所有権を主張したものだ。子どもなりに、他者を排除する権利を確立していたのだ。

生まれたばかりの赤ちゃんを病院から家に連れ帰ったら、その先、その子を生かし続けることが親の最大の仕事になる。食べさせ、ゲップをさせ、風呂に入れ、ひっきりなしにおむつを取り替える。やっと寝てくれたと思っても、赤ちゃんはすぐに目を覚ます。同じことの繰り返しが果てしなく続く。

無限かとさえ思える1年が過ぎると、次に待っているのは、子どもをまわりの世界にとけこませるための仕事だ。権利と責任を——もちろんそんな言葉を使う必要はないが——教えなくてはならない。

私たちは、ジラフィーを持ち出そうとするハンクに、ジラフィーはレックスのものだから、まずレックスに持ち出してもいいかたずねなくてはならないと教えた。逆に、ハンクのものは何かを教え、レックスがそれを使いたいときはハンクの許可を求めなくてはならないと教えた。

所有権から始まった幼児期のレッスンに、やがて約束、プライバシー、パーソナルスペースなどの教えが加わる。ときどき、権利も責任もわかっていない学生のための小さなロースクールを運営しているような錯覚に陥ったものだ。

契約についてのレッスンでは、息子たちは約束を守ることを学んだ。不法行為のレッスンでは、嫌がる相手にちょっかいを出さないこと、ドアが閉まっているときはノックすることを学

＊もしかしたらあなたはそう信じているかもしれない。だが、それは間違っているかもしれない。結果に確信が持てないとき、いかに決断を下すべきかというのは、道徳に関わる大きな問題だ。

んだ。刑法のレッスンでは、悪いことをしたら罰を受けることを学んだ。

もちろん、道徳は権利や責任だけで語り尽くせるものではない。

子どもが学べるもっとも重要な教訓の一つは、自分の権利をふりかざすだけではいけないということだ。たとえ他者を締め出す権利があっても、独り占めせず、ときには共有すべきだということだ。それが親切であり、思いやりというものだ。子どもがそのような美徳を身につければ、権利の主張ばかりが横行する世の中も、少しはましになっていくだろう。

しかし、子どもが小さいうちは、子育ての大部分は、何らかの道徳を教えることに費やされる。この本をまず権利についての問いから始め、次に復讐、罰、権威といったテーマ――いずれもそれぞれに異なる理由で権利と結びついている――を論じることにしたのはそれが理由だ。

「ファンタを飲む権利」はハンクにあるか?

子どもたちは、権利について学ぶうちに小さな法律家になった。自分の権利を主張できるようになり、だれかが権利侵害を訴えてきたときに自分を弁護できるようになった（3章参照）。実際、ハンクは権利の何たるかを知ると、いたるところでそれを主張するようになった。

子どもたちを連れてタコス料理の店に行った夜のことだ。ハンク（当時6歳）は、ソフトドリンクのコーナーにファンタがあるのに気づき、飲んでもいいかと20回近くたずねた。私たちはその要求を却下し、食事をした。

ハンクは不機嫌になり、だだをこねはじめた。そして、私たちが彼の権利を侵害していると訴えた。

「何の権利のことかな？」と私はたずねた。

「何を飲むか決める権利だよ」

「そんな権利があるの？」

「あるさ！」とハンクの言葉に力がこもる。

「どうして？」

この問い返しは子育てで使える便利なテクニックで、私のお気に入りだ。

少し説明しておくと、子どもは「なぜ？」という言葉を武器のように振りまわす。たいてい純粋な好奇心からの質問なので、ていねいに説明することが望ましい。しかし完全には説明できない。どんなに説明しても、言い尽くせないことが残る。だから、子どもたちはいつも「なぜ？」とたずねる。何度も、何度も、親が嫌になるほど。

最初のうちは、親がどこまで説明してくれるか知りたくて、面白がってたずねるが、大きくなるにつれて、「なぜ？」をうまく使えば親の権威を揺さぶれることを理解する。あるいは、親がムキになることに気づく。

だが、大人も同じ質問をして、このゲームを逆転させることができるのである。

私はその方法をハンクに使った。

「どうして、ハンクには何を飲むか決める権利があるの？」

「わからない」と彼は肩をすくめた。「とにかく、あるんだ」

「それじゃダメだよ」と私。「権利があると言いたいなら、理由がなくちゃ」

ハンクの頭が回転しはじめ、二つの理由を持ち出してきた。

「ぼくが何を飲むかパパが決めたら、ぼくが嫌いなものを飲ませるかもしれない」

これを自己認識に基づく主張と呼ぶことにしよう。

彼はさらに、「パパは何を飲むか自分で決めてるんだから、ぼくも何を飲むか自分で決められなきゃおかしい」と付け加えた。

これを平等原則に基づく主張と呼ぶことにしよう。

ハンクの主張は筋が通っているだろうか？　残念ながら話にならない。

まず、自己認識に基づく主張から。私がハンクに嫌いなものを飲めと要求するおそれはほとんどない。たいていの夜、ハンクに与えられる飲み物の選択肢はミルクか水の二つだが、彼はミルクが好きだし、水にしても別に嫌いなわけでもない。

また、この主張では、ハンクが自分の好きな飲み物を飲めるかどうかが重要だと仮定している。たぶん重要なことだ。だが、もっと重要なのは、ハンクには健康的な飲み物が必要だということだ。だから、親である私たちは水とミルクを与えているのだ。糖分たっぷりの飲み物は子どもにとっては特別なご馳走だろうが、好き勝手にさせたら1週間で糖尿病になってしまうだろう。

次に、平等の原則について。この原則は、比較する両者が同等である場合にはそれなりに説得力がある。だが、ハンクと私は違う。私は彼より多くのことを知っている。糖尿病について知っているし、何をしたら発症するかも知っている。私にはハンクがまだ身につけていない自制心がある。

もっと重要なのは、ハンクには私に対する責任はないが、私はハンクに対する責任があるということだ。私が何もしなくてもハンクは育つだろうが、身体だけは大人という子どもではなく、分別ある大人に成長させるのが親である私の務めだ。そのために、私は制限を設ける必要がある。飲んでもいいファンタの量は、制限すべき最たるものの一つだ。

以上が、ハンクには何を飲むかを自分で決める権利がないと考える理由だ。その権利は私（正確にはジュリーと私）にある、と考える理由でもある。

私はそのことをハンクに説明した。そして、大人になったら自分で好きな飲み物を選択できるようになることも伝えた。でもいまは、親の言うことを聞かなくてはならない。

その一方で、対立は早く終わらせたかったので、ハンクと取り引きをした。

「わがままを言うのをやめたら、こんどの土曜日にパパとママの友だちが訪ねてきたとき、ソーダを飲んでもいいことにしてあげよう」

「約束する？」とハンク。

「するとも」

「わかった」

土曜日になって友だちが訪ねてきた。ハンクは真っ先に飲み物を確保しようと、ドリンクがある場所に向かいながら言った。

「ぼくにはコーラを飲む権利がある」

Chapter 2 復讐

「やられたらやり返す」は平等か？

謎の悪口

ハンクが学校を休んだ日、私も家にいたので、ハンクが好きな遊びをした。ベッドの上でけらけら笑っていたハンクが突然、黙り込んだ。

「どうした、ハンク？　大丈夫か？」

ハンクが話しはじめた。

「きのうケイデンがぼくのことをフルーファー・ドゥーファーと呼んでからかって、そしたらケリーがぼくを叱った」

このハンクの話には意味不明な点が多いが、簡単にわかる部分もある。ケイデンというのは、ハンクがこの一件のしばらく前から通《かよ》いはじめた学校のクラスメートで、もうすぐ4歳の誕生日を迎える子どもだ。*ケリーというのはクラスの担任教師だ。

それは知っていたので、私はこうたずねた。

「フルーファー・ドゥーファーって何？」

「悪いヤツ」

「本当に？　もしかしたら、かっこいいヤツかもしれないよ。ググってみようか？」

「違うって。フルーファー・ドゥーファーはかっこよくなんかない」

そんなやりとりをしばらく続けた。「フルーファー・ドゥーファー」という言葉を声に出すのが楽しかったし、ハンクが言うのを聞くのはもっと面白かった。

もちろんハンクの言い分は正しい。フルーファー・ドゥーファーを知らなくても、フルーファー・ドゥーファーと呼ばれるのが不愉快なことはわかる。ファックフェイス〔クソ野郎〕と言われるほうがましだ（変な話だが、ファックフェイスにしても、だれもそれが何であるかは知らないのに、言われたら侮辱されていることはわかる。侮辱とはそういうものだ）。

いずれにせよ、ハンクが本当に話したかったのは話の後半、先生がハンクを叱ったという部分だ。

「先生はケイデンも叱ったの？」

ハンクは怒っている。

「ううん、ぼくのことしか叱らなかった」

「どうして？　ケイデンがハンクのことを何て言ったか、先生に話したんだろう？」

「あとで話した」

「あとって、何のあと？」

証人は沈黙した。

「ハンク、ケイデンに何かしたのか？」

沈黙。

「ハンク、ケイデンに何かしたのか？」

「先生がぼくを叱った」

「何をして叱られたの？」

証人は口を割らなかった。私はその意思を尊重することにして、戦術を変えた。

「ハンク、ケイデンが意地悪なことを言ったから、ケイデンに何か意地悪なことをしてもいいと思ったの？」

「そうだよ」とハンク。親のくせにそんなこともわからないのか、といった口ぶりだ。「言っ

＊念のために断っておくと、ケイデンの本当の名前はケイデンではない。無垢な子どものプライバシーを守るために、本書では、彼だけでなく、私の子ども以外の名前はすべて変えている。

たじゃない、ケイデンがぼくをフルーファー・ドゥーファーって呼んだんだってば」

悪に悪を返せば善が生まれることもある

その時点で、いい親なら子どもに、モータウンの名曲「ツー・ロングス・ドント・メイク・ア・ライト」*〔悪に悪を返しても善は生まれない〕を教えたことだろう。もしビルボードのヒットチャートに「道徳部門」などというのがあったら「ザ・ゴールデン・ルール」〔黄金律〕と僅差の2位になるはずの曲だ。

だが、あいにく私はあまりいい親ではない。ぶっ飛んだ親だ。

そこで私たちは、**ジェームス・ブラウン**の1973年のファンクの名曲「ザ・ペイバック」〔復讐〕から始めて、リベンジ・ソングを20分ほどシャウトして楽しんだ（「リベンジ！　頭に来たぜ！　やりかえしてやるぜ！　ただですむと思うなよ！」）。

……というのはウソで、白状すると、私はそれほどぶっ飛んだ親ではなかった。なので、ジェームス・ブラウンの曲は流さなかったし、悪に悪を返しても善は生まれないこともハンクに教えられなかった。

ブラウンの曲を聴かせなかったことは後悔している。彼の歌詞が子どもたちにウケることを知るまでに何年もかかってしまった。ブラウンの歌詞は断然面白い（「マジでクソいい曲だぜ！」）。子どもたちは、歌詞だけでなくブラウンの曲も大好きだ。そうだろうとも（ただし、どの曲を聴かせるかは気をつけないといけない。でないと、ハンクと私が「セックス・マシーン」について話すはめになったときの再現になりかねない）。

だが、後悔していないこともある。「悪に悪を返しても善は生まれない」という言葉を教えずにすんだことだ。じつは、親が子どもに吹き込むプロパガンダのなかで私がいちばん嫌いなのがこの言葉だ。なぜなら、「悪に悪を返せば善が生まれることもある」からだ。

というか、悪を返せば、よからぬ間違いを正せることもある。それを否定するようなことを教える親は、子どもに――おそらく自分自身にも――ウソをついている。

復讐はセックスより気持ちいい？

なぜ私たちは復讐を頭ごなしに否定するのだろう？

まず、なんと言ってもリスクが大きいという理由が考えられる。だれかを傷つけようとすれば、自分も傷つくかもしれない。もっと問題なのは、復讐は実力行使をともない、それが新た

＊「Two Wrongs Don't Make a Right」は、掛け値なしに名曲だ。ベリー・ゴーディ・ジュニアとスモーキー・ロビンソンがつくったこの曲は、1961年にバレット・ストロングが、1963年にメアリー・ウェルズがカバーしている。

な復讐、新たな実力行使を引き起こす可能性がある。それがさらに復讐、実力行使へとつながっていき、気がついたら暴力の無限連鎖にはまり込むことになりかねない。

だが、復讐を否定する理由はそれだけではない。暴力は多くの人にとって無意味なものだからだ。

旧約聖書の公式である「**目には目を**」の教えについて、ケイデンがハンクに行った攻撃を例にして考えてみよう。ただし、実際よりうんと過激な内容に変えて考えることにする。

ケイデンがハンクの目をくりぬいたとする。それに対して、ハンクがケイデンの目をくりぬき返しても何もいいことは生まれない。ハンクが失った目を取り戻せるわけではなく、片目での暮らしを余儀なくされる子どもが一人増えるだけだ。

これほど無意味なことなのに、私たちはなぜ復讐しようとするのだろう？

一つ考えられるのは、だれかから不当な扱いを受けたとき、私たちの脳は復讐したいと欲するように条件づけられているということだ。実際、とくに幼い子どもは仕返しに走りがちだという証拠がある。

ある研究で、4歳から8歳の子どもたちが、ステッカーを奪ったりプレゼントしたりする対戦型コンピュータゲームを行った。[1]観察対象の子どもたちには知らされていなかったが、対戦相手は研究者の指示に従ってゲームを進めた。

すると、観察対象の子どもたちは、自分から奪った相手から、奪わなかった相手からよりもはるかに高い確率で奪い返した。逆に、プレゼントという親切心に対しては同様の**返報性**は観察されなかった。ステッカーをプレゼントされても、その相手にお返しにプレゼントする確率は、プレゼントしてくれなかった相手にプレゼントする確率と比べて、とくに高くはなかった。どうやら、仕返しのほうがお返しよりも自然なことらしい。

　復讐は脳の神経回路に刻み込まれた反応だという仮説には、さらなる証拠がある。侮辱されると、文字どおりの意味で復讐欲が喚起されるらしい。人が飢えやそのほかのものを満たそうとするときに活性化する脳の左前頭前野が、同じように活性化するのだ。[2]

　ホメーロスにも思い当たる節があったのだろうか、彼の作品からは復讐は甘美だという考えがうかがえる。[3]いや、彼の考えはまだおとなしいほうだ。いつだったか私は「復讐はセックスより気持ちいい」と書かれたTシャツを街で見かけたことがある。旧ソ連の独裁的指導者ヨシフ・スターリンに至っては、復讐は人生最大の喜びだとまで主張している。*

　セックスは甘美だし、スターリンは社会病質者《ソシオパス》だったから、復讐をそこまで高く評価するのが妥当かどうか私にはわからないが、復讐は確かに満足をもたらすし、それは脳の神経回路の

＊歴史家のサイモン・セバーグ・モンテフィオーリが次のようなエピソードを紹介している。「酒の入った夕食の席で、レフ・カーメネフはテーブルを囲んだ全員に、人生最大の喜びは何かとたずねた。……スターリンは『私の最大の楽しみは、犠牲者を選び、綿密な計画を立て、容赦ない復讐心を燃やし、そして寝ることだ。これ以上の喜びはない』と答えた」(4)

働きによるものなのかもしれない。

しかし、復讐が動物的本能によるものだとしても、人間である私たちは、復讐によって何が達成されるのかを考えることができるし、衝動に従って復讐すべきか抑制すべきかを自問することができる。

復讐は頭ごなしに否定しなくてならないほど無意味なものなのだろうか。

人間関係の「帳尻」

ウィリアム・イアン・ミラーは愉快な同僚だ。復讐と、復讐が行われた文化に関する研究の世界的第一人者でもある。

ミラーは、復讐は非理性的行為だと言う人たちのことが我慢できない。ケイデンの目そのものはハンクの役に立たないが、ケイデンの目を奪うことは役に立つ、というのが彼の考えだ。

まず、ハンクは反撃してくるヤツだと思わせることができるので、攻撃を仕掛けようとする相手は慎重にならざるをえない。やったらやり返してくるという評判は保険のようなもので、人をケガから守ってくれる。ケガをしてしまってから治療に必要なお金を払ってくれる保険と違い、ケガをするような事態を未然に防いでくれるので、復讐は保険よりすぐれている。

したがって、復讐には合理性があると言うことができる。

しかし、そんな冷静な計算だけでは、私たちが復讐に感じる喜びを説明することはできない。合理的と思える一線を越えても、なお復讐に喜びを感じる人がいる。そんな復讐の喜びはシャーデンフロイデ（schadenfreude）の一種のようにも見える。他人の苦しみ、とくに自分を苦しめた人の苦しみを見て感じる喜びのことだ。

なぜ復讐に喜びを感じるのだろうか。よく言われるのが、因果応報、ざまあみろ、という感覚だ。実際、正義のなかには「**報復的正義**」という特殊な形態の正義が存在すると考える人がいる——他人を（不当に）苦しめた者は同じように苦しむべきである、この正義が成立していないうちは宇宙の帳尻が合わない、という考えだ。この考えに立つなら、復讐がもたらす喜びは、正義が行われるのを見る喜びということになる。

しかし、この解釈には見落としがある。復讐しようとする者は、ただ正義の行使を見るだけでなく、自分の手で苦しみを与えたいと思っている。合っていないのは宇宙の帳尻ではなく、自分と相手のあいだの帳尻なのだ。

復讐の感覚は、「ただじゃすまさない」とか、「この代償は払わせる」といった言葉に表れている。金勘定のメタファーでは、貸した側が復讐する側になってしまうが、それは問題ではない。[5] 根底にある、貸方と借方を一致させて帳尻を合わせなくてはならないという考えが大事なのだ。

「分配的正義」と「矯正的正義」

帳尻を合わせるというのは、真剣に受けとめるべき考えだろうか？

人類の歴史を通じて、多くの人がそう考えてきた。いや、ほとんどすべての人がそう考えてきたかもしれない。だから否定するのは気が進まないが、私はこの考えには重大な懸念を抱いている。

そもそも、私は宇宙の会計帳簿がどこにあるのか知らないし、そこに書かれていることを気にしなければならない理由もわからない。それが神のものなら、神が帳尻を合わせてくれるに違いない（聖書にも『復讐するは我にあり』と主は仰せられる」と書いてある）[6]。したがって、自分の手で相手の目をくりぬくことを正当化するためには、会計のメタファー以上のものが必要だと思う。

哲学者のなかには報復的正義を否定する人がいる。誤った結論を導くメタファーにすぎないから、さっさと捨てたほうがよいというのだ。私は報復的正義には一定の意義があると思うが、その議論は「罰」について考える次章までとっておくことにして〔154ページ参照〕、ここではさらに別の種類の正義に目を向けてみよう。二つある。

その昔、アリストテレスは正義を「**分配的正義**」と「**矯正的正義**」に分けた[7]。

人が何かに対して不公平だと感じるとき、それは分配的正義を問題にしていることになる。

パイをどう分けあうかを議論するのが分配的正義だ。自分に切り分けられたパイの一切れが他者の一切れより小さいとき、私たちは「公平じゃない」と文句を言う。

それに対し、切り分けられたパイのサイズとは関係なく、だれかが自分のパイを奪えば、私たちはそれを返してほしいと思う。「奪ったものを返せ」と要求するのが矯正的正義だとアリストテレスは言う。私が被った損害を賠償しろと要求する正義だ。

「目には目を」という天才的な方法

復讐は矯正的正義を実現するための方法なのだろうか？

そんな気もする。「目には目を」は「俺のパイを返せ」とそんなにかけ離れてはいない。ハンクがケイデンの目をくりぬけば、彼は自分が失ったもの――つまり目――を取り戻せる。

しかし、ハンクは自分が失ったものとそっくり同じものを取り戻すわけではない。そこが重要だ。ケイデンの目をくりぬいたところで、それでハンクの目が見えるようになるわけではないので、ハンクにとってあまり意味がない。

それでもミラーは、「目には目を」は矯正的正義を行うための一つの方法だと言う。一つの方法どころか、天才的な方法だとさえ言う。[8] 彼の議論の肝《きも》は、補償は必ずしも奪われたものと同一のものでなくてもよい、という点にある。パイを奪った者は、パイを返してもいいし、お金を払ってもよい。目の場合でも同じことが言える。

ミラーによれば、「目には目を」の目的は、くりぬかれる目の数を無駄に増やすことではない。**「タリオンの掟《おきて》」**（「目には目を」に代表されるようなルールの洒落た呼び名）の目的は、被害者が自分を陥れた人間に対して力を行使できるようにすることにある。

もしケイデンとハンクが聖書の時代に生きていたら（そして二人とも大人だったら）、ケイデンがハンクの目をくりぬいた瞬間に、タリオンの掟によって、ケイデンの片方の目はハンクの所有物になる。ハンクがそうしようと思えば、ケイデンの目をくりぬくことが認められる。

ハンクはケイデンに、ハンクはそれをやってのけるヤツだと思わせたいはずだ。だが、ハンクが実際にケイデンの目をくりぬくことはないだろう。なぜなら、ケイデンがハンクから目の所有権を買い戻すからだ。ケイデンが自分の目を所有し続けるためにハンクに払う金額が、ハンクにとっては奪われた自分の目の代償ということになる。

つまり、自分の目を失うことを怖れるケイデンは、ハンクの目に対する補償を支払うことになり、それによって矯正的正義が実現するということだ。

タリオンの掟は、奇妙に聞こえるかもしれないが、共感を促す方法にほかならない。他者の痛みを自分の痛みとして感じることを強制する方法だ。だれかを傷つけたら、自分もそれとそっくり同じ傷を受けることになる。なので、だれかにケガを負わせる前に、そのケガが相手に与える苦痛を想像せざるをえなくなる。それが共感であり、それによって暴行を思いとどまり、だれも負傷せずにすむ、というのがタリオンの掟の狙いなのだ。

残念ながら暴力の行使を思いとどまれなかった場合は、タリオンの掟によって、暴行した側は自分が相手に与えた損害を補償しなくてはならない。補償しなければ、自分も同じ損害を被って苦しむことになる。

「切られた腕」の補償金額はいくらか?

「レックス、復讐の話をしてもいいかな?」

ある日の昼食時、そう言ってレックスに話しかけた。そのときレックスは10歳だった。

「グロい話にならない?」

「ならないよ」

「じゃあ、していい」

「ちょっとはグロいかもだけど」

「その話、どうしてもしなくちゃいけないの?」

「ああ、そうなんだ」

「復讐について書いてるからでしょ?」

10歳の息子に見透かされてしまった。

「じつはそういうことだ」

「わかった、していいよ」

というわけで、私はレックスにアイスランドの英雄伝「**グドムンド王の物語**」[9]の話をした。

「スカリングというアイスランドの男が、港でノルウェーの商人たちを相手に商売をしていた。ところが取り引きのことでもめて、ノルウェー人がスカリングの腕を切り落としちゃったんだ」

「えーっ、グロいじゃん」

「だよな。でもグロいのはここだけだ。約束する。次にどうなるか知りたくない？」

「知りたいけど」

「スカリングは親戚のグドムンドという男に助けを求めた。グドムンドは男たちを集め、ノルウェー人がいる港に馬を走らせた。そこで彼らは何をしたと思う？」

「ノルウェー人を殺した」

「いや、そうじゃない。グドムンドは彼らに、切り落とした腕の代償をスカリングに払えと要求したんだ。その意味はわかる？」

「わからない」

「腕を失ったスカリングの気が少しでも治《おさ》まるように、お金を払え、ということだ」

「そうか。で、払ったの？」

「彼らは、額が妥当なら払うと言った。でも、グドムンドが決めた値段は高かった。というか、すごく高かった」

「いくらだったの？」

「３０００ドル」

「それって高いの？」

「物語にはそう書かれている。当時、スカリングみたいな人を殺したら、これくらい払わなくてはいけないと考えられていた金額だったらしい。腕を切り落とした場合じゃなくて、殺してしまった場合の額が3000ドルだったんだ」

「ノルウェー人は払ったの？」

「いや、払わなかった。彼らはグドムンドに腹を立てた。金額が高すぎたからだろうね」

「グドムンドはどうしたの？」

「当ててごらん」

「商人たちを殺しちゃった」。レックスが真顔になってきた。

「いや、殺さなかった」

「腕を切り落としちゃった！」

レックスはタリオンの掟の感触をつかみかけていた。

「いや、切り落とさなかった。でも、いい線に近づいてきたぞ。グドムンドはなかなか賢かった。切り落とす前に何をしたと思う？」

「払わなかったら、腕を切るぞと言った」

「そのとおり！　グドムンドは、まず自分でスカリングに3000ドル払った。それから、スカリングに代わって、自分がおまえたちのなかから一人選んで腕を切り落とす、と通告したんだ。腕を切り落とされたその男への補償は、おまえたちのあいだでいくらでも好きな額を決めるがいい、と言ったんだ」

「うまくいったの？」

「どう思う？」

「きっとノルウェー人はお金を払ったと思う」

「そう、3000ドル払った」

「すごい、グドムンドって頭いい」とレックスは言った。

「他人の腕」と「自分の腕」

グドムンドは賢かった。タリオンの掟も賢い。ノルウェーの商人たちが補償の支払いに応じたのは、グドムンドが彼らに、それを支払うことの重要性を強く認識させたからだ。商人たちが支払ったのは、それがスカリングの腕の代償ではなく、自分たちの仲間の腕を守るための代償に変わったからだ。

ミラーが言うように、多くの人は「自分の腕を守るためなら、他人の腕の代償として支払う額以上の額をおとなしく支払うだろう」[10]。それは理にかなっている。腕は元の持ち主の身体についているほうが役に立つのだから。

グドムンドの頭のよさは、それ以外の点にも表れている。彼はノルウェー人にお金を払わせただけではなく、交渉の過程で、彼らのせこさを浮き彫りにして屈辱を与えた。

商人たちは、グドムンドにスカリングの腕の値段を決めさせることで、余裕のあるところを見せようとした。だが、提示された額に難色を示したことで、攻撃の糸口を与えてしまった。グドムンドは自分が示した高額の補償を自ら払うと宣言して優位に立った。対照的に、ノルウェー商人たちの臆病さがあらわになった。自分たちの腕が危険にさらされたとたんに支払いに応じたからだ。

そうすることでグドムンドは自分の**名誉**を高めた。

名誉とは何だろう？　なぜ名誉が重要なのか？

名誉を単純に定義することはできない。それはかつて、社会の階層の中でその人の立ち位置を決める抽象的な質のことだった。アイスランドの英雄伝に描かれているような社会において、きわめて重要なものだった。ミラーは次のように書いている。

名誉とは、その人の価値の根拠、他人がその人の言葉に耳を傾ける根拠、何者かがその人の土地を奪ったりその人の娘をレイプしたりすることを思いとどまる根拠だった。名誉が、その人の話し方、声の大きさ、話す回数、話す場面、話す相手、話を聞いてもらえるかどうかを決めた。肩のいからせ方、いかに高所から話せるか（比喩だけでなく文字どおりの意味でも）、相手を凝視できるか、そもそも相手を見ることが許されるかどうかを規定した。[11]

要するに、かつて名誉とは、他人の目から見たその人の価値のことであった。

その点については、またあとで述べるが〔１１２ページ参書〕、その前に、グドムンドがスカリングの訴えを解決した方法と、今日の法廷が下す裁定を比べてみよう。

「共感」は「同情」より強い

私たちの社会は、もはやタリオンの掟に従ってはいない。とはいえ、裁判所はいまでも矯正的正義を貫徹しようとしている。私たちは、だれかのせいでケガをしたら、その原因をつくった人を訴えることができる。ケガの原因が不正や過失にあると証明できれば、裁判所は賠償を命じる。

公式には、裁判所は感情や同情を抜きに賠償金を定めることになっている。陪審員も、原告が被った傷害に対して、公正で妥当な賠償額を裁定するよう指導される。しかし実際には、原告側弁護士は陪審員の感情に訴え、同情を得ようとする。原告が受けた痛々しい傷害を描写して損害賠償額を引き上げようとする。

ここからが大事なところで、**同情**《シンパシー》は**共感**《エンパシー》より弱いことがわかっている。

私は学生たちにケイ・ケントンのケースを紹介する。[12] 彼女がハイアット・リージェンシー・ホテルのロビーにいたとき、重さ15トン以上もある2本の渡り廊下がお粗末な設計のせいで崩落し、下にいた１００人以上の客が死亡した。ケントンは一命を取り留めたが、首の骨が折れ、全身が麻痺《まひ》し、呼吸、膀胱、腸の機能障害、さらに多大な痛みと心理的トラウマなど、多くの問題を抱えて苦しむことになった。

陪審員はケントンに400万ドルを与えることとした。それなりの額のように思えるが、それが何を補償するのかを聞いたらそうとも思えなくなる。

ケントンの治療にかかる費用は100万ドルを超えると推定される。事故当時、彼女は法科大学院で学んでいたが、今後どんな職業にも就けないだろう。弁護士になれないことは言うまでもない。彼女の生涯の逸失所得は200万ドルと見積もられた。400万ドルからそれらを差し引いた100万ドルが、陪審員がケントンの痛みと苦しみにつけた値段ということになる。

そう考えると、この賠償金はそれほど気前がいいとは思えなくなる（弁護士がその4分の1かそれ以上を受け取るであろうことを思うと、その感はさらに強まる）。

もし、医療費などの経費プラス100万ドルが支払われるとして、それならケントンと同じ負傷で苦しんでもいいと思う人がいるだろうか？　私は思わない。とんでもないと言って、みんな断るだろう。

それなのに、尊大なハイアットホテルは賠償額が高すぎるとして、半額まで引き下げることを求めて控訴したのだ。裁判所はこれを棄却した。

そこで、こう考えてみよう。ハイアットは自社のCEOがケントンのような事故に遭わず、同じ障害を負わないようにするために、いくらまでなら払うだろう？

タリオンの掟に従って問いを言い換えるなら、ハイアットのCEOの頭上に渡り廊下（あるいは同じくらい重い物）を落とすというケントンの権利を行使させないために、会社はいくらまでなら支払うだろう？

400万ドル以上と答えた人はもちろん正しい。私は4000万ドルでも払うと思う。それをはるかに超える額かもしれない。

その額を決めるときにハイアットのCEOに働くのが共感の力だ。タリオンの掟の力は、それが共感を刺激することによってもたらされるのである。

陪審員がケントンを気の毒に思った――彼女が置かれた状況に同情した――ことは間違いないだろう。しかし、彼女の痛みをわがことのように共感したかどうかは疑わしい。だがハイアットの重役たちは、自分も同じ目に遭う立ち場に置かれることで、ケントンの痛みを自分事として共感することができるはずだ。

現代は「命の値段」が安くなっている

「目には目を」の利点は共感を促すことだけにあるのではない。「目には目を」は、「目には目以上を求めてはならない」ということでもあり、復讐に上限を設けるという効果もある。

生物学的な進化は、私たち人間に復讐を願う欲を授けたようだ。しかし、欲というものは――たとえば食欲のように――手がつけられなくなることがある。だれにでも食べ過ぎた経験はあるだろう。

そのため、目に対して目以上のものを求める人が出てくる。自分を過大評価している人、他人を過小評価している人、あるいはほんの少し軽んじられただけで過剰に凶暴になる人などがそれだ。

復讐の文化の中にそんな人がいたら、ひどいことになる。平和が実現する可能性など限りなく小さくなってしまう。「目には目を」は、合理的な補償についての考え方を確立することで、いきすぎた復讐を抑制するのに役立った。[13]

同様の役割を果たしたのが、対立する当事者だけでは合意に到達できない場合に調停者あるいは決裁者として介入した「**オッドマン**」(oddmen) と呼ばれる人びとだ。彼らは紛争における第三者なのでオッド〔余り、奇数〕と呼ばれた。ミラーが言うように、「イーブン〔対等、偶数〕になるためには調停《オッド》が必要で、そうでなければ永遠に対立し続ける」ことになる。[14]
陪審員はオッドマンから生まれた。どちらも同じ仕事をする。共同体を代表し、何が合理的な補償かを決める。しかし、陪審員はオッドマンとは違うかたちで補償を決める。オッドマンは「目には目を」を徹底し、アメリカの陪審員がやりがちな安売りはしなかった。
こう言うと異論があるかもしれない。一般的なイメージでは、陪審員はやりたい放題で、彼らが裁定する賠償金は高すぎる――安すぎるのではなく――と思われているからだ。だが私はそうは思わない。裁判所はいつも、ケガをする前にたずねられていたら、だれも同意しないような低い賠償額を言い渡している。
私はときどき、法学部の学生に、いくらもらえるならケントンと同じような傷害を負うことに同意するか、とたずねる。ほとんどの学生は、「いくらもらってもイヤだ」と言う。数億ドルなら考えるかもしれないと言う学生がいたが、それは家族を支えるためなら自分は犠牲になってもいいという考えからの回答だった。ケントンが実際に受け取った400万ドルで同じレベルの障害を受け入れると言った学生はただの一人もいない。

私たちは、復讐が日常茶飯事であった時代の人びとより洗練されていると思いたがる。「そのような暴力的な感覚に支配されている社会では、人生は貧しく、意地悪で、残酷」になると想像してしまうのだ。[15]
だが、それは違う、とミラーは言う。実際、タリオンの掟に従う共同体では、人の命は高価だった。そこでは、人を殺したら自分も殺された。腕を切り落としたら自分の腕も切り落とされた。現代に生きる私たちは、命にも手足にも、わずかな価値しか認めようとしない。[*16]
だとしても、私はタリオンの掟のもとで生きたいとは思わない。現代生活の多くの部分は、身体に被る被害に安い値段をつけることを陪審員に認めているからこそ成り立っているからだ。ミラーが指摘するように、「交通事故による死が、加害者を殺す権利を遺族に与える」なら、だれも自動車を運転しようとは思わなくなるだろう。[17]
そうなるのは車だけではない。飛行機、電車、トラック、動力機械など、モーターを持つほとんどすべてのものが当てはまる。「目には目を」の精神から離れ、わずかな補償でよしとすることで、現代人の暮らしが可能になっているのだ。

「目には目を」は平等に見えて平等ではない

復讐の文化を否定する理由は、現代生活に必要な便利さや手軽さのためだけではない。ケイデンはハンクから自分の目を買い戻すことができるが、そのためにはお金が要る。お金がなければ自分の目を手放さなければならない。

あるいは、ハンクが価値を認める別のもので目の代価を払わなくてはならない。考えられるのは、たとえば奴隷になって労働を提供するといったことだ。[18] つまり、「目には目を」は完全な等価を実現するための手段とは言えない。

「目には目を」に固執する社会に見られる不快な特徴は奴隷制度だけではない。そのような社

＊少なくとも不正行為に対する賠償を検討する裁判においてはそのことが言える。その一方で私たちは、ミラーが指摘するように医療、とりわけ終末期医療には膨大な費用を支出している。そのことについて彼はこう指摘する。「それは私たちの美徳というより悪徳、人間の尊厳へのコミットメントというよりその欠如の表れである。私たちは死や痛みを恐れるあまり、死に至るまでの無駄な年月を引き延ばし、孫の世代の財政を破綻させようとしているのである」。財政に関するミラーの指摘はやや的外れで、私たちの孫の世代がメディケア〔高齢者や障害者などを対象とする医療保険制度〕のせいで破産することはないだろう。しかし、賠償金は安いのに終末期医療には高額の支出をするという事実の対比が、私たちの価値観について何を語っているかについては、考えてみる価値がある。

会では、名誉という概念そのものも不快な色合いを帯びる。

グドムンドがスカリングの腕の値段を、「スカリングのような人」を殺した場合の代価と同程度に設定したことを覚えているだろうか。つまり、「目には目を」の社会では、人間の価値――およびその部位の価値――は、その人の名誉のレベルによって変わるということだ。

かつて、まったく価値を認められないか、価値のある人の所有物としての価値しか認められなかった人びとがいた（女性、奉公人、奴隷）。価値を認められた人も、だれもが自分の名誉を高めるために、あるいは他者に奪われてしまわないために、つねに周囲と競っていた。

そんな社会は想像するだけで疲れてしまう。私たちは、人間の価値がその人自身の価値を反映する社会に住んでいることに感謝すべきだ（フェイスブックの投稿に付く「いいね！」の数が価値の尺度になるかどうかはともかくとして）。

いや、そうではない。私が言いたいのは、すべての人に等しい価値を認めている社会に生きていることに感謝すべきである、ということだ。

いや、これも少し違う。私が言いたいのは、すべての人に等しい価値を認めるべきだと考えている社会に生きていることに感謝すべきである、ということだ。

そう、この言い方がいちばん現実に即している。私たちの社会はその理想を実現してはいない。だが、少なくともそれを理想としている。この理想を共有している社会はそう多くはないのだから、そのこと自体を道徳的な達成と言ってさしつかえない。もちろん、すべての人に等しい価値を認める社会が本当に実現できたら、はるかにすばらしいことだ。

いずれにせよ、ここで押さえておきたいポイントは、復讐の文化は否定するとしても、「目には目を」というのは、当時としては、正義を貫徹するための天才的な方法だったということだ。

いじめられることに慣れてはいけない

小さな子どもは、タリオンの掟など一切知らないが、復讐をしようとする。なぜか？ハンクは自分なりの理由を明確には語らなかった。説明を求められた彼は、すでに判明している明らかな事実、つまりケイデンが自分を「フルーファー・ドゥーファー」と呼んだことを、それだけで十分な理由であるかのように繰り返した。

だが、それだけではなかったはずだ。本人が言わなくても、ハンクが復讐した理由はわかる。彼は自分のために立ち上がったのだ。それはどういう意味か？ハンクはなぜそうする必要があったのか？

先にも述べたが、ハンクはほかの子から、あいつは俺たちの言いなりになる弱虫だと思われないようにする必要があった。つまり、やったらやり返してくるヤツだという評判を確立することは彼の利益になる。ハンクは筋道立った説明はできなかったが、そのことを感じ取っていたのかもしれない。実際、人間の脳が復讐を促す仕組みになっているとすれば、それが理由である可能性が高い。

しかし、私はそれ以上のものがあると思う。ハンクにとって、復讐には自分の将来の安全だけにとどまらない、何か別の問題がかかっていたのではないだろうか。

ここで、**パメラ・ヒエロニーミ**にご登場願おう。このテーマについて私に多大な示唆を与えてくれた哲学者だ。「グッド・プレイス」〔NBCの人気コメディ番組〕の道徳的側面に関する制作アドバイザーで、最終回には自ら出演もしている。

ヒエロニーミは私たちの生活の道徳的側面を鋭く観察していて、私たちが悪い行いにどう対応するかに関心を持っている。とくに、悪事が発するメッセージと、私たちがそれに応答しなくてはならない理由に関心がある。

ケイデンがハンクを突き飛ばしたとしよう。ハンクはケガをするかもしれないし、しないかもしれない。結果はどうあれ、突き飛ばされたという事実は厄介なメッセージを発する。ハンクはケイデンが突き飛ばせるような弱虫だというメッセージだ。

ハンクには、そのメッセージに抵抗しなくてはならない理由がある。ヒエロニーミに言わせれば、ここで問われているのはハンクの自尊心だ。[19] ハンクは自分のことを弱虫だと思いたくはないだろう。ここで抵抗しなければ、自分の社会的地位も危うい。自分は人に小突きまわされるような弱虫だと人からも思われたくないはずだ。

自分の社会的地位を守り、自尊心を回復するために、ハンクはケイデンがしたことに対応しなくてはならない。もし何の対応もしないなら――そして、まわりのだれもが何の反応もしなければ——ハンクはケイデンに小突きまわされる人間だという認識が、クラスの中で定着してしまうかもしれない。

ハンク自身も自分をそう見るようになるかもしれない。残念なことに、人はしばしばいじめられることに慣れ、我慢するしかないと思い込むことがある。さらに最悪なのは、自分はそんなふうに扱われても仕方がない人間だと考えてしまうことだ。

「怒る」ことは重要である

ハンクはどう対応すべきだろう？　ヒエロニーミはハンクに、まず怒りや憤りを感じることを勧める。[20]どちらも気持ちのよい感情ではないし、多くの人が反射的に蓋をしてしまう類いの感情だ。

しかし、哲学には**怒り**を自尊心の問題と見なしてきた長い伝統があり、ヒエロニーミもそれに賛同している。[21]怒りとは、不当な行為が内包するメッセージに対する抗議だ。ハンクのケイデンに対する怒りは、ケイデンが自分を突き飛ばすのはよくないという主張にほかならない——たとえ自分の胸の内だけでの主張だったとしても。[22]

だが、怒りは最初の一歩にすぎない。次のステップは、抗議の意思を表明することだ。それが、自分の力で立ち上がるということだ。

これについては、ハンクにはいくつかの方法がある。まず考えられるのは、シンプルにケイデンにこう言うことだ。「押すな！」

しかし、そう言うだけでは十分ではない。ハンクを突き飛ばしても何事もなければ、ハンクが何を言おうと、自分はハンクを突き飛ばしてもいいのだとケイデンは思い続けるかもしれない。ほかの子どもたちも同じように考えるかもしれない。

なのでハンクは、ケイデンにそれ相応の報いを受けさせる必要がある。どうやって？

まず思いつくのは、ケイデンを突き飛ばし返すことだ。それは「ぼくを思いどおりにできると思うなよ」と伝える方法の一つだ。「ぼくはきみと対等だ。きみがぼくを突き飛ばせるなら、ぼくもきみを突き飛ばせる」と言うことにほかならない。

ところで、ケイデンはハンクを突き飛ばしたわけではない。ハンクを「フルーファー・ドゥーファー」と呼んでからかったのだ。だがそのメッセージは突き飛ばすよりもっと明確だ。

ケイデンはハンクの地位の低さを面と向かって指摘したのだ。ハンクは「フルーファー・ドゥーファー」である。少なくともそう呼ばれても仕方のない子どもだ。彼はそれをハンクに伝え、その侮辱が聞こえるところにいるほかの子どもたちにも伝えたのだ。

ハンクがケイデンにどう対応したか私は知らない。学校からとくに連絡はなかったので、それほどひどいことをしたわけではないのだろう。私の推測では、「フルーファー・ドゥーファー」と言い返したか、それに類するバカっぽい侮辱を返したのではないだろうか。

ハンクが何をしたにせよ、彼は自分自身のために立ち上がり、ケイデンやほかの子どもたちに向かってこういう意味のメッセージを発したのだと思う。
「ぼくをフルーファー・ドゥーファーなんて呼べるって思うなよ」

「最初の悪」と「二度目の悪」は違う

ハンク対ケイデンの戦いを最前列で見ていたとしたら、あなたはハンクを押しとどめて、「悪に悪を返しても善は生まれない」と言うだろうか？

私はそんなことはしない。反撃した男に好感を持つ。彼はこの世界でやっていけるだろうと思うからだ。

この章の冒頭で、「悪に悪を返せば善が生まれることもある」と言った。私はそう考えている。最初の悪と、それに応じるために行使される悪は、それが象徴する重要性において異なる。ハンクを「フルーファー・ドゥーファー」と呼ぶことで、ケイデンは自分がハンクより強いことを示そうとした。ハンクは同じ侮辱を返すことで、自分がケイデンと対等であることを示そうとした。

「悪に悪を返せば善が生まれることもある」というスローガンについて、ひと言付け加えるなら、「二度目の悪は、やり過ぎないかぎり、じつはまったく悪ではない」ということだ。

ある行為の道徳的な質は、それが何を伝えるかによって決まる。同じ言葉でも、自分の名誉のために発するのと、他者を貶《おとし》めるために発するのでは、天と地ほどの開きがある。

「いつでも別の方法がある」は楽観的すぎる

子どもたちにこうたずねてみた。

「これまで、だれかに仕返ししたことはある？」

「あるよ」とレックスは言った。「ハンクが僕のお尻を叩いたから、叩き返してやった」

「ぼくもある！」とハンク。いかにも誇らしげな面持ちだ。「レックスがぼくのお尻を叩いたから、叩き返した」（ハンクはフルーファー・ドゥーファーの一件を覚えていなかった）

「そんなことしていいの？」と私はたずねる。

「いいさ。ぼくたち兄弟なんだから。相手のお尻を叩いても問題ないよ」と、ハンクはちょっと的外れなことを言った。

「じゃあ、学校でだれかに仕返ししたことはある？」と私はたずねた。

「ない」とレックス。「やり返しても、何もいいことはないし」

「どうして？」

「だれかに悪いことをされて、自分も悪いことをして仕返ししたら、同じように悪いことをしたことになる」

「本当にそう思う？」

「うん」

「じゃあ、最初の人が本当に意地悪で、二番目の人は自分を守ろうとしただけだったらどう？」
「ああ、なるほど」とレックス。「それならそんなに悪くないと思う。よくはないけど」
「どうしてそう思うの？」
「まあ、どんなときでも、ほかのやり方があるから」

確かにそれは一面の真理だ。自分を守るために必ずしも殴り返す必要はない。親が幼い子どもにするように、言葉で言えばいいのだ。ほかの人に応援を頼むこともできる。たとえばケリー先生はケイデンに、ハンクをフルーファー・ドゥーファーなどと呼んではいけないとはっきり言うことができたはずだ。ハンクが先生に助けを求めていたら、そうしていたかもしれない。

しかし私は、「いつでも何か別の方法がある」というレックスの楽観主義には同意しない。確かにハンクは、先生がケイデンの行為を正してくれると期待することができた。しかし、先生がいつも助けてくれるとはかぎらない。それに、人に助けを求めると弱虫だと思われることもある。いつも先生の庇護を頼りにしていたら、先生がそばにいないときはどうする？

私はわが子に、他人を傷つけるような人間になってほしくはないが、蔑《さげす》まれたり侮辱されたりしたときは、自分の力で抵抗できる人間になってほしい。

自分のためだけではなく、ほかの人のために立ち上がれる人間になってほしいとも思っている。怒りや復讐は、不当な行為に込められた隠れたメッセージに抵抗するために、被害者が取りうる方法だ。しかし、不当な行為をそばで見ている者も、そのメッセージを拒否する役割を果たすことができる。

そうすることで被害者を救済し、みんなが加害者と同じようにあなたのことを見ているわけではない、と伝えることができる。

ハンクが幼稚園に通っていたころのこと、ある晩、「もうあの子たちとは遊ばない」と言い出したことがある。遊び場で別の子にひどい意地悪をしたからだという。ハンクはその集団の仲間になりたくなかったのだ。

私たちは、ハンクが意地悪をされた友だちのために立ち上がったこと、そのことを親に話して助力を求める必要があると知っていたことを嬉しく思った。

失ったものは取り戻せない。では、何ができるのか？

大人にも不正行為に対処するための助けが必要だ。子どものように親や教師に頼ることはできないが、裁判所に頼ることはできる。

私は先に、裁判所は不正行為に対して矯正的正義を行おうとすると述べた。だが、少なくともアリストテレスが言ったような意味〔98ページ参照〕では、裁判はうまく機能していない。

ハイアットホテルはケントンから多くのものを奪った。働く能力、自立した生活、痛みのない生活、そのほか多くのものだ。彼女が受け取ったお金は、そうした問題に対処する助けになるかもしれないが、失ったものは戻ってこない。

復讐も同じことだ。ハイアットのCEOに同じ仕打ちをしても、彼女の傷は癒えない。しかし、矯正的正義については別の考え方ができる。傷を修復することはできなくても、間違った行いが発するメッセージを正すことはできるということだ。[23]

ケントンは法廷で、ハイアットの不正行為に込められたメッセージを否定するよう社会に呼びかけた。彼女の要求に応じて、裁判所は、ハイアットには彼女の安全、そしてすべての宿泊客の安全に配慮する義務があることを明確にした。そして、ハイアットがその義務を怠ったことは由々しき問題であり、容認されるべきではないことを明確にした。

それこそがまさに、法廷に立つ多くの人びとが求めていることだと思う。人びとは賠償金だけではなく、それと同じくらい、自分の訴えの正当性が認められることを求めている。彼らは、自分が不当な扱いを受けたこと、そして、自分はそんな扱いを受けずに生きる権利があることを裁判所に認めてもらいたいのだ。そして、自分が不当な扱いを受けたのは由々しき問題だということを明確にするために裁判に訴えるのだ。

この点を学生に説明するとき、私は**テイラー・スウィフト**のことを話す。[24]

２０１３年、デイヴィッド・ミューラーというラジオ番組の司会者が、ツーショットの写真を撮るためにポーズを取ったとき、スウィフトのお尻を触った。

彼女はそれに抗議し、ミューラーは番組から降ろされた。ミューラーはスウィフトを名誉毀損で訴え、自分は彼女の身体を触ってはいないと主張した。スウィフトは自分は暴行を受けたと反訴し、1ドルの損害賠償を求め、勝利した。

この話の要点は何か？

スウィフトは1ドルが必要だったわけではない。彼女の訴訟の目的はお金ではなかった。スウィフトが訴えたのは、自分の身体は触りたければ触ってもいい公共財などではないことをはっきりさせるためだった。言い換えれば、彼女は、ミューラーの痴漢行為が発するメッセージを否定することを裁判所に求めたのだ。

判決は、ミューラーに――そしてそれを聞くすべての男性に――スウィフトの身体に対する権利は彼女以外のだれにもない、という事実を告げた。判決は一般的な暴行罪を適用したため、すべての人のお尻について社会にメッセージを発した――他人の尻を触るな！

訴訟というのは何かと評判が悪い。しかし、裁判は私たちに、悪事が発するメッセージを拒否するよう社会に呼びかける機会を与えてくれる。それこそが矯正的正義であり、復讐に代わる最高のものなのだ。

嫌なヤツに言い返せる「強力なひと言」

ビルボードのヒットチャートに道徳部門があったら世の親たちの人気を集めそうな、誤ったプロパガンダをもう一つ紹介しておこう。これを書き忘れたら、私は不注意の誹《そし》りを免れないだろう。

「棒や石なら骨を折れるが、どんな言葉も私を傷つけることはできない」という、だれもが耳にしたおなじみの教訓がそれだ。

私の母はこの言葉が好きだった。私がだれかに意地悪されて家に帰ると、母はその言葉を持ち出して、私の気持ちを落ち着かせようとした。でも、子ども心にも、それはウソだと思っていた。人を傷つける言葉はある。言葉によって骨折より痛い傷を負うことがある。

私は子どもたちに「棒や石なら骨を折れるが……」というフレーズを教えない。言葉で傷つけられたことを否定する必要はない、と知ってほしいからだ。

とはいえ、このフレーズにもよい点はある。

それは、ハッタリとしての巧みさだ。言葉によって傷ついたとき、へっちゃらを装うほうがよいこともある。

あなたを「フルーファー・ドゥーファー」と呼ぶ相手は、あなたを興奮させようと思っている。だから、うるさく言ってきてもその手には乗らないほうがいい。どんな言葉で侮辱されようと、自分は痛くも痒《かゆ》くもないと伝えることができればもっといい。

それは相手のたくらみをひっくり返すことになる。無視することが、おまえは取るに足らない存在であり、おまえが何を言っても自分は何とも思わない、という意思表示になる。それを押し通すのは簡単ではないが、うまくいけば相手の言動をやめさせる最良の方法になる。

ある晩ハンクが、だれかに意地悪なことを言われたと話しかけてきた。そこで私はハンクに、そんなときに相手に言い返す強力なひと言を教えてあげよう、と言った。

「聞く準備はできてるかな？」

「できてる」

「本当か？　けっこう強烈だよ」

「大丈夫だよ」とハンク。

「だれかが意地悪なことを言ったら、こう言い返すんだ。『勝手に言ってろ、知ったことか』」

「パパは、ぼくのことなんかどうでもいいんだって！」

ハンクは母親の注意を引こうとして大声を張り上げた。

「違う、違う。パパはハンクのことを気にかけてるさ。意地悪なことを言うヤツに言い返す言葉を教えてやってるんだ。練習する？」

「うん」

「おまえ、チビだなあ。アリにだってバカにされてるぜ」

ハンクはくすくす笑いながら、「勝手に言ってろ、知ったことか」と言った。

「これ、おまえの眉毛か？　毛虫が顔にとまってるのか？」

さらにくすくす笑いながら言った。「勝手に言ってろ、知ったことか」

「歯は磨いてるのか？　息がおならみたいに臭いぞ」

爆笑。

「勝手に言ってろ、知ったことか」

こんなことを何度か繰り返したが、そのうちハンク相手に言うことのネタが尽きてしまった。そこまでにして、寝ることにした。

子ども部屋に向かおうとするハンクに、私はいつもの言葉をかけた。

「おやすみ、ハンク。愛してるよ」

「勝手に言ってれば」

わが子に一本取られた。

Chapter 3

罰

「おしおき」は哲学的に正当か？

初めてのタイムアウト

「アイイイイイイイイーッ！」

「静かにしなさい、レックス。食事の時間だ」

「アイイイイイイイイーッ！」

そのときレックスは2歳になったばかりだったが、自分の気持ちを表現する術《すべ》を見つけつつあった。というか、どこまで大きい声を出せるかを知ってしまった。叫び声はやみそうになかった。

ついに、ジュリーの我慢が限界に達した。

「ちょっとひと休みしなさい」と言いながらレックスをベビーチェアから下ろし、リビングルームに連れていった。

それは彼の初めてのタイムアウト〔別の場所で落ち着かせる躾《しつけ》の方法〕だったが、おとなしく座って反省するようなレックスではない。ジュリーはソファに座り、レックスを膝の上に乗せた。

「レックスがあんまりうるさいから、みんなひと休みするよ」と彼女は言った。

「なんでひとやすみするの?」とレックス。

「レックスがあんまりうるさいから」とジュリーはもう一度言った。

「ぼくたちひとやすみ!」。叱られてシュンとして然るべき子どもにしては、あまりにも嬉しそうだ。

ソーシャルワーカーである私の妻は、子どものタイムアウトの時間は年齢と同じ長さまで、と考えている。なので2分後、彼女はレックスと一緒にテーブルに戻ってきた。

ジュリーがレックスを椅子に座らせ、ベルトを締めているあいだ、レックスは「もっとひとやすみしたい」と言い続けた。

「食事の時間なの、レックス」

「もっとひとやすみ」

「だめ、レックス。食事の時間なの」

「アイイイイイイイーッ！」

親はなぜ子どもを罰するのか？

どうやらタイムアウトは効果がなかったようだ。理由は明らかだ。罰は不快なものでなくてはならないのに、レックスはタイムアウトを楽しんでいた。彼にとっての日常から離れることができたし、母親の膝の上に座ることも嫌ではなかった。本気でレックスを罰したければ、何か別の厳しい方法を考えなくてはならない。

でも、ちょっと待ってほしい。親はどうして子どもに厳しい仕打ちをするのだろう？　いや、相手は子どもとは限らない。だれに対してであれ、私たちが人に対して厳しく接することがあるのはなぜなのだろう？　罰を与える正当な理由とは何だろう？

一般的な答えは「**報復**」だ。前章で述べたように、悪いことをした者が苦しむのは自業自得、当然という考え方だ。

だが、なぜ当然なのか？　それを説明するのは難しい。

報復論者のなかには、説明の必要もない自明なことだと考える人もいる。道徳的に間違っている者が、自分が犯した罪のために苦しむのは当然で、それに理由などいらないというわけだ。

また、前章で紹介した金銭的なメタファーを使って、悪をなした者は社会に負債を負う、と言う人もいる[1]。行為の代償は支払ってもらわなければならない、というわけだ。

だが、たとえ悪いことをした者に対してでも、苦痛をともなう罰を与える以上、比喩を使った説明だけですませるわけにはいかない。それが当然だという感情だけでも十分ではない。罰自体にも何らかの悪がともなうことは明らかなのだから、罰を正当化するためには、罰することで何が達成できるのか、どんなよいことがあるのかがわかっていなくてはならない。

この章の後半で、悪いことをした者を懲らしめるのには意味があることを説明し、「報復」の妥当性を論じるが、ここではその前に、「報復」では2歳児を厳しく扱う理由を説明できないことを述べておきたい。大人なら懲らしめを受ける必要のある者がいるというのも納得できるが、小さな子ども、とくにレックスのような幼い子どもを懲らしめる必要性は想像しにくい。

犬をしつける「プロの方法」とは?

私たちはタイムアウトによって何をしようとしたのだろう?

ジュリーも私もレックスに叫ぶのをやめさせ、なんとか昼ごはんを食べさせようとしていた。だがそれよりも、自分たちが落ち着いてランチを食べるために、金切り声を上げるのをやめさせたかったのだ。したがって、タイムアウトの直接の目的はただ一つ、悲鳴を上げても望みは叶えられないことをレックスにわからせ、黙らせることであった。

私たちがやろうとしていたことは大げさに言えば「**抑止**」だ(復讐にもその効果があることは

前章で述べた）。

人はインセンティブに反応する。子どもも然り。レックスは絶叫することを楽しんでいた。やめさせたければ、それが楽しくなくなるように仕向けなくてはならないが、残念なことに、レックスは絶叫よりタイムアウトのほうが楽しかったようで、さらなるタイムアウトを期待して絶叫し続けた。

2歳児には抑止より、注意をそらすほうが賢い戦略だったようだ。それでもダメなら、たんに無視したほうがよかったのかもしれない。

少なくとも、わが家で飼っている子犬のベイリーについて相談したドッグトレーナーからは、そのことを学んだ。

ベイリーはミニゴールデンドゥードルだが、彼女も金切り声を出すのが好きだ。そして人に飛びつくし、手に噛みつく。トレーナーはベイリーの躾のために「**見えない犬**《インビジブル・ドッグ》」というゲームを教えてくれた。

やり方はいたって簡単だ。ベイリーが飛びついたり、手に噛みついたりしたら、完全に無視して、まるで彼女がそこにいないかのように振る舞うのだ。ベイリーが悪さをやめたらその瞬間にゲームを終わらせ、大げさに褒めて、おやつを与える。飛びついたり噛みついたりしなければいいことがある、と教えるのが目的だ。つまり、ネガティブな動機ではなくポジティブな動機で躾けるということだ。

実際、それはうまくいく。感動的なほどうまくいく。いまからやり直せるなら、レックスにリードを付けてトレーナーのところに連れていきたいほどだ。

トレーナーは自分が何をしているかを、私たちよりずっとよくわかっている。彼女にかぎらず、動物に問題行動をやめさせてよい行動を促すことにかけて、アニマルトレーナーの巧みさには驚かされる。しかも、ほとんど動物を罰することなくそれをやってのける。罰するときも、いま自分が動物に何をしているかをしっかりわきまえたうえでやっている。

夫を調教師の方法で手なずける?

では、なぜ私たちは人間が相手だと罰するのだろう? 動物を訓練するように、人間も訓練すればいいのでは?

これはなかなかいい質問だ。

2006年、「ニューヨーク・タイムズ」はライターの**エイミー・サザーランド**のエッセイを掲載した。

動物調教師の養成学校について本を書いていた彼女は、調教師たちの仕事ぶりを見ているうちに、この方法で自分の夫も訓練できる、とひらめいた。[2]

彼女の夫の名前はたまたま私と同じスコット。当時彼には困った習慣があった。服を床に脱ぎ捨て、家や車の鍵を何度もなくした。さらに悪いことに、彼にはその自覚がなかった。

同じスコットでも、私はそんなことは一度もしたことがない。少なくとも、ここ二、三日に限ればそんなことはしていない。なので、妻がサザーランドの記事を読んでもまったく気にならなかった……と言いたいところだが、実際は、記事を見たとたんに危険を感じた。私は新聞を妻に隠し、その話題を持ち出さないよう気をつけた。しかし、ネット上の記事は隠すことができず、サザーランドの記事はジュリーの知るところとなった。

記事のタイトルは「シャチが幸せな結婚生活について教えてくれたこと[3]」。

そのなかでサザーランドは、取材を始める前は、夫のだらしなさについて口うるさく言っていたと書いている。しかし、それは効果がなかった。それどころか、事態を悪化させた。そんな彼女に、動物調教師がいい方法を教えてくれたのだった。

「調教師から学んだいちばんの教訓は、夫が私にとって望ましい行動をしたら報酬を与え、望ましくない行動は無視するということでした」とサザーランドは語っている。「要するに、アシカにどんなに口うるさく言っても、鼻先にボールを乗せる芸をさせることはできないのです[4]」

フロリダ州のシーワールドでは、彼女はイルカの調教師から「**最小強化シナリオ**」について学んだ。イルカが間違ったことをしたら完全に無視するという方法だ。イルカのほうを見もしない。だれも反応してくれない行動はそのうち消えていく傾向があるからだ。

「**逐次接近法**」と呼ばれるテクニックについても学んだ。どんなに些細な進歩でも、最終的にめざす行動に近づくものであれば褒美を与える。その次の小さな一歩にも、さらにその次の小さな一歩にも、褒美を与える。アシカがボールを鼻の上に乗せる曲芸をマスターするまでそれを続けるのだ。

サザーランドは仕入れてきたテクニックを自宅で使った。夫が洗濯物をカゴに入れたら「ありがとう」と言い、入れなかった洗濯物は無視した。すると期待どおり、夫が脱ぎ捨てる服の山は小さくなっていった。やがて彼女のアシカは鼻の上でボールを操れるようになっていった。

あるとき、私はジュリーが同じ実験をしている気配を感じた。私が服を脱ぎ捨てても文句を言わなくなった。私が服を拾い上げてカゴに入れると、大げさなほど喜んでくれた。キッチンでも同じで、食べ終わった皿をシンクに積み上げず食洗機に入れたら、それだけでありがとうと言ってくれた。私は探りを入れるために、ちょっとした善行をして様子を観察したが、案の定、そのつどポジティブな反応が返ってきた。

「もしかして、ぼくをイルカ扱いしてる?」と私はジュリーにたずねた。

「バレた? あの記事、読んだの?」

「みんな読んでるよ」

実際その記事は、これまでの「ニューヨーク・タイムズ」の記事のなかでも、いちばん多く読者のコメントが付いたらしい。

「確かに効果はあるみたいね」とジュリーは応じたが、そのとき彼女の表情から急に笑みが消えた。自分も同じことをされているのかもしれないと気づいたのだ。「もしかして、あなたも私をイルカ扱いしてる?」

私はそれには答えなかった。いまもノーコメントを通している。

私たちは記事を読んだことを互いに隠していた事実を二人で笑いあった。そして停戦交渉を行い、互いに相手をイルカ扱いしないという協定を結んだが、ジュリーはまだ私をイルカのように扱っている。だが、すでに対処のコツをつかんでいる私は、それを無視している。彼女がやめてくれたら、もちろんご褒美を与えるつもりだ。

他者と向き合うときの二つの態度

こんな夫婦のあり方に問題はないだろうか？　夫は自分に都合のいい行動を妻にさせるために妻に感謝し、褒めそやす。妻も夫に同じことをする。私は、夫婦の関係としてどうかと思う。夫婦間にかぎらず、こんな人間関係には問題がある。

それはなぜか？

その理由がわかれば、罰について、これまで気づいていなかった考え方が見えてくる。

ピーター・ストローソンは、オックスフォード大学の形而上学教授だった。彼は20世紀の哲学においてもっとも影響力のある論文の一つを書いた。その論文のタイトルは「自由と怒り」である。[5]そのなかでストローソンは、人間を見る二つの見方を説明している。

一つは、人間を原因と結果の法則に支配される**客体**《オブジェクト》、つまり操作やコントロールができるモノとするような見方だ。家電製品のように人を見る人間観だ。

快適な室温にするためにサーモスタットの目盛を動かす。食べ物を焦がすことなく温めるために、電子レンジの設定を変える。暖房器具のフィルターを交換して熱効率を高める。どれもインプットを調整してアウトプットに影響を与えようとするもので、まさにサザーランドが夫に対して行ったことだ。

ストローソンは、人をモノとして見るということは、人を「管理され、操作され、矯正され、訓練されるべき存在」として見ることだと述べている。[6]

サザーランドは、夫をそのように見ることをためらわなかった。彼女は夫に対して行った実験について、「彼をつついて少しでも完璧な夫に近づけたかった」とか、「私を困らせない伴侶にしたかった」と説明した。[7] 彼女の言葉に注目してほしい。夫をつついて新しい方向に誘導し、夫をよりよい存在にしようとした。彼女の夫は、あらゆる意味で、彼女の計画の対象であり、新たにマスターしたテクニックで操るモノだったのである。

ストローソンは、サザーランドが夫に対して取ったこのような態度を「**客体への態度**」と呼んだ（夫を操作の対象と見ているからだ）。

もう一つの見方としてストローソンは、それと対比させるかたちで、通常の人間関係のなかで私たちが取る態度を「**反応的態度**」と呼んだ。怒り、恨み、感謝などがそれに該当する。

私たちは他者との関係において——配偶者として、同僚として、友人として、あるいは同じ人間として——相手はこのように振る舞うべきだという期待を持っている。基本的に、私たちは相手が善意を持って接してくれることを期待している。それ以上の何かを示してくれれば言うことはない。だが相手が期待以下のことしかしてくれなかったら——まして、ひどい扱いをされたら——怒りや恨みを覚える。[8]

ストローソンは、このような態度を反応的態度と呼び、私たちがお互いをモノ扱いせず人間として接するために必要な重要な態度だと述べている。

人間は、たんなるモノとは違って、自分の行動に責任がある。私はサーモスタットが壊れても怒らない。怒るとしても、サーモスタットにではなく、それをつくった人や設置した人、あるいは品質に難のあるものを買ってしまった自分自身に対して怒るだろう。

怒りは、責任がある人（あるいは責任があるかもしれない人）に向けられてこそ意味がある。なぜなら怒りは、もっとましなことができたはずだという判断の反映だからだ。

自分は無生物に対して怒ることもある、と言いたい人がいるかもしれない。私もクラッシュしたパソコンを呪ったことが何度もある。しかし、モノに対して怒るというのは、モノを擬人化しているということだ。それを人間のように扱い、それには責任がないとわかっているのに、あたかも責任があるかのように扱うということだ。

サザーランドが夫にしたことはその逆で、人間をモノとして扱ったということだ。実際問題、人間もモノであることに違いなく、操作やコントロールが可能なのだから、モノを人間扱いするよりは理にかなった方法と言える。

しかし、人間はたんなるモノではない。人間は自分のすることに責任を負っている。少なくとも、負うことが可能だ。だから、怒りのような反応的態度は、私たちが互いに対して責任ある存在であるための方法の一つなのである。

罰の定義──子どもバージョン

「罰って何なのかな?」

夕食のとき、レックスとハンクにたずねた。

「よくわからないけど、何か悪いこと」とハンクは言った。そして続けて、「いま食べてるんだから、その話はしないでくれる?」

ハンクは食事中に気乗りしないことを話すのが嫌いだ。というか、食事中は何も話したがらない。

だがレックスはその話題に食いついてきた。

「だれかに嫌なことをされること」と彼は言った。「それか、やりたくないことをやらされること」

「じゃあ、レックスが外で遊びたいときに、パパがピアノの練習をしなさいと言ったら、それって罰を与えたことになるの?」

「ならない」とレックス。

「なぜ？」

「ぼくは何も悪いことしてないから」

「ということは、罰というのは、何か悪さをしたときに人からされる嫌なこと、かな？」

「そう！」とレックスは言った。「自分が悪いことをしたときに、だれかから嫌なことをされるのが罰だ」

「食べてるときに、その話はしないで！」とハンクが叫んだ。

罰は、責任ある者への怒り

話の途中でハンクの邪魔が入ったが、罰についてのレックスの考えはかなりいい線をいっている。実際、**ジョエル・ファインバーグ**が登場するまで、罰は、レックスとほぼ同じように定義するのが普通だった。すなわち、「悪しき行為に対して権威者が与える厳しい仕打ち」というものだ（レックスの言葉では、「悪いことをしたとき、だれかにされる嫌なこと」である）。

ファインバーグはアリゾナ大学で哲学を教えた。教え子の一人、クラーク・ウルフは私の最初の哲学教授だ。もう一人の教え子のジュール・コールマンは、私のロースクール時代のメンターだ。つまりファインバーグは、私にとって哲学における祖父みたいなものだ。刑法の思想家としても知られ、刑法の範囲や目的について膨大な著作を残している。

ファインバーグは、刑罰についての標準的な説明には問題があると考えた。[9] アメリカンフットボールにおけるパスインターフェア〔パスプレーにおいて、ボールがまだ空中にあるときに、レシーバーを妨害する反則行為〕に対するペナルティを例に取って考えれば、私たちにも問題がわかる。

パスインターフェアを犯した守備側に対するペナルティは、それが行われた場所からのファーストダウンを攻撃側に与えるという厳しいものだ。それで試合がひっくり返ることもある。反則行為に対して権威者（レフェリー）が科すのがペナルティだ。

なので、レックスの定義によれば、競技スポーツにおいてペナルティは罰である。しかし、そうとも言い切れない。確かにパスインターフェアにはペナルティが科せられるが、それは反則を犯した選手を罰しているわけではないからだ。

別の例を挙げよう。

吹雪に襲われて、車を道路に停めたままその場を離れてしまったとする。除雪作業が行われて車がレッカー移動されてしまった。車を引き取るには、保管所まで足を運び、お金を払わなければならないのだから、厳しい処置だ。

しかしこれも、ペナルティではあっても罰ではない。反則金がレッカー移動と保管の費用に限られるなら、たんなる費用請求であってペナルティと言えるかすら微妙だ。

ファインバーグの議論に照らせば、レックスの定義は、罰というものが帯びている象徴的な意味を見落としている。ファインバーグによると、罰は、怒りや憤りといった反応的態度の表出なのである。

国がだれかに犯罪者の烙印を押して刑務所に入れるということは、国がその人の行為を糾弾するということだ。「犯罪者には、看守や外の社会からむき出しの敵意が向けられるが、その敵意は正当なものと見なされる」とファインバーグは説明する。[10] なぜなら、敵意は犯罪者に対する適切な反応と考えられているからである。

もし、罰がファインバーグが言うように反応的態度の表出なら、二つのことが言える。

第一に、ジュリーはレックスにタイムアウトを科したが、罰したわけではない。レックスが大声を出すのをやめさせようとしただけで、レックスを非難したのではないからだ。ファインバーグによれば、ジュリーはレックスにペナルティを科したということだ（成果はなかったが）。スポーツの用語を使うなら、「タイムアウト」より「ペナルティボックスに入れる」という言い方のほうが適切だろう。

第二に、もっと大事なことだが、罰が反応的態度の表れであるなら、悪いことをしたからといって、だれかれなく罰することはできない。すでに述べたように、反応的態度とは自分の行為に責任を取らせる方法なのだから、罰は自分のしたことに責任のある人にしか与えることができない。

だからこそ刑法には、被告人に行為の責任があるかないかを決めるための原則がたくさんあり、心神喪失者や無能力者は罰せられることはない（少なくとも公式には罰せられないことになっている）*。強制されて犯罪を犯した人も罰せられることはない。罰を受けるのは、もっとよい別の方法を選択できたはずの人、罪を犯す必要などなかった人だけだ。

理性があるから、行為に責任がある

なぜ人は自分の行動に責任があるのだろう？　これは難しい問いで、ここですべてに当てはまる答えを述べることはできないが、手短に言えば、人間には理性があり、理性に従って行動できる存在だからだ。たんなるモノはもちろんのこと、知能が高いとされる動物にも、そんなことはできない。

私たちのドッグトレーナーは、「ベイリーは欲しいものを獲得するために必要なことをする」と考えている。飼い主の手を甘噛みすればかまってもらえると思えば、ベイリーは噛み続ける。噛んでも無視されたら、そのうち何か別のことをする。そんなことを繰り返すうちに、ベイリーは衝動を抑えることを学び、おすわりをしておやつを待てるようになった。つまり、彼女が衝動を抑えるのは、それが自分のためになると思ったときだけだ。

＊カッコ内の留保は、実際の刑法の運用において、その精神が実行されていないケースが存在することを意味している。刑務所には、道徳的責任能力の有無を検証すべき深刻な精神疾患を抱えている収監者がたくさんいる。

動物と人間はどこが違うのか？　違わない人間もいる。目先の欲望でしか行動できない人もいる。しかし、理性に基づいて行動できるのが人間だ。

では理性とは何か？　これまた複雑な問いで、ざっくりと答えるしかないが、「欲求」ではなく「すべきこと」に従って行動するのが理性の力だ。

だれかが飢えていたら、面倒なことは避けたくても、食べ物を与えるのが理性だ。足を踏んだ相手が痛がったら、そのまま踏んでいたくても、足をどけるのが理性だ。約束したら、気が進まなくても実行するのが理性だ。*

欲求に従うことと理性に従うことに、違いはないと考える人もいる。スコットランド啓蒙思想を代表する哲学者**デイヴィッド・ヒューム**もその一人で、「理性は情念の奴隷でしかなく、情念に奉仕し服従する以外の職責を担うことはできない」と述べている。[11] 人間はみな、そうは見えなくても、実際はわが家のベイリーのような存在だという意味だ。

もちろん、相手の足を踏みつけたくても踏まないということはある。

だがそれは、たとえば顔を殴られたくないという別の欲求のためにすぎないとヒュームは考えた。彼によれば、欲望を満たす方法を見つけるために働くのが理性であって、理性と欲望は競いあうものではない。

ヒュームの見解には賛同者が多いが、私は違う。私は理性と欲望は独立して働くと考えている。欲望がつねに理性を担《かつ》ぎ出すとはかぎらない（ヒトラーはユダヤ人を絶滅させたいと欲したが、それを実行したのは理性の働きとは言えない)。

また、理性がつねに欲望に根ざしているともかぎらない。根ざしていることが多いとさえ言えない(私たちは、返したくなくても借金は返すべきだと思うし、返済をしぶって痛い目に遭いたくないという欲求だけでそう思うのでもない)。

もっと言えば、「なすべきこと」と「したいこと」を区別する能力は、人間が人間である理由の一部だと思う。

わが家の愛犬ベイリーに、理性に訴えて何かをさせることはできない。犬を躾ける唯一の方法はインセンティブを与えることだ。

だが、人間が相手なら理性に訴えることができる。

反応的態度は相手の理性に働きかける方法の一つだ。だれかに怒るというのは、あなたはもっといい行動を選ぶべきだったというメッセージを伝えることでもある。怒られたほうは快く思わないだろうが、怒っている側は、少なくとも相手をモノや動物としてではなく、行動に責任を持つことができる一人の人間として扱っている。

＊それらが行動の理由だとしても決定的な理由とはかぎらない。ハンクがお腹を空かせていることは、私がハンクに食べ物を与える理由ではあるが、別の理由によって与えないこともある。たとえば、夕食の時間が近ければ、家族は一緒に食事をすることが大事だと考えて、夕食まで待たせるかもしれない。

罰

パートナーを動物扱いしてはならない

そろそろ、サザーランドのテクニックのどこが気になるのかが見えてきた。夫を訓練しようとした彼女は、夫を人としてではなく、操作やコントロールの対象であるモノとして見ていた（1章で紹介したカント哲学の考え方、つまり、私たちは人間を自分の目的のためにモノのように使うのではなく、人間として扱わなければならない、という考え方がここにも顔を出していることに注目していただきたい）。

彼女は夫の理性に働きかけるのではなく、外からの条件付けで夫の行動を変えようとした。少なくとも、夫を躾けようとした領域ではそのように扱った。

もちろんサザーランドも、別の領域では別の方法で、間違いなく人として夫と向きあっていただろうから、必要以上に責めるつもりはない。それに私は、愛している相手であっても、ときには「客体への態度」を取るべきだとさえ考えている（それについてはあとで述べる）。

だがそれでも、夫に対しては、あるいは妻に対しては、イルカの調教のようなことをするのはやめたほうがよい。それはここではっきり言っておきたい。

子どもは「動物」である

夫や妻でなく、子どもに対してはどうだろう？　イルカのように扱うべきだろうか？　断然そうすべきだ。少なくとも幼いうちは四六時中、毎日。

なぜなら、小さな子どもは人間ではないからだ。少なくとも罰の対象となるような人間ではないからだ。2歳児を相手に、理性に訴えて善悪を説くことはできない。

親が何か話しかければ、子どもからも何か言葉が返ってくる。それで、親は子どもの理性に働きかけたような気になる。だが請け合ってもいいが、それは錯覚だ。なぜなら、幼い子どもは自分がしたいことと自分がすべきことの違いを理解できないからだ。

私はこれまで、小さな子どもたちと何度こんな会話をしたことだろう。

私「どうして取ったの？／ぶったの？／みんなの前でズボンを脱いじゃったの？」
子ども「したかったから」
私「そうか、でも、どうしてしたかったの？」
子ども「どうしても」
私「なるほど。でも、どうして？　結局、何がしたかったの？」
子ども「ただ、したかっただけ」
私「何度言わせるかなあ？　欲望は行動の理由にはならないんだよ」
子ども「なるんだってば、ベビーブーマーさん。ぼくはヒュームを読んでるんだから」
私「えっ、パパはそんな年じゃなくてX世代だけど」

子ども「とにかく、ぼくの理性は情念の奴隷なんだ、X世代さん」

ついくだらない冗談を書いてしまったが、まったくの無駄話ではない。それは、幼い子どもは自分のすることに責任がないということだ。そもそも、子どもには善悪の区別がつかない。区別できても、つねに行動を制御できるわけではない。彼らにそんな能力はない。別に彼らが悪いのではなく、子どもとはそういうものなのだ。

要するに、小さな子どもに腹を立てても意味がないということだ。

もちろん、そうは言っても親は腹を立てる。生まれたばかりのレックスが病院から家に帰ってきたときの私がそうだった。最初のうち、ほとんど寝てくれなかったからだ。ジュリーは出産の負担が大きかったので、数日間、授乳以外のことはすべて私がやった。泣き続けるレックスを何時間も抱っこしていると、わが子に対してさまざまな感情が渦巻いた。そのなかには怒りもあった。だが、その怒りは長続きしなかった。だってレックスは悪くない。悪かろうはずがない。レックスは怒りを向ける対象とすべき生き物ではない。自分のしていることに責任がないのだから。

幼い子どもには客体への態度を取らなければならない。その期間はたいていの親が思うより長く、少なくとも4歳か5歳までは、そのつもりで接するべきだ。本当の人間になりはじめるのは6歳か7歳くらいからだ。それ以前の子どもは動物だ。うんとかわいい動物だ。人間のように見えるし、声も人間に似ている。でも、絶対に人間ではない。小さな子どもは「管理し、操作し、矯正し、訓練するべき対象」なのだ。[12]

親の仕事は「怒られる子ども」を育てること

ただし、管理や訓練はくれぐれも正しい方法で行ってほしい。

ハンクがまだよちよち歩きのころ、スポーツジムで行われた、子どものための遊び体験に連れていったことがある。

ハンクは助走路を走ってスポンジ・ボールが詰まった穴《ピット》に飛び込む遊びが大いに気に入ったようだった。助走路を全速力で突進すると、ピットの直前でピタリと止まり、おずおずとスポンジの泡の中に身をゆだねた（ハーショヴィッツ家の子どもは用心深い）。

その遊びが好きなのはハンクだけではなかったので、スタート地点は子どもたちで混雑した。安全のために、前の子がピットから外に出るまで次の子は助走路を走ってはいけないというルールが設けられていた。

ピットから子どもたちが這い出すのを私が手伝っていたとき、列に並ばず何度もピットにダイブする男の子がいた（たぶん3歳か4歳）。途中で体勢を崩すこともあったし、ピットから這い上がろうとしているほかの子の上にのしかかることもあった。その子の母親に、やめさせるよう頼んだら、彼女は肩をすくめてこう言った。

罰

「こういう子なので、仕方がないのよ。元気がありすぎて」

そうでしょうとも。見ればわかる。でも、彼に危険なことをやめさせ、正しい振る舞いをさせるのは、お母さん、あなたの仕事ですよ……と口にするのは遠慮したが。

対象が大人の場合、罰には「**更生**」という目的もある。問題行動がなかった以前の状態に戻して社会復帰をめざすという意味だが、子どもの場合は元の状態に当たるものがないので、罰に更生の要素はない。あの男の子に必要だったのは、社会に復帰することではなく、社会に正しく初参加することだった。

この母親はどうすればよかったのだろう？　まず、その子が助走路に入らないよう制止しなくてはならなかった。つまり「**無力化**」するということで、それも罰の目的だ。放火犯を刑務所に入れることの利点は、その間はどこにも火をつけられる心配がないということだ。

もしあの子が私の子どもだったら、まずシャツの襟首をつかんで、ほかの子にケガをさせないよう押しとどめるだろう。そして膝をつき、彼の高さで目と目を合わせ、彼を人間だと思うことにして、言葉で言い聞かせようとするだろう。

ここは大事なところだ。幼い子どもは人間ではないと言ったが、人間だと思って接する必要がある。子どもは理性に従って行動できないが、それでも、やっていいことといけないことの理由を伝えなくてはならない。「ほかの子にケガをさせるかもしれないから、前の子がいるうちにピットに飛び込んだらだめ」と説明する必要があるのだ。

そのさい、反応的態度で接する必要がある。ただし、その子はあなたをばかにしているわけではないのだから、怒りは適切な反応ではない。怒るのではなく、親である自分はがっかりした、あなたがそんなことをしたのが悲しかった、と伝えるべきだ。

それでも子どもがルールを無視してピットに飛び込み続けるなら、いったん別室に連れていくなど、その場から引き離す必要がある。あるいは、遊び時間を途中で打ち切らなくてはならない。

罰について言えば、親として大事な仕事は、わが子を人に怒られるに足る人間に育てることだ。私はピットに飛び込み続けた男の子に苛立ったし、ほかの子がケガをしないか心配したが、あの子に対して怒ったわけではない。

彼がしたことについて、彼には責任がない。なぜなら、彼はまだ理性を働かせ、理性に基づいて行動することを期待できる人間になっていなかったからだ。それを期待できる人間――間違ったことをしたら人に怒られる人間――に彼を育てるのが親の仕事なのだ。そのためには、親は子に理性と反応的態度で接する必要がある。

叱るときは「行動を叱る」だけではいけない

ここで、ひと言注意。子どもには反応的態度で接する必要があるが、親は自分の子どもに対して、その態度が強く出すぎることが多い。子どもに心底腹が立ったら、タイムアウトが必要なのは子どもではなく親のほうだ。

ジュリーと私は、しばしば互いにタイムアウトを告げあった。私が本気で子どもに腹を立てていると察知すると、ジュリーは「そこまで」と言って私にタイムアウトを告げた。そして、私が何に怒っていたとしても、静かに子どもと話をした。私が静める側に回るケースもあったが、その回数は圧倒的に少なかった。それはソーシャルワーカーと一緒に子育てをすることのメリットの一つだ。

平常心のときでも、親は子どもに何を言うかに注意する必要がある。子どもに恥をかかせたり、自己嫌悪に陥らせたりしてはならない。その観点から、「子どもを叱るときは行動を叱り、子どもの性格に言及してはならない」というアドバイスが一般に定着している。

だが、それは少し違う。

子どもが何かいいことをしたら、その行動はその子の性格の反映であると褒めるべきだ。「おもちゃをみんなに使わせてあげるなんて、やさしいね。みんなを仲間に入れてあげて、とても親切だね」というように。

子どもが悪さをしたときは、その行動はその子の性格と矛盾していることを指摘するべきだ。「おもちゃを横取りするのは、よくないことだよ。あなたはいいものは友だちにも分けてあげる思いやりがある子なのに、ちょっと残念だな」というように。

ポイントは、子どもがポジティブな自己認識を持てるように助けることだ。「よい行いは自分の中に組み込まれている。悪い行いはたまたまやってしまった逸脱行為で、改めることができる」と認識させるのだ。

ジュリーのソーシャルワーカーとしての経験と、幸運な偶然が重なって、私たちは子どもが小さいころにそのような方針を思いついた。一般的にも、その効果を裏づける研究結果がある。[13]ポジティブな性格を褒め、責任感のある子どもであるかのように接すれば、実際に責任感のある子どもに育つ可能性が高いという研究だ。

子どもの気質は完全にコントロールすることはできないが、ある程度までは親の力でかたちづくることができる。子どもをイルカのつもりで教え込むことの意味はそこにある。

「気をつけようとしていた」は言い訳にならない

子どもが責任ある大人になる魔法の瞬間のようなものはない。子どもは少しずつ新たな認知能力を獲得しながら、ゆっくりと大人に成長していく。

生まれたばかりのわが子が病院から家に帰ってきた最初の夜、あなたはその子を、純粋に客体への反応のレンズを通して見たことだろう。

しかし成長するにつれて、人としての子どもと関わるようになり、子どもの行動に怒ったり、憤ったり、感謝したりしたはずだ。内心では笑いながら叱るふりをする日があると思えば、なんてことをしてくれたんだと心底動揺する日がある。[14]そんなことをぐるぐる繰り返しているうちに子どもは成長していく。

レックスが飛躍的に成長したのは、弟のハンクが歩けるようになったころのことだ。当時4歳だったレックスは、家の中を所狭しと走りまわっていた。ハンクが歩き始めるまではとくに問題はなかった。ところがハンクも動きはじめると、出合い頭に衝突することが増えた。ぶつかられるとハンクは泣き、レックスは自己弁護を開始した。

たまたま私かジュリーに目撃されたときは、「わざとじゃない」と弁解した。

そう言えば無罪放免になるとレックスは期待していたようだが、それでは暴行という最悪の罪を免れる効果しかないことを学習した。私が**過失**という概念を教え、ハンクがそばにいるときは気をつけなければならないと説明したからだ。

私はレックスに、大学の同僚である**マーゴ・シュランガー**から仕入れた言葉を伝えた。

「そんなつもりがなかったのはわかった。でも大事なのは、そんなことが起こらないよう気をつけることなんだ」

子どもには難しい言い回しかもしれないと思ったが、レックスはその意味を汲み取った。その後も彼はハンクと衝突し、ハンクはベソをかいたが、レックスは新たにマスターした弁明を繰り出した。

「気をつけようとしてたのに！」

そこで私は、過失についてさらに踏み込んで教えた。**不法行為法**においては、注意深く行動しようとしたかどうかは問題ではない。実際に注意深く行動したかどうかだけが問題となる。法律が見るのは行動であって、心構えではない。

それはさまざまな理由があるが、なんと言っても、4歳児でさえ試みたように、本当は注意していなかったのに注意していたと言い逃れをするのは簡単だということが挙げられる。「気をつけようとしていたのはわかった。でも、気をつけようとするだけではダメで、実際に気をつけなくてはならないんだ」。そう言って私は、レックスにタイムアウトを宣告した。

そのタイムアウトは、レックスにとっても親である私たちにとっても、初めての真剣な罰だった。私たちにとって、それは生半可な罰ではなく本気の罰だった。

それはレックスの行為を非難し、もっと適切に振る舞うべきだったと伝えるためのものだったが、そこにとどまらない重要な意味があった。ハンクの身を守るという意味だ。私たちはその必要を真剣に感じたし、レックスにもハンクの安全に注意しなくてはならないことを骨身に沁みさせなければならなかった。

そのようなタイムアウトは、レックスにとっても、親が本気で怒っていることが伝わる深刻なものとなった。レックスは、自分はもっと正しく振る舞うことを期待されていたと知って、ひどく落ち込んだ。ときには耐えきれず、泣きくずれてしまうこともあった。

ハンクはレックスに、自分の安全に気を配るよう求める権利がある。その権利の正当性を支持したことで、私たちは親として矯正的正義の一端を行使したと言える。レックスは、ハンクの安全を気にする必要を意識せずに振る舞っていたが、その必要があることを私たちははっきりと伝えた。ただ口で必要だと言うのではなく、うっかり怠ったら払わされる痛い代償を体験させることによって明確に伝えたのだ。

犯罪に対する刑罰の意味

私たちがレックスに科したタイムアウトには**報復的正義**の意味もあった。報復的正義とは何か？　先延ばしにしていたこの問題に〔98ページ参照〕、ようやく答えられるときがきた。苦痛を与えることが理にかなっている場合があるのはなぜか、いまから説明しよう。

被害者の正当性を証明するのが矯正的正義なら、悪をなした者を糾弾するのが報復的正義だ。そのためには、罪を犯した者の社会的地位を（少なくとも一時的に）剝奪することで、その行為は許されないと思い知らせなくてはならない。人には理由なく過酷な扱いを受けない権利があるが、刑罰には、悪をなした者はその権利を剝奪されることを世に知らしめる効果がある。[15]

報復的正義については、大人の行為について考えるほうがわかりやすい。スタンフォード大学のパーティで、作家のシャネル・ミラーに性的暴行を加えた水泳チーム所属の大学生、ブロック・ターナーに下された判決について考えてみよう。[16] 検察は懲役6年を求刑したが、判決はわずか6カ月だった。当然ながら、あまりに軽い判決が人びとの怒りに火をつけた。[17]

この判決の何が問題なのか？　宇宙の会計簿の帳尻が合わない判決だったからだろうか？

もしそうなら、帳尻を合わせるために、ターナーにどれほどの苦痛を与える必要があるのだろう？　それをどうやって懲役の年数に換算すればいいのだろう？

この判決には、宇宙の会計簿ではなく現実的な理由で問題があった。ミラーとターナーの両者について間違ったメッセージを社会に送ってしまったことだ。

まず、ミラーの無念を晴らすには刑期が短すぎる。判決は、彼女に起きたことは取るに足らない、もっと言えば彼女の存在は取るに足らない、と言っているように見える（カリフォルニア州では950ドル以下の窃盗でも懲役6カ月の判決が下されることがある）[18]。つまり、この判決は矯正的正義の観点から失敗である。

さらに報復的正義にも反している。判決は、ターナーはそんなにひどいことをしたわけではない、ほんの短期間の隔離が終われば社会はふたたび彼を受け入れるべきだ、と示唆しているからである。

罰は「言葉だけ」では十分ではない

アメリカは、全人口に占める収監者の割合が驚くほど高く、人口比で見た収監者数はほかのどの国よりも多い[19]。不名誉な話だ。

収監者の数をもっと減らさなくてはならない。刑務所を全廃しろと言うつもりはない。他人に危害を加えた者には、その責めを負わせるべきで、禁固刑はそのための正当な手段だ。

犯罪者を刑務所に入れるということは、その人物が外の社会にいる人びとと一緒に暮らすのは適切ではない——少なくとも当面のところは——という事実を示している。社会は彼らを信用しておらず、隔離する必要がある、というシグナルを送っていることになる。犯した罪にもよるが、妥当な措置だと言える。

ただし、刑務所がそれほどひどい場所でなければの話だ。その場合は犯罪者を社会から隔離することが正当化されることもある。しかし、過密なスペースに押し込み、受刑者仲間や看守からの暴力という深刻な危険にさらし、健康上のニーズさえ無視し、非人間的な扱いをすることは、いかなる理由をもってしても正当化することはできない。

悪をなした人も、極悪非道なことをした人でさえも、人間であることに変わりはない。その人間性を尊重しないなら、人間の尊厳などどうでもよいと言っているのに等しく、結局私たちすべての人間性を軽んじていることになる。

さらに、収監された人びとも、ほとんどの場合、いつか再び私たちと共に暮らすことになるのを忘れてはならない。罰は、その移行が無理なく行われることを妨げるようなものであってはならない。いや、促進するものでなければならない。

収監者を非人道的に扱えば、彼らがその恨みを社会にぶつけても無理はない。逆もまた真なりで、彼らに敬意を持って接すれば、社会がその見返りを得る可能性も高まる。確かに罰は必要だし、友人や家族から隔離するような厳しい罰もときには必要だ。しかし、現在のアメリカの刑務所のような危険で殺伐とした場所に押し込まなくても、罰を与えることはできる。

ここで、こんな疑問を持つ人がいるかもしれない。

罰は、それが発するメッセージこそが重要で、刑務所がそれほど非人道的な場所だと言うのなら、罪を犯した人間を言葉で糾弾することにしてもよいではないか？　刑務所に押し込んでしまわなくてもいいのではないか？

この疑問に対しては、言葉だけでは伝わらないメッセージがある、というのが答えだ。行動は言葉より雄弁だ。愛していると言いながら、それにふさわしい行動を取らない人を、あなたは信じるだろうか？　私は信じない。

罰も同じだ。罪を犯した人に、どんなに怒っていると言っても、実際上の接し方に変化がなければ真剣に受けとめさせることはできないだろう。

なぜ私たちは罰を与えるのか？

ここまで「抑止」「更生」「無力化」など、さまざまな理由を見てきた。しかし、何と言ってもいちばんの理由は「報復」だ。私たちは罪を犯した者を糾弾し、事の重大さを思い知らせるために罰を与える。糾弾されてしかるべき罪があるとき、報復的正義はつねに罰を求める。

罰を与えなくてもいいときとは？

だが、どんなときでも報復しなくてはならないわけではない。ときには正義を脇によけておくこともできる。いや、そうすべきときがある。
私はかつて**ルース・ベイダー・ギンズバーグ**〔元連邦最高裁判事〕の法務書記官だった。彼女からは法律について多くを学んだが、人生についても多くを学んだ。
彼女は、夫のマーティと長年円満な結婚生活を維持したことでも有名で、恋愛や結婚についてアドバイスを求められることも多かった。そんなとき彼女は、結婚前に夫の母から言われたアドバイスをシェアした。「幸せな結婚のためには、耳が少し遠いぐらいがちょうどいい」[20]
つまり、些細なことをいつも深刻に受けとめる必要はない、ということだ。むしろ、多少のことは目をつぶったほうがうまくいくこともある。
人をモノのように見ることで、目をつぶりやすくなる場合がある。サザーランドは、夫をイルカのように調教していたとき、そのことに気づいた。
「以前は夫の問題行動をパーソナルな次元で受けとめていました。床に脱ぎ捨てられた服を、私に対する侮辱、私を軽んじている証拠のように感じていたのです」[21]。しかし、客体への反応のレンズを通して夫を見たとき、その行動は自分と関係がないことに気づいた。習慣のいくつかはたんに「トレーニング」では取り除けないほど身に染みついた、ほとんど本能的なものにすぎない」とわかったのである。[22]
ストローソンは、サザーランドが人間をモノのように扱う人間観によって夫への怒りを消せたと知っても驚かないだろう。

すでに触れたように、ストローソンは他者をつねに客体として見るのは危険だと考えている。それは他者の人間性を否定することだ。自分の人間性を否定することでもある。自分と他者はコインの両面なので、他者を責任ある存在と見なさないなら、自分を正当な権利を持つ存在と見ることもできなくなる。

だが、そう考えるストローソンでさえ、ときには他者を客体として扱うことが有効だと考えた。「深く関わりすぎることからくる緊張をほぐすため、正しいと思う接し方を貫くため、あるいはたんに効果を調べたいという興味から」、客体への態度で他者を扱うことがあってもよいと述べている。[23]

少し前に、配偶者をイルカのように扱うべきではないと書いた。その考えに変わりはないが、ときには客体への態度が大切だということも言っておきたい。

なぜなら、なんと言っても私たちは完全に理性的な生き物ではないからだ。理性で認識し、理性に基づいて行動するが、その理性は完全ではない。正しく認識できたとしても、完全にそれにふさわしく行動できるわけでもない。だとすれば、パートナーの人格に深く根づいていて、変えることが難しい部分については、ゆったりと受け入れ、赦《ゆる》すためにベストを尽くすべきだ。

相手が子どもの場合は、まだ深く根づいたものがないので、その点はあまり考える必要はない。しかし、疲労や空腹、ストレスを感じているとき、理性に従って行動する能力が低下することは知っておいたほうがよい。それは大人でも同じだが（ジュリーがお腹を空かせているときは近寄らないほうがいい）、子どもの場合はとくに顕著だ。

疲れているときや空腹のとき、子どもは最悪の状態になる。そんなとき、わが家でも、子育ての方針をめぐって夫婦間に緊張が走る。明らかに疲労や空腹のせいで子どもが問題行動を起こしたとき、ジュリーは、「もう寝させよう」と言って目をつぶることが多かった。私は、疲れたと言えば何でも許されると思わせたくなかったので、厳正に対処しようとした。

いま思えば、どちらも正しい。どちらかと言えば、ジュリーのほうが正しい。たまには子どもがしたことを大目に見ることに問題はない。

この考え方は、家庭から国にスケールを拡大しても成り立つ。

私たちの社会はきわめて懲罰的だ。疲労や空腹やストレスのせいで軽微な犯罪を犯した人を大量に収監している。私たちは疲れ果てて罪を犯す人を減らすために、刑務所の外の世界を改善する必要がある。

その際、忘れてはならないのは、人が犯したすべての過ちを糾弾する必要はないということだ。ときには不問に付すことができる。それは、より深い別の正義を実現する方法でもある。

いちばん大切なメッセージ

わが家では、子どもが寝る前に、親もベッドにもぐりこんで一緒に本を読むことがある。ある晩、ハンク（そのとき8歳）はビデオゲームの「マインクラフト」の攻略本を読んでいたが、消灯の時間になっても読むのをやめようとしなかった。

隣にいたジュリーが、そろそろ寝る時間だと何度か促した。ところがハンクが言うことを聞かないので、最後に宣告した。

「ハンク、もう寝る時間よ。本はここまで」

「まだ」とハンクははねつけた。

「お願いしてるんじゃないの、ハンク。もう遅いし、寝る時間です」

「もっと読む」。彼はページをめくりながら言った。

「やめないと、明日はマインクラフトで遊ばせないよ」

ハンクにとってそれは深刻な脅しだった。世の中はパンデミックの真っただ中で、マインクラフトは彼にとって人とのつながりを保つ主要な手段だった。

「本を読むのをやめろなんて、言っちゃだめ」とハンク。「ママの言うとおりになんかするもんか」

「だめ、もう寝るの」。ジュリーは手を伸ばし、ハンクから本を取り上げた。「それに、ママにそんな言い方をしたらだめでしょ」

「言いたいから言ったんだ」

ハンクは作戦を間違えたようで、翌日のマインクラフトは即座に召し上げられた。

ジュリーがハンクを寝かしつけた数分後、私はおやすみを言うためにハンクの部屋をのぞいた。彼は取り乱していて、体を丸めて壁に向かって泣いていた。

私は彼のそばに座った。

「今夜はママにきちんと話ができなかったみたいだな」

「うん。でも、あんなことで叱るなんて信じられない」とハンクは強い声で言った。

「だけど、ママにあんな言い方をしたらよくないな」

「わかってる。でも、叱るなんてひどいよ。ぼくだって苦労してるんだから」

私は笑いを飲み込んだ。ハンクはつねに何か言い訳を見つける優秀な弁護士だ。でも、今夜はその言い分を認めるわけにはいかない。あからさまな反抗は黙認できない。

それでも私はハンクを抱きしめ、愛していると言った。そして、彼に笑顔が戻るまでくだらないジョークを連発した。

ハンクは母親から「マインクラフト禁止」というメッセージを受け取った。彼は自分の振舞いが悪かったことはわかっていた。でも私は、それをハンクがその夜に聞く最後のメッセージにはしたくなかった。なぜなら彼は家族の一員だから。どんなに悪いことをしても。これからもずっと。

Chapter 4

権威

親は子どもに命令できるか?

言うことを聞かないという「信念」

「パパはぼくに命令なんかできないよ」とレックスは言った。

「できるさ」

「できない」

「なんだと!」

やりとりは以上。これが会話のすべてだ。ただし「なんだと！」の部分はウソ。のどまで出かかった私の心のつぶやきだ。急いで家を出ようとしているとき、なかなか靴を履かない子どもほどイライラさせられるものはない。


「靴を履きなさい」

…………（無言）

「靴を履きなさい」

…………（腹立たしいほどの沈黙）

「靴を履きなさい」

「はかない」

「レックス、靴を履きなさい。履くんだ」

「はかない」

「靴・を・履・き・な・さ・い」

「どうして？」

もちろん足を守るためだ。靴を履いていれば足が汚れない。それに、店でもどこでも「靴を履いていない人は入れない」というのは暗黙のルールだ。

理由はまだある。親が履けと言ったら履くんだ。

「はかない」

「もういい、あっちに着いてから履くんだぞ」

こんなやりとりをしたのは何年前のことだっただろう？　覚えていない。というか、こんなやりとりをしなかったときの記憶がない。

レックスは幼稚園で「パパの言うことなんか知るもんか」という言い回しを仕入れてきた。3歳か4歳のころだった。でも、そんな言葉を知るずっと前から、彼はその精神で生きていた。幼い子どもなりの固い信念だった。

子どもは親の言うことを聞くこともあるが、それは自分にとって都合のいいときだけだ。

親は子どもの「ボス」か？

私はレックスのボスなのだろうか？　それはボスの意味による。

私はレックスにあれをしろ、これをするな、と言う。その意味では私はレックスのボスだ。しかし、レックスは言うことを聞かないので、あまりボスらしくない。

哲学者は、**権力**《パワー》と**権威**《オーソリティー》を区別している。[1]

権力とは、世界を自分の意に従わせ、望みどおりに動かす力のことだ。だれかを思いどおりに動かせるなら、その人に対して権力があると言える。

私はレックスに対して権力を持っていた。靴にしても、いざとなれば力ずくで履かせることができた。実際、そうしたこともある。それ以外にも、従わなければレックスが欲しがるものを与えないという方法もあったし、従えば何かご褒美を与えるという手もあった。説得するという正攻法もあったが、これはほとんどうまくいかなかった。それよりは、だますほうが有効だった。「じゃあこれから、いつでもどこでも絶対に靴を履いちゃだめだぞ」という作戦は、けっこう長期間有効だったような気がする。

だが、レックスも私を支配する力を持っていた。勝敗を記録していたら、かなり僅差だったことがわかるだろう。レックスは腕力で抵抗することはできなかったが、ところかまわず寝転がったり、ふてくされたり、とにかく思いどおりになるまで我を張った。かわいいところを見せて私のガードを下げさせることもあった（その作戦はかなり有効だった）。

要するに、非対称に見える関係でも、権力が一方にだけ存在することはめったにない。

権威はそこが違っていて、どちらか一方だけが持っているのが普通だ。レックスも私も、程度の差こそあれ相手に対する権力を持っていたが、権威を持っていたのは私だけだ。

権威とは何だろう？　権威も一種の権力ではある。しかし、相手を支配しようとする権力ではない。少なくとも力ずくで抑え込もうとするものではない。権威とは、相手の権利と責任に働きかける力だ。[2]

あなたが命令するだけで、相手にそのとおりにする義務が生じるなら、あなたはその人に対して権威があると言える。もちろん相手があなたの命令どおりにするとはかぎらない。義務があってもそれに従って行動しないことがあるからだ。だが、行動しなければ義務に違反したことになる。

私がレックスに靴を履きなさいとか、皿を洗いなさい（これは彼がもっと大きくなってからの話）と言えば、それが彼にとって果たすべき責任になる。私が「皿を洗いなさい」と言うまで、それは彼の仕事ではない。言わなくても洗ってくれたら最高だが、洗わなくても私は怒ることはできない。

だが、私が「皿を洗いなさい」と言った瞬間に話は変わる。「洗ってくれたら最高」ではなく、洗うことは期待される行動になる。洗わなければ、私は怒るだろう。

哲学者は、権力と権威の違いを強盗のたとえ話で説明する。[3]

道を歩いていたら、男があなたに銃を突きつけ、金を出せと言ったとしよう。強盗はあなたに対して権力があるだろうか？

ある。あなたはきっと金を出すだろう。

では、強盗に権威はあるだろうか？

ない。金を出せと言われる前も、言われたあとも、あなたにはその強盗に金を渡す義務はないからだ。なんなら、「やかましい、ひっこんでろ」と言う権利さえある（お勧めはしないが）。

毎年届く納税通知書は、それとは対照的だ。政府もあなたに金を出せと要求する。従わなければ刑務所に入れられる。ということは、政府には権力がある。

では、権威はあるだろうか？　政府は「ある」と断言している。政府の見解では、あなたには税金を払う義務がある。本当にあるのだろうか？　民主主義の国では、多くの人が「ある」と言うだろう――あなたには政府が請求する金を支払う義務があると。

あらゆる権威を疑う「哲学的アナーキズム」

しかし、**ロバート・ポール・ウルフ**の考えは違う。

彼は、政府はいかなる義務も人に負わせることはできないと考えていた。政府にかぎらず、だれであっても、「しなければならない」と言うだけで他者に何らかの義務を課せるという考えをウルフは疑った。

1960年代に哲学者として歩みはじめた彼は、ハーバード、シカゴ、コロンビア、そしてマサチューセッツ工科大学で教鞭を執った。無政府主義者であることを公言していた人物としては、錚々《そうそう》たる教育機関の名前が並んでいる。それは、ウルフが街頭で騒ぎを起こすような無政府主義者ではなく（私が知るかぎりにおいてだが）、**哲学的アナーキスト**だったからだ。難しそうな呼び名だが、「あらゆる権威を疑う」という考え方を持つ人のことだ。

なぜ権威を疑うのか？

ウルフは、人間には理性があるから自分の行動に責任が生じると言う。ただ責任があるだけでなく、考え抜くことによって行動の責任を引き受ける義務があると言う。[4]

ウルフによれば、自分の責任を引き受ける人は、人に言われなくても自律的に行動しようとする。[5] 自分の考えで決め、決めたことに従って行動する。自分の一存で好き勝手ができると思っているわけではないし、他者に対する責任もわきまえている。[6] しかし、何が自分の責任かを判断するのは自分自身——自分ただ一人——だと考えて行動するのである。

ウルフは、自律的な生き方と権威は相容れないと主張する。[7] 自律的というのは、だれかの決定に従うのではなく、自分で決めるということだ。人に言われたことをするのは、権威に屈服することにほかならない。

人に言われたとおりにしてもかまわない場合もある。それはウルフも認めている。だが、ただ言われたからやるというのは最悪だ。言われたとおりにしてよいのは、自分でもそれが正しいと判断したときだけだ。

「だれも命令できない」vs.「自分の判断で従うときもある」

うっかり聞き流してしまいそうだが、このウルフの結論はかなり過激だ。

彼は、権威に従う前によく考えろと言っているだけではない。権威が発する命令には何の効力もない、どんな権威も——警察も、親も、コーチも、上司も——たんに命令するだけであなたに何かをさせることはできない、と言っているのだ。*

* これは、少なくともあなたが大人である場合の話だ。子どもにはその理性に応じた責任しかないとウルフは言う(8)。

これは驚くべき主張だ。哲学者たちがそんなウルフの主張の問題点を見出すのに、それほど時間はかからなかった。代表的な批判者は**ジョセフ・ラズ**。長年オックスフォード大学で教えた法哲学の教授だ。

ラズは、ウルフが理性の働きについて重要なことを見落としていると主張した。私たちは、自分は何をすべきかと考えた結果、人に従うべきだと気づく場合があるということだ。[9] 自分で決めるより、言われたとおりにしたほうがよい理由を発見する場合があるということだ。

その意味を理解するために、あなたがパンづくりを習うために教室に申し込んだという状況を考えてみよう。

講師は腕利きのパン職人だ。教室で彼女は指示を出す。これを量りなさい、混ぜなさい、こねなさい、増やしなさい、減らしなさい。

あなたは彼女の指示に従うべきか？

ウルフの説が正しければ、講師が何かを指示したら、あなたはそのつど考えなくてはならない。「私は本当にそうすべきなのだろうか？」と。

でも、そんなことがわかるはずがない。あなたはパンづくりのことを何も知らないからこの教室で教わっているのだ。つまり、知らないということは、言われたとおりにする立派な理由になる。

それに、講師の言うとおりにしても、あなたは自律性を失うわけではない。確かに、だれかの指示に従うわけだが、それは従うべきだと自分で判断したからにほかならない。[10] いつも人が言うとおりにやっていたら自律性は損なわれるが、言われたとおりにするのが正しいと判断したときに従うだけなら、自律的に行動するという考えと何ら矛盾しない。

「言うとおりにしなさい」と言ってしまうわけ

私の父は、レックスとハンクが私の権威に逆らうのを見て面白がっている。どうやら天罰だと思っているらしい。

母は支配的な性格だった。頭ごなしに命令することが多く、私はそれに従うことを嫌った。小さいころから、母と私はしょっちゅう衝突した。

母が命令を下すと、私はすぐに「なぜ？」とたずねた。

母はいつも、「ママがそう言ったから」と言った。

「そんなの理由にならない」と抵抗した私は、４歳の哲学的アナーキストだった。

「いいえ、なります。言われたとおりにしなさい」と彼女は言った。彼女は頑固だったので、最後に勝つのは彼女だった。

私が父に助けを求めると、父はいつも「母さんの気持ちを考えてやれ」と言ったが、それを聞くと、「言われたとおりにしなさい」と言われるのと同じくらい頭にきた。

「なんで、こんな抑圧的な親のもとで生きていかなくてはならないのだろう」と私は疑問に思った。もちろん4歳のときではないが、14歳のときには間違いなくそう思っていた。

だが、いまや私は「パパの言うとおりにしなさい」と言う側だ。

できればそれは言いたくないし、少なくともいきなりそうは言わない。子どもに理由をたずねられたら、しっかり説明したいと思う。

だが、時間がないときもあり、なかなか最後まで説明できない。それは子どもたちが際限なく問題を掘り下げてくるからでもある。

どんなに私が理由を説明しても、彼らは納得しないことがある。それは大いにけっこう。逆に、私を説得しようとしてくることもあるし、ときにはそれに成功することもある。でも失敗したら私の言い分が通る。つまり、「黙って言うことを聞きなさい」というのは、いきなりそうは言わないまでも、結局最後には持ち出すことが多い理由なのだ。

「サービスを提供する」から権威が成立する

正直なところ、「パパがそう言ったから」というのは、本当は理由とは言えない。それは、持ち出せる理由が底をついたときや、理由を言いたくないときに親が使う決まり文句だ。4歳の私は間違っていなかった。

いや、ところがそうでもない。ラズは「私がそう言ったら、とにかくそうしなさい」が理由

――それも決定的な理由――になる場合があると言う。ある状況下では、だれかがこうしろと言うだけで、それがそのまま理由になることがあると言うのだ。

それはどんな場合か？　ラズはパン教室のような事例を挙げて、だれかの命令に従うことで仕事がうまくいくのなら、つねに従う義務があると言った。[11]　たとえばパンを焼くとき、そばにその道のプロがいるなら、その人の言うとおりにしなくてはならない。そうでないと、うまくパンを焼くことができない。バスケットボールの試合では、コーチが作戦を指示したら、それに従って自分の役割を果たすべきだ。そうしなければ作戦が成り立たない。

ラズの考えでは、権威が権威たるゆえんは、権威がおよぶ対象となる相手に奉仕《サービス》するところにある。奉仕することで権威が生まれるという彼の考え方は「**権威の奉仕説**」と呼ばれている。[12]ラズは、権威を有する者は対象となる相手が従うべき理由をすべて考慮し、それに応える命令を出すべきだと言う。対象者が何をするか自分で決めるより、権威に従ったほうがよい結果になると考えるなら、命令には拘束力が生まれ、対象者にはそれに従う義務が生じる。

権威を有する者がそのような奉仕を提供できるケースはたくさんある。すでに以下のような二つのケースを見てきた。

第一に、権威者がその対象者より豊富な知識を持っている場合。[13]　すなわち、すぐれた専門性がある場合である。パンの焼き方を教える講師に権威があるのは、まさにそれが理由だ。ベテランの外科医が新米の医師に手術の仕方を手ほどきする場合も同じだ。経験が豊富なら、何をすべきかを正しく判断できる。

第二に、権威者が、人びとが個々ばらばらでは困難な目標の達成を助けることができる場合だ。権威者がそれを実現する典型的な方法は集団の行動を調整することだ。哲学ではそれを「**調整問題**」と呼ぶ。[14]

これは道路を走る車のことを考えればわかる。衝突を避けるために、道路ではすべての車が道路の同じ側を走らなければならない。右でも左でもかまわないが、どちらかに決めなくてはならない。それを決めることで、交通規制当局《オーソリティ》はすべてのドライバーの行動を調整することができ、事故や混乱を避けることができる。

道路のどちら側を走るかはどうでもよく、とにかく一方に決めればよいのだから、純粋に調整の問題だと言える。

ただし、決めさえすればどちらでもよいというものばかりではない。決めた内容に優劣がある場合がある。バスケットボールの場合、作戦によって成功する確率は異なるので、どの作戦を選ぶかは重要で、選びさえすればいいわけではない。だがその場合でも、作戦の善し悪しより、全員が決められた作戦に従ってプレーすることのほうがもっと大事だ。

コーチはチームをまとめる必要があり、それがコーチの権威を正当化する理由になる。コーチがチームを一つにまとめることができるなら、「オレの言うとおりにしろ」は、選手が従うべき理由になる。[15] 試合終了後、選手たちは作戦についてあれこれ論評するかもしれない。だが、かりにそれが最高の作戦ではなかったとしても、選手がコーチの指示に従っていなければ、もっと悪い結果になっていたはずだ。

重要なのは、「指示に従え」というのは選手を助けるための理由であって、コーチのための理由であってはならないということだ。コーチはその作戦を選んだ理由を説明できなくてはならない。

コーチには権威があるが、適当に思いついた作戦を選べばいいというわけではなく、可能なかぎり最善の作戦を選ばなければならない。コーチの仕事は、選手にそうすべき正しい理由のあるプレー——勝つためのプレー——をさせることにある。コーチに権威があるのは、その仕事を遂行する能力があるからである。*

「自分だけでやる」よりうまくできるように助ける

ラズは、親についても同じことを言うだろう。親に子どもを従わせる権利があるとすれば、その理由は、好き勝手にさせるより親が口を出すほうがよい結果になるからでなくてはならない。親は意思決定において、多くの点で子どもよりすぐれている。まず、親は子どもが知らない

＊もちろんコーチも間違えることがある。人に失敗はつきものだ。ラズが重要と考えるのは、長い目で見て、コーチの命令が、選手が自分たちだけの考えでプレーした場合より、いい結果を出すのに役立つかどうかだ。たまに失敗することは問題ではない。だが、あまり多すぎると問題だ。

ことを知っている。私は子どもに必要な睡眠時間を知っているし、睡眠不足になるとどうなるかも知っているので、子どもに好きにさせるより、親が決めてやるほうがよい。

親が子どもよりよい決定ができるのは知識があるからだけではない。ほとんどの親は子どもより自制心がある。子ども以下の自制心では、大人としてやっていくのは難しい。子どもは、たったいま目の前で起きていることしか見ていないが、親はもっと長い目で見ることができ、それが子どものためになることが多い。

また、親は子どものために調整問題を解決することができる。たとえば、寝る前に子どもたちが順番にピアノの練習ができるように、練習時間を決めることができる。あるいは、ハンクに食洗機から食器を取り出しなさいと言って、レックスが皿洗い当番のときに食洗機の中が空っぽになっているようにすることができる。そう都合よくいかないが、理屈はそういうことだ。親としては努力を続けるしかない。

このように親は、子どもが自分だけで行うより、いい結果になるように助けることができる。「言うとおりにしなさい」が子どもを従わせる理由になるのはそのためだ。

もちろん、「言うとおりにしなさい」の背後には、そう決めた理由が何かあるはずだ。それが幼いころの私が聞きたかったことだ。それがわかれば反論できるのに、と思っていた。

母は何も理由を説明してくれなかったが、その点は、私はもう少しうまくやっている。子どもたちには正しい意思決定ができるようになってほしいし、だれかに決めてもらわなければ何もできない大人にはなってほしくない。問題を解決するために考え抜く人間になってほしい。だから私は、自分の考えをできるだけ伝えている。

それでも、「パパの言うとおりにしなさい」というのが立派な理由になることがある。ときには、延々と続く会話を打ち切ることも、最初からそういう会話が始まるのをふせぐことも必要だ。

このさじ加減は微妙で、いつもうまくいくとはかぎらない。急いでいるときに子どもが全然言うことを聞かないときはイライラする。ときどき、むかし母が言っていた言葉を自分が言っていることに気づく。「つべこべ言わず、とにかく言われたとおりにしなさい」

でも私は、子どもが理由を知りたがるのは理にかなっていると自分に言い聞かせている。親は子どもに、たとえ事後的にでも説明する義務がある。

しかしその一方で、私は子どもたちに、いまは理由がわからなくても、自分以外のだれかが正しい答えを決める権威を持っている場合があることも学んでほしいと思っている。

次々と間違いの指摘が飛んでくる学問

ラズはおそらく、権威に関する世界的権威だ。権威はその対象に奉仕すべきだという彼の提言に、多くの人びとが惹きつけられている。彼の影響はそれだけにとどまらない。彼は、この先何世代もの哲学者たちが法や道徳について考えるための道筋も整えた。

しかし、ラズが私の人生に与えた最大の影響は、彼の理論や著作を通してではなく、ある親切な行為によってもたらされた。

私はローズ奨学金を得て英国のオックスフォード大学に留学した。オックスフォードに着いてから哲学科を希望したが、あっさり断られ、政治学を学べと言われた。政治にはあまり興味がなかったので法学部に出願した。うまくいけば腕利きの弁護士になれるかもしれないなどと思って自分を納得させた。

でも、哲学をやめることができなかったので、法学のほかに哲学の講義にも出席した。私はラズの講義に惹きつけられた。怖い教師だったが、法哲学という彼のテーマに魅了された。そうこうするうちに、オックスフォードでは法哲学で博士号が取れることを知った。そこでやはり専攻を変えようとしたが、もう手遅れだとか、資格要件を満たしていないといった理由で、何人もの教授に断られた。

事実そのとおりだったのだが、私はラズに頼み込んだ。するとと彼は「なんとかしよう」と答えてくれた。さらにありがたいことに、私の指導教官になってくれた。面倒な仕事が増えることなので、なかなかできる親切ではない。私はそのことをいまでも感謝している。

私はその恩にどう報いたか？

私が子どものころ反抗的だったことはすでに述べたが、研究者として歩みはじめてもそれは変わらなかった。ラズの生徒になると、私はすぐ、権威についての彼の研究が間違っていることを証明しようとした。[16] この点が疑問だとか、ここは修正が必要なのではないかといったレベルではなく、完全に間違っているから最初からやり直すべきだ、と指摘しようとしたのだ。ラズはそれを嫌がらなかった。嫌だったが口に出さなかった可能性もあるが、おそらく本当になんとも思わなかったのだろう。

なぜなら、哲学とはそういうものだからだ。

哲学の世界では、何か言うとあちこちから間違いを指摘する意見が飛んでくる。苛立たしいことだが、無視されるよりましだ。この世界では、批判さえされない論文には何の価値もない。

三つ星シェフは、二流の料理人に命令できるか?

権威に関するラズの議論のどこに問題点があるのかを理解するために、**ゴードン・ラムゼイ**にご登場願おう。傲慢なシェフとして知られるイギリスの料理人だ。

ラムゼイはかつて、「悪夢の厨房《キッチン・ナイトメアズ》」というテレビ番組に出演していた。落ち目のレストランを再生させるために有名シェフが奮闘するという番組だ。

番組が設定したタイミングでラムゼイが店の厨房に姿を現わし、気の毒な料理人の不器用な仕事ぶりを観察する。やがてラムゼイの顔は怒りで紅潮し、我慢が限界に達すると、厨房のクルーに大声で指図しはじめる。かなり意地悪な言い方で、テレビを見ている側まで不快になるほどだ。

ところが、それと同時に満足感も覚える。美味しい料理を出すことに全力を尽くしていない料理人に我慢できないラムゼイの率直な怒りが伝わってくるからだ。

さて、気の毒な料理人たちは、ラムゼイの指示に従わなければならないのだろうか？

彼はミシュランの三つ星レストランを経営しているのだから、言うとおりにするほうがよさそうだ。少なくとも、傾きかけたレストランの料理人より才能があるのは間違いない。ラズの考えが正しいなら、彼らは言うとおりにすべきだということになる。そうしないのは料理人の義務に反する。

さて、ここで話の内容を少し変えてみよう。

いったん番組の設定は忘れてほしい。そして、ラムゼイが家族と一緒に、客として近所のレストランに入った場面を想像してほしい。もちろんテレビの撮影もない。

出されたスープを口にしたら、ひどい味だった。彼は即座に立ち上がり、厨房に駆け込んで、テレビ番組と同じように指図しはじめる。

料理人たちは困惑するが、そのなかの一人が、入ってきた男がラムゼイだと気づいて、同僚たちにささやく。

「ゴードン・ラムゼイだぜ」

それで全員が、この男が何者かを知った。あれこれ命令している男は、ただ怒って叫んでいるわけではない。しかも、厨房にいるだれよりも腕のいいシェフだ。

料理人たちは彼の指示に従う義務があるのだろうか？　それとも「出て行ってくれ」と言ってもいいのだろうか？

私は「出て行け」派だ。どんなに料理が上手でも、ラムゼイには人に指図する権利はない。「悪夢の厨房」では、料理人は番組の趣旨を理解したうえで出演に同意しているのだから、約束事に従う義務がある。ただしその場合でも、義務の根拠は、番組の出演に同意したからであって、ラムゼイが自分より料理が上手だからではない。要するに、ラムゼイの料理の才能は、厨房に勝手に入れる許可証にはならない。*

つまり、ラズは間違っているということだ。自分だけでやるよりその人に従ったほうがよい結果になるとしても、その人にあなたを支配する権利はない。[17]

もちろん、言うことを聞くほうがうまくいくかもしれないという理由で、言われたとおりにするのは賢い選択かもしれない。しかし、そうする「義務」があるわけではない。

人生では、だれもが自分で選んだ方法で失敗する自由がある。自分のキッチンで不味いスープをつくりたければ、自由にそうすることができる。ゴードン・ラムゼイが彼のやり方をあなたに押しつけることはできない。

＊ラムゼイが断りなく厨房に押し入れば不法侵入になる。だが、その理由で、彼にはそこまでの権威はないと言っているのではない。カウンター席に座ったままで厨房の料理人に指図したとしても、その行為は一線を越えている。客として入ったレストランでは、天下のラムゼイといえども、だれかのボスになることはできない。

王の権威を疑う7歳の政治哲学者

というわけで、私たちは権威というものを別の角度から考える必要がある。

いつものようにハンクが手伝ってくれる。

彼が初めて政治哲学に触れたのは7歳のとき、ディズニーのミュージカル・アニメ「塔の上のラプンツェル」を観た直後だった。彼は、王様が国民に命令できるという考えをなんとか理解しようとしていた。

「いくら王様でも、何でも命令できるはずがない」とハンクが考えを口にした。

「王様が命令していた国はたくさんあったんだよ。それが嫌だった人びとが王様を追い出した国もある。王様が国にいてもいいけど、命令はさせないことにした国もある」

「王《キング》という言葉には何の意味もないよね」とハンクは主張した。「みんなが王様と呼ぶからといって、人にああしろこうしろって言えないと思うけど。ただの言葉なんだから」

「そのとおり」と私は言った。「王というのはただの言葉だ。王じゃなくて、天皇とか皇帝とか、ほかの言葉を使っていた国もあるけどね」

「どう呼ぶかは関係ないよね」とハンク。「特別な名前がついているから命令できるわけじゃないから」

「そのとおりだ。だけど、王というのは人の名前じゃなくて仕事の名前なんだ。その仕事をするから、その人は命令することができるんだ」

「王様って仕事なの?」。ハンクがたずねた。

「ああ、コーチみたいなものだ。ハンクのサッカーチームのブリジットは、名前がブリジットだからチームの責任者なの? それともコーチだから?」

「そりゃあ、コーチだからだよ。いろんな名前のコーチがいるもの」

「そう、王も同じだ。大事なのは仕事であって、人にどう呼ばれるかじゃないんだ」

権威は「役割」に付随する

このやりとりで、ハンクと私は、権威についてのよりよい理論へと向かう出発点に立つことができた。仕事のなかには、人に権威を与えるものがある。上司、親、コーチ、先生、交通巡査など、いくらでも挙げられる。

こういう役割に就いている人は、自分が命令すれば、人びとは——少なくとも一部の人びとは——それに従う義務があると主張している。

本当にそうだろうか? それを判断するには、その役割にそれだけの価値があるかどうかを考えなくてはならない。つまり、私たちの生活に彼らが必要か、その役割を担う人はそれにともなう権力を持つべきかどうかを問わなくてはならない。そして、それを問うときは、その役割にともなうもろもろの条件を考慮しなくてはならない。[18]

どういう意味か説明しよう。

親になるということは、ある役割を引き受けるということだ。親にはしなくてはならないことがたくさんある。なんと言っても、子どもを養い育てることが最大の責任だ。子どもに食べ物を与え、危険から守らなくてはならない。まっとうな大人になるよう導かなくてはならない。すなわち、さまざまな状況下での考え方や行動の仕方を教えることも親としての義務だ。

もし、子どもに要求する権利が親になければ、親の義務を果たすことは難しい。

たとえば、子どもに家事をさせるのは、いつか自分のことは自分でできる人間になってほしいからだ。掃除のような共同作業に加わらせるのは、それが自分の責任だと考える人になってほしいからだ。時間がきたら電気を消して寝させるのは、十分な睡眠を取らせるためだ。

なぜ親は子どもに対して権威があるのか？　それは、親には子どもに対する責任があるからだ。親の権利と責任は表裏一体になっている。

親はさまざまな方法で子どもの世話をすることができる。自分に代わってコミュニティに子どもの世話をさせることもできる。実際に、ある程度私たちはそうしている。

しかし、親に主たる責任を負わせることには、それなりの理由がある。最大の理由としては、親は子どもに特別な愛情を持つ可能性が高いことが挙げられる。

スパイダーマンことピーター・パーカーの原則をご存じだろうか。「大いなる力には大いなる責任がともなう」というものだ。[19] そこで私は、パーカー・ピーターの原則を提案したい。

「大いなる責任には大いなる力がともなう」

つねにこの原則が成り立つとはかぎらないが、親の権威については確かにそう言える。親には子どもの面倒を見る責任があるから、子どもに命令することができるのだ。

この話とラズの話のどこが違うかに注目してほしい。ラズの説では、親は子どもに命令する能力があるから権威があるということになる。

しかし、子どもにうまく命令できる人なら親以外にもたくさんいる。私の子どもたちが小さかったころ、彼らが出会うほとんどの大人は、子どもたちが自分だけで何かをするより、彼らのためによい決断を下すことができた（親である私たちはレックスに靴を履かせるのにも苦労したが）。しかし、子どもとの関係において、何らかの権限をともなう役割を担っていないかぎり、だれも子どもたちに命令することはできない。[*20]

つまり私が言いたいのは、権威は人にではなく、役割に付随するということだ。

＊そう言ってしまうとやや単純化しすぎなので、説明を付け加えておこう。確かに、私の子どもに何かを命じることができるのはコーチや教師、ベビーシッターなど、子どもに対する権限を有する役割を担っている人がほとんどだ。しかし、私の子どもがほかの子の家に遊びに行ったときは、その家の親は、私の子どもに対して多少の命令をする権利を持つ。その権限の一部は場所に由来する。家の所有者は、そこでしてよいことといけないことを決めることができる（所有者は財産とそれに関わる他者に対する権限を持つ）。ただしその権限の一部は、本当の親がそこにいれば果たすであろう役割を一時的に担っているという事実に依拠している（法的にはそれを親代わり〈ロコ・ペアレンティス〉という）。本当の親がやって来れば、その権限は本当の親に戻る。

私が子どものためにルールを決められるのは、私が親だからであって、ルールを決めるのが上手だからではない。本当に下手なら親として失格だから、うまく決められるかどうかは重要だが、上手にできるということだけで権威が生じるわけではない。親の権威は役割と能力の両方によってもたらされるのだ。

上司が命令できるのは「当たり前」ではない

親以外の権威についてはどうだろう？　親の場合と同じ理屈が成り立つだろうか？　おそらく成り立つ。

しかし、それを説明するには、役割ごとに異なるストーリーが必要だ。たとえば、教師が子どもに対して負っている責任は、親と比べればはるかに限定的で、それが教師の権威の範囲を限定している。教師に責任があるのは、生徒が学校にいるあいだの生徒の成長や安全だ。平たく言えば、教育に対して責任がある。教師はその責任を果たすために生徒に命令することができる。

しかし、子どもが家で食べるおやつの量や、ゲームやスマホで遊ぶ時間を決めることはできない。そういう面で子どもに問題があると感じたら、親に助言をすることはできるが、命令することはできない。

また、すべての権威が責任を根拠としているわけでもない。

労働者のほとんどは成人した大人であって、雇い主は彼らの親ではない。それなのになぜ、上司は部下に命令することができるのか？

上司は、その上司、顧客、株主などに対する責任があり、階層的な組織構造の中で部下に命令できるということが、その責任を果たすのに役立つからだ。ある意味、上司はバスケットボールのコーチのようなもので、部下がばらばらに動いたのでは達成できないことを、集団として達成できるよう調整するのが仕事だ。

しかし、上司が命令することで会社にとってよい結果がもたらされるとしても、それは上司が部下に命令できる理由にはならない。それが理由になるなら、だれにでも命令できそうなものだが、上司は部下にしか命令できないからだ。

なぜ、部下には命令できるのか？　それは、部下である従業員がその仕事に就くとき、そういう契約を受け入れたからだ。その点は重要そうだ。従業員は辞めようと思えば辞められる。それも重要そうだ。つまり、従業員は上司が自分に命令することに同意しているということだ。おそらく給料と天秤にかけて、上司の命令に従うことを自分で選んだのだ。

だが本当にそうだろうか？

このような上司と部下のストーリーは、現実とかけ離れている。ほとんどの労働者は経済的な必要を満たすために働いている。食べ物、住まい、そのほか生活に必要なお金のために働いている。少なくとも次の仕事の当てがなければ、簡単に仕事を辞めることなどできない。うまくいけば嫌な上司のいない仕事にありつけるかもしれないが、上司から完全に自由になることはできない。求人が少なければ、上司の好き嫌いなど言っていられない。

さらに悪いことに、アメリカでは上司に独裁者のような権威を与えている。

上司がその気になれば、どんな理由でも、あるいは理由などなくても、従業員は解雇される可能性がある。[*]雇用主は従業員に対してほとんど無制限の支配力を持っている。自宅の芝生に政治的主張を書いた看板を立てただけで解雇できる。[21]髪形や髪の色が気に入らなくても解雇できる。[22]それが嫌なら、部下は上司にいいところを見せなければならない。

このように言うと、私がそれをよくないことだと考えているように思われるかもしれないが、もちろんよくないと思っている。

私は終身雇用を保障されている研究者であり、上司の気まぐれから守られている数少ないアメリカ人の一人だ。正当な理由がないかぎり解雇される心配がないので、言いたいことを言える。来年も雇ってもらえるだろうかと心配する必要がない。自分で辞めたくなるまで仕事を続けることができる。

そんな特権的な保護は必要ない、終身在職権など廃止すべきだ、と考える人もいる。多くの人が経済的不安を抱えて生きているのに、なぜ大学教授だけをそんなに優遇するのか、というわけだ。

私はその問いは反転させたほうがいいと思う。

なぜ私たちは、こんなに多くのアメリカ人が経済的不安定と、それが雇用者に与える権力のもとで暮らしている状況を許しているのだろう?

もっとも抑圧的な統治者は「会社のボス」

この問いに興味がある人に――上司にも部下にも興味を持ってもらいたいが――紹介したい哲学者がいる。ミシガン大学で私の同僚である**エリザベス・アンダーソン**だ。

今日、世界でもっとも重要な思想家の一人だ。彼女は、ほとんどの人にとってもっとも抑圧的な統治機関は政治的権威とはまったく関係のない、勤め先の雇用主だと考えており、人びとがそのことに気づくよう声を上げている。[23]

小売店では従業員に対し、捜査令状はおろか、不正を疑う正当な根拠もないのに、日常的に私物の検査が行われている。[24] シフトは突然変更されるし、[25] 髪形や化粧にさえルールがある。[26] 倉庫や工場では、従業員はつねに監視され、[27] トイレに行くのにも規則がある。[28]

ホワイトカラーの仕事に就いている幸運な人は、たぶんそこまでひどい扱いは受けないだろうが、いつ解雇されるかわからない不安定な状態に置かれている点では同じだ。

アンダーソンの著書『民間政府――雇用主はいかにして私たちの生活を支配しているのか(そしてなぜ私たちは声を上げないのか)』(未邦訳)は、私たちがこの状況を受け入れるようにな

＊ 最大の例外は差別撤廃法に抵触する解雇だ。人種、宗教、性別などを理由に解雇することはできない。

った経緯と、それに対して私たちができることを考察している。

改革は容易ではないが、改善の方法はたくさんある。

随意雇用〔雇用主が従業員を自由に採用したり解雇したりできる雇用形態〕を制限することもできるし、職場の統治《ガバナンス》に労働者を参加させて、彼らの利益が考慮される仕組みをつくることもできる。また、ベーシック・インカムと医療を保障することによって、虐待的な雇用主のもとでも我慢して働くしかない状況を変えることもできる。

どういうわけか、公的補助を受けると自由が制約されると信じ込んでいるアメリカ人が多い。しかし実際は、基本的ニーズが保障されることで、自由が促進される。自分をひどく扱う上司にノーと言えるようになるからだ。

そんな改革はアメリカ経済の活力を低下させる、と心配する人もいるが、私はそうはならないと思う。

その懸念にはこの問いで答えよう。その活力とやらの恩恵を受けているのはだれなのか？　労働者を不安定な状態に縛りつけておくことで利益を得ているのが企業なら、そんな現状を受け入れる必要があるのだろうか？

アメリカ人は、自由について口では立派なことを言うし、憲法が保障する権利を愛してもいる。だが、もし本当に自由が大切だと思うなら、アメリカの職場環境に心穏やかではいられないはずだ。政府は強力だが、雇用主も強力だ。現状では、従業員は雇用主に対してほとんど何の権利もない。

誤解がないように言っておくが、上司に反抗することを勧めているのではない。折り合いをつけるほうが自分の利益につながることも多い。重要な仕事——たとえば人びとの健康や安全に影響があるような仕事——なら、嫌な上司でも仕事中は命令に従う義務さえあるかもしれない。

しかし、私は少なくとも現在のような雇用者と被雇用者の役割のあり方を擁護するつもりはない。経済的に最下層に位置する人びとにとって、雇用主や上司が持っているのは権力であって、正当な権威ではない。こんな状況は変えることができるし、変えるべきである。

「孤独で、貧しく、意地悪」な人生から脱却する

雇用主の権威を制限するという考えが過激だと思う人は、昔は政府の権威に制限を設けるのも過激思想だと考えられていたことを思い出すとよい。王や女王が絶対的な権威を持っていたのはそれほど昔のことではない（独裁者はいまでもそうだ）。

著名な哲学者たちも王や女王を支持していた。トマス・ホッブズもその一人だ。

ホッブズはこの本のイントロダクションにも登場した。イングランド内戦などの紛争を含む激動の世紀を生き抜いた哲学者だ。実際、彼は何年ものあいだフランスで亡命生活を送った。彼が、政治が安定するための条件や、それを確保できなかった場合の代償に関心を持った背景

には、当時の政情不安があったのだろう。

ホッブズは、政府がまったく存在しなければ、社会は「**万人の万人に対する闘争**」という状態に陥ると考えた[29]。

なぜか？　ホッブズによれば、ほとんどの人間は利己的なので、希少な資源をめぐって必ず争いが起こる。自然状態では、だれもが他者に傷つけられる可能性があるので、一時《いっとき》たりとも安心できない。もっとも強い者も例外ではない。「もっとも弱い者でも、秘密の策略やほかの者と手を組むことで、もっとも強い者を殺せるだけの強さを持つ」とホッブズは述べている[30]。

そんな戦争状態では、私たちは貧しくなる一方だ。働いても何かがよくなるとは思えないから、働く気になれない。そうなると、社会は機械もない、建物もない、文化もない、知識もほとんどないという状態になる[31]。だから、自然状態での人生は「孤独で、貧しく、意地悪で、残酷で、短い[32]」。

しかし、ホッブズはそこから脱出する方法を発見した[33]。彼は、だれもが統治者――たとえば王――に従うことに同意し、その庇護のもとに入ればよいと主張した。そのためには、あらゆる権利を統治者に与えなければならない。統治者は絶対的な権威を持ち、その行動にだれも異議を唱えられなくなる。いかなる制約も受けず、することに何の制限もない。

統治者に制約を加えようとするいかなる試みも、権力闘争を引き起こすとホッブズは主張した。それは戦争を意味するが、戦争の時代を生きた彼にとって、それは何としても避けなければならないことだった。

歴史はホッブズが間違っていたことを証明している。少なくとも主張の後段――統治者が絶対的な権威を持てば戦争は避けられる――は間違いであったことが証明されている。

ジョン・ロックも、人間が自然状態から逃れるために確立すべき統治機構について意見を述べた。しかし、彼は絶対君主制が必要だとは思わなかったし、望ましいとも思わなかった。彼が主張したのは権力の分散だった[34]（現在の立法、行政、司法の三権分立と同じではないが、それに近い）。また、民衆による議会制民主主義を支持した（少なくとも部分的には）[35]。

ロックの考え方は、多くの国で立憲民主主義を形成するのに役立った。アメリカ憲法の起草者たちは、政府の権力を三つの部門に分け、互いに抑制しあうことが最善の方法だと考えた。英国で制定された権利章典の精神を憲法に組み込み、政府の権力を制限し、政府を縛る権利を国民に与えた。

このモデルは、世界の多くの立憲民主主義国家が模倣している。完全にはほど遠いが、これがそれなりに機能していることは、だれか一人に絶対的な権威を与えなくても、人間は自然状態から脱却できることを示している。

「民主主義擁護論」を考える

「子どもは民主主義がいいと思ってるけど、大人は独裁が好きだよね」とレックスはよく言う。

もちろん、わが家のことを話しているのだ。レックスは食卓での一人一票を望んでいる。二対二の引き分けのときレックスがどうするつもりか、私は知らない。

あるとき私はレックスにたずねた（そのときレックスは10歳）。

「民主主義のどこがいいの？」

「大勢の人が意見を言うから、いい決定ができる」

「でも、みんなが話をよくわかっていなかったら？　あるいは、間違っていたらどうなる？」

「その場合は、間違った決定をしちゃうことになる」

「よい決定ができることもあれば、悪い決定をしてしまうこともあるということだな。そのほかにも民主主義がいいと思う理由はある？」

「自分に影響があることについては、言いたいことを言えるのがいいと思う」とレックスは答えた。彼は、電力会社がわが家の庭に電線を引こうとしたときの複雑な話を持ち出して、自分の考えを説明した。

「そういうとき、パパは何か意見を言いたいと思わない？」

「もちろん思うよ」

「それに、民主主義は公平《フェア》だ」とレックスは付け加えた。「あと、平等《イコール》だ。だれもが同じようにカウントされるから」

これは民主主義を擁護する明快な議論だ。民主主義は人びとに重要な決定に参加する機会を与え、全員に一人一票を与えることで、人びとを平等な存在として扱う。

しかし、わが家は民主主義ではない。レックスがどんなに願っても、そうはならない。

理由はすでに話したとおりだ。私とジュリーは子どもに責任があり、親の務めを果たすために、しばしば子どもが嫌がる決断をしなければならない。親と子は対等ではない。対等であるかのようにものごとを進めるのは、親にとっても子どもにとっても重大な過ちだ。

だが私は、大人にあれこれ指図されるのは子どもにとって楽ではないということは忘れないようにしている。しょっちゅう言われていたら、文字どおりの意味で、自分を抑えられなくなるだろう。だから私は、子どもたちが好きにさせてくれと抵抗するとき、できるかぎり忍耐強く聞くようにしている。全然十分とは言えないが。

7歳の独立宣言

「ぼくは独立を宣言する」とハンクが言った。

そのとき彼は7歳。私たちは公園を散歩していた。というか、散歩していたのは私で、ハンクは、ちょっと運動したほうがいいという親の考えに抗議しながら、手を引っぱられていやいや歩いていた。

「そうか」と私は言った。「どこに住むんだ?」

「家」

「だれの家?」

「ぼくたちの家だよ」

「ハンクは家を持ってないよ」

彼は困惑して私を見上げた。

「ぼくには家がある」と彼は言った。「みんなで住んでるところ」

「違うよ、ハンク。パパには家がある。レックスにもママにも家がある。でも、きみはいま独立を宣言したから、もう家はないんだ」

…………（沈黙）

「そうか、ぼくには家がないのか」とレックスは不満そうだ。

「家賃を払えば住めるよ」

「家賃はいくら？」

「いくらなら払える？」

「1ドル」

「わかった。1ドルで住ませてあげるよ*」

* 私は家賃を徴収しなかった。帰宅後、ハンクにアイスクリームを差し出したら、彼が独立を取り下げたからだ。それでいい。自分だけで生きていこうとしても、彼の歳ではそう長続きはしない。

Chapter 5 言葉

言ってはいけない言葉は言ってはいけないか？

人生で初めて「ファック」を口にする

ある晩、レックスは自分の部屋で、ニール・ドグラース・タイソンの『いそがしい子どものための宇宙講座』（未邦訳）を読んでいた。

わが家には、父親か母親のどちらかがベッドでレックスと一緒に本を読むという、長年続いている就寝前の儀式があるが、その夜のレックスは一人で読んでいた。そろそろこの儀式も終わろうとしていた。

そう言えばその数日前、レックスは初めて一人で泊まりがけのキャンプに参加した。それもあって、9歳の少年に少し自立心が芽生えたのかもしれない。

レックスとの読書タイムへの未練が断ち切れない私は、客室で本を読んでいた。するとレックスが駆け込んできて、興奮した様子で言った。

「家でできる実験があるって書いてある。やってみる?」

「いいとも」と私は応じた。

彼は本を開き、その実験のくだりを声に出して読んだ。

「地球には引力というものがあって、つねに物体を引きつけている。それを調べるために、簡単な実験をしてみよう。この本を閉じてから持ち上げ、そこでパッと手を放してごらん。そのときに起こることが引力の働きだ(もし本が下に落ちなかったら、天体物理学者を見つけて、この宇宙で緊急事態が生じていることを知らせてあげよう)[1]」

レックスは本を閉じ、持ち上げた。

「3……2……1……0」

手を放すと本は床に落ちた。

「くそっ《ファック》!」

レックスは緊急事態が発生しなかったことに落胆し、舌打ちをして握り拳を振りおろした。

そして、ニヤリと笑うと、どこか自慢げに私を見た。私はそんなわが子を頼もしく感じた。

サマーキャンプで悪態を学ぶ

その数日前のこと、レックスはサマーキャンプから戸惑った様子で帰ってきた。同室の仲間が頻繁に汚い言葉を口にするのが気に障ったらしい。

家の外ではレックスは行儀がよかった。キャンプ以前にも、いくつか汚い言葉を覚え、その意味をたずねてきたことがあるが、自分で口にするのを私は聞いたことがなかった。

私も子どものころは、レックスに似て、少なくとも家の外では行儀がよかった。だが、わが家では悪態や罵倒はごく普通のコミュニケーション手段だった。実際、私の子ども時代のもっとも古い記憶は、日曜大工をしていた父の「こんちくしょうのクソ野郎《サノバマザーファッキンビッチ》！」という罵声の連発だ。4歳のとき、私はそれが全部で一語だと思っていた。

ジュリーがレックスを身ごもったとき、私は、父と同じような教育をわが子にしてしまわないかと心配だった。しかし、彼が生まれるとすぐスイッチが入り、少なくとも彼のそばでは汚い言葉を口にすることはなくなった。

ジュリーは私よりもっと気を使ったかもしれない。だが、彼女もレックスが言葉を話しはじめる前にはコツをつかみ、汚い言葉の〝レッスン〟は学校に上がるまでお預けとなった。

泊まりがけキャンプも汚い言葉の学習の場だった。私たちはレックスを迎えに行き、冒険談を聞こうと思ったが、彼が最初に話したがったのは悪い言葉についてだった。

「みんな言いまくってるのに、カウンセラーは注意しないんだ」と彼は報告した。

「レックスはどうだったんだ？」

「ぼくもちょっとは言った。でも、ほかの子たちほどじゃない」

「じゃあ、別にいいじゃないか」と私は言った。「そういうことができるのも、キャンプならではだと思うよ」

「悪い言葉ばっかり言ってる子もいた」とレックス。

「キャンプなんて、そんなものさ。ただし、時と場合があることは忘れるなよ。キャンプならいいけど、学校ではダメだ」

「じゃあ家では？」

「少しなら大丈夫だ。失礼な言い方や意地悪な言い方じゃなければね」

そんなやりとりがあった数日後、宇宙の緊急事態に立ち会えなかったレックスは、人生初の「ファック」を口にしたというわけだ。申し分ない「ファック」で、タイミングも完璧だった。繰り返しになるが、私は彼を頼もしく感じた。

「同じ意味」なのに、なぜ言ってはいけないのか？

なぜ、言葉のなかには悪いとされる言葉があるのだろう？　子どものころ、私にはそれが疑問だった。ただの音の羅列が、どうして悪いものになるのだろう？

だが、もちろん言葉はたんなる音の羅列ではない。私たちが意味を持たせている音のつながりだ。しかし、その意味が言葉を悪いものにするわけでもない。

うんち《プープ》、うんこ《クラップ》、大便《マヌア》、糞《ダン》、糞便《フィーシーズ》、排泄物《ストゥール》……どれも同じものを意味するが、言ってはいけないとされるのは「くそ《シット》」だけだ。

なぜだろう？　知ったことか《ファック・イフ・アイ・ノウ》。

どの言語にもタブーとされる言葉がある。どういう言葉が該当するかは国や地域によって違うが、共通するテーマがある。セックスや排泄、病気などに関連するものや、神を冒瀆するようなものがそれだ。

どれも普通に話せば何の問題もないトピックなのに、なぜ使ってはいけないとされる特定の言葉が存在するのか？

レベッカ・ローチは、言葉の響きが関係しているのではないかと考えている。哲学者としての彼女の研究テーマは幅広いが、とくに言語哲学者として**罵倒語**（swear words）について研究している。

ローチは、罵倒語には、それを発するときの感情に似たとげとげしい音の響きがあるのではないかと指摘する。そして、それは偶然ではないと言う。

「whiffy（臭い）」や「slush（どろどろ）」といった柔らかい響きの言葉では怒りが伝わらない。そういう言葉で悪態をつくのは、「圧縮空気のヒンジが付いているドアを力まかせに閉めようとすることに似ている」[2]。

だが、ローチは音だけで説明できるものではないとも言う。それはそうだろう。短くて強く響いても、だれも不快に思わない言葉はたくさんある。

たとえば「cat（ネコ）」「cut（切る）」「kit（工具箱）」など。

また、言っても全然問題のない同音異義語を持つ卑語もある。

たとえば「prick（刺し傷）」「cock（雄鶏）」「Dick（リチャードの略称）」などだ（何を指すかはおわかりだろう）。

さらに、不快な言葉は時代とともに変化しているので、社会的見地からも考える必要がありそうだ。

「侮辱のエスカレーション」でどんどん不快になる

罵倒語が生まれるプロセスを、ローチは、**「侮辱のエスカレーション」**という概念で説明している[3]。

理由は何でもいいのだが、「shit（くそ）」という言葉が嫌いな人は、だれかがその言葉を口にしたら不快に感じるだろう。その言葉が社会に知れわたり、不快感が社会全体に広がると、「shit」という言葉を口にするだけで他者を侮辱することになってしまう。

このサイクルが繰り返されることで、侮辱のエスカレーションが起こる。ある言葉が攻撃的で不快だという感覚が定着すると、だれかがその言葉を口にするたびに不快の程度が増すというわけだ。

しかし、人が嫌う言葉は千差万別なので、侮辱のエスカレーションですべてを説明することはできない。たとえば、私はなぜか「rhombus（菱形）」という言葉が嫌いなので、それを知っただれかが、この言葉を何度も私にぶつけてきたら腹が立つだろう。とはいえ、こんな言葉を嫌う変わり者はめったにいないから、「rhombus」が人を罵《ののし》る言葉として世間一般に定着することはまずないだろう。

ローチは、罵倒語はタブーとされる話題と結びついている傾向があると指摘する。私たちはそうした話題に抵抗を感じるので、とくに嫌なやり方で話題にされると、なおさら不快感が強くなるのだ。

たとえば私たちは、会ったことのない相手でも、「asshole（くそったれ）」と言えば怒らせることができると知っている。もしかしたら、「trash（くず）」とか「posh（気取り屋）」と言っても怒るかもしれないが、相手のことを知らなければ、どれくらい怒らせる効果があるかはわからない。嫌がるかもしれないが、気にしないかもしれない。だが「asshole」なら、ほぼ間違いなく嫌がるはずだ。

だとしてもローチの説明では、そもそも特定の言葉が、侮辱のエスカレーションが起こる以前に、なぜ嫌われるようになったのかという疑問が残る。なぜ「shit」はだめで、ほかのスカトロジー用語は大丈夫なのか？　きっと何か理由があるのだろう。

しかし、そういう話は哲学の領分ではない[4]（歴史家が取り組んでいる）。

私が考えたいのは、罵倒語を口にするのは本当にいけないことなのか、ということだ。

汚い言葉を使うのは悪いこと？

一緒に散歩をしているとき、それをレックスにたずねた。

「汚い言葉を言ってもかまわないと思う？」

「かまわないときもある」と彼は言った。

「どんなとき？」

「だれかに意地悪を言うんじゃなければかまわない。意地悪なのはダメ」

話の出発点としては上々だ。レックスは、汚い言葉は何か悪いことを言うために使われることが多いのを気にしている。その感覚は間違っていない。ローチが言うように、まさに罵倒語はそのための道具なのだ。侮辱のエスカレーションという説が正しいなら、汚い言葉が悪いのは、悪いことを言うために使われることが多いからにほかならない。

しかし、汚い言葉を使わなくても悪いことを言うことはできる。ある言葉が他者の名誉を傷つけたり品位を貶《おとし》めたりするなら、その言葉がもともとそういう目的で一般に使われている言葉なのか、そういう効果をねらってその場の工夫で発せられた言葉なのかは関係ない。人を侮辱することがいけないのであって、言葉そのものが悪いわけではない。

「意地悪でなければ、汚い言葉を使ってもいいの？」と私はたずねた。「だれかに対して言ってるんじゃなくて、ただ悪い言葉を声に出しているだけならいいのかな？」

「いいときもあるし、よくないときもある」とレックス。

「どんなときならいいの？」

「ちゃんとした場所《シヴィライズド》にいるときは、汚い言葉を言わないほうがいい」

「ちゃんとした場所って、どんな場所のこと？」

レックスは少し答えに詰まった。

「よくわからない。ちょっとかっこいい感じがしたから言ってみただけ」

「たぶんわかってるんじゃないかな」と私は言った。「学校はちゃんとした場所？」

「うん、ほとんどちゃんとしてる」

「キャンプは？」

「ぜったい違う」

「家はどう？」

「ときどきちゃんとしてる。でも、ハンクとぼくがシャツを脱いで踊るときは違う」

それには激しく同意する。それを証明する動画もある。最高傑作は、ハンクが4歳になるかならないかのころのものだ。彼はほとんど素っ裸で、「ぼくのお尻フリフリ、上手でしょう？」と訊いている（もちろん上手だとも）。レックスに馬乗りになって「ステイン・アライブ」を歌っている場面もある。

言葉

どちらもジュリーが出張で家を離れているときの撮影だ。彼女がいないとき、わが家はかなり未開状態《アンシヴィライズド》になる。*

「場所」を侮辱していることになる

話が逸れた。レックスの答えに戻ろう。ちゃんとした場所で汚い言葉を口にするのは、なぜいけないのだろう？

人を侮辱するのと同じように、場所を侮辱していることになるからだ。教会で罵倒語を発したら、教会を侮辱していることになる。そこにいる人たちへの侮辱でもある。それを聞いた人が怒るのは、教会はたんなる場所ではないからだ。バーでなら悪い言葉を発してもかまわないが、教会は違う。

実際、場所によってルールが異なることで、場所が違う性質を帯びる。もし、キャンプ場でも教会と同じように行動しなければならないとしたら、キャンプ場という場所は様変わりするだろう。教会でキャンプ場でのような振る舞いが許されたら、教会も変わってしまうだろう。

私たちは生活のなかに両方のタイプの場所があることを望んでいる。ある場所では悪態をついてもいいが、別の場所ではいけない、と言ったレックスは正しい。

そこには道徳についての重要な教訓が隠れている。ある種の悪は、私たちがそれについてどう考えるかとは関係なく悪とされる。たとえば、殺人やレイプは、私たちがそれを悪だと思うから悪なのではない。人間の尊厳を根底から否定し傷つけるから悪なのだ。他方、私たちが悪だと考えるから悪と見なされる行為もある。教会で汚い言葉を使うというのはその一例だ。**

ロナルド・ドゥオーキン（すでに登場してもらった）は、後者のような悪を「**慣習的道徳**」と呼んだ。[5] 彼はそれを説明するのに、教会で着用が許されている服装の話を持ち出す。

多くの地域では、男性が礼拝堂に入るときには帽子を脱ぐのが習慣になっている。帽子をかぶったままでいるのは失礼だと思われる。みんながそう思っているから、それをしたら失礼に当たる。少なくとも、帽子をかぶったまま礼拝堂に入ったらほかの人がどう感じるかを知っている人がそれをすれば、失礼な行為になる。

しかし、習慣は簡単に別の方向にも働く。私はシナゴーグ〔ユダヤ教の会堂〕に行くとき頭を覆う。そこに集《つど》う人びとがそうすることで場所への敬意を示すことを知っているからだ。

このように、慣習的道徳にはしばしば恣意的な要素が含まれる。なので、頭に何もかぶらないことで敬意を示すか、頭を何かで覆うことで敬意を示すか、そのこと自体は重要ではない。

---

* このとき私は、子どもたちが夜遅くまでダンスに興じるのを許した。ハンクは「やったあ！　ママもいないし、ずっと起きてる！」と叫び続けた。だがその感覚は錯覚だったようで、私のワンオペ子育てを喜ぶ子どもたちの気持ちはすぐに冷めてしまった。寝かしつけようとすると、「ママ、早く帰ってきてほしい……」とハンクはこぼした。

** 少なくとも、教会でつく悪態のうち、スカトロジー系のものなどはそれに該当する。他方、冒瀆的な悪態は、私たちが悪いと考えるから悪なのではなく、神を軽んじているから悪とされるのかもしれない。

重要なのは、どんなコミュニティにも全員が同意する敬意のしるしがあるということだ。

実際、してはいけないことと、してもよいことの区別がないようなフォーマルな場所は存在しない。神聖な場所ともなればなおさらだ。そのようなルールがあるからこそ、そこはほかの場所とは違う場所となり、フォーマルで神聖な場所となるのだ。

ルールは恣意的なものばかりではない。たとえば、図書館では話をしてはならず、やむをえず話す場合は静かに話さなくてはならない。そのルールは図書館を勉強に適した場所にするのに役立っている。

しかし、ルールのなかには、ある場所をほかの場所と区別する以上の意味がないものもある。教会ではかぶり物を取るのか着けるのか、あるいはどんな言葉なら使ってもいいのかいけないのか、といった決まりはその部類だ。このようなルールの目的は、そこが特別な場所だと示すことにある。

そして、ほとんどの場合、私たちはそのルールに従わなければならない。特別な場所を特別であり続けさせるために。

今日の社会は、形式張らない風潮がいたるところに広がり、さまざまなものの品位が貶められている。もちろんそれも悪いことばかりではない。めかしこんで旅をしなくてはならなかった昔より、リラックスした服装で飛行機に乗れるほうがありがたい。しかし、自分が過ごす場所の品位を高めることによって、自分を高めることもできると考えると、喜んでばかりもいられない。

悪態は「すべての子どもに必要なスキル」である

そうは言っても、いつもきっちりしていなければならないというのは窮屈で、くつろぐことも必要だ。たまには汚い言葉で悪態をつけるくらいの余裕はほしい。レックスの最初の「ファック」は、人や場所を侮辱するものではなく、むしろ聞く側を愉快な気持ちにさせるものだった。圧倒的多数の悪態はそんなものだ。

そんな悪態もいけないのだろうか？　多くの親が子どものそんな言葉づかいを熱心に取り締まっているところを見ると、悪いことだと考えているように見える。しかし、それは間違っている。

悪態をつくことの問題は、言葉そのものではなく、それが発するシグナルにある。なので、その言葉がなんら悪いシグナルを発していないなら、言ってはいけない理由はない。

だから私たちはレックスにルールを設定した。人にも場所にも意地悪や侮辱をしてはならないが、そうでなければ、たまに悪態をついてもかまわない、というルールだ。

なぜ、たまになのか？　悪態は、場所を俗悪にするのと同じように、それを発する人間も俗悪にするからだ。いつも下品な振る舞いをしていたら、根っから下品な人間になってしまう。

ただし付け加えておくと、私は自分の子どもたちについて、その心配はしていない。彼らには、文脈が変われば行動を変えるコード・スイッチングの能力が十分備わっているらしく、いつも子どもなりに切り替えているのを見かける。

むしろ私が心配しているのは、どうということのない場面でも、悪態をつくことを深刻に考えている大人が多いということだ。子どものころ私はそれでイラついた。いまでもそうだ。

たしかに、世間を渡っていくには、納得できなくても他人の反応を読む必要がある。この社会では、やたら悪態をつくと思われたら損ではある。悪態がよくないのはみんながそれをよくないと思うからであり、それが慣習的道徳というものだ、と世間一般では考えられている。だが、それは違う。人びとがよくないと思う背景には、真剣に受けとめるべき相応の理由があるはずだ。理由がないなら、気にする必要はない。

教会の例で言えば、神聖な空間を維持することには価値があるから、人びとは会堂を神聖なものとしてほかと区別し、そこでの言動にルールを設けている。これに対し、キャンプ場や道ばたでは、そこで悪態を制限することにはほとんど価値がないから、子どもの言葉づかいを気にするおせっかいな大人がいたとしても、子どもたちの言葉づかいに基準を設ける権力は与えられない。

その点、親が特別なことは認めよう。前章で見たように、親は少なくとも合理的な範囲で、自分の子どもに従わせる基準を設定する権力を持っている。しかし、その権力を使って悪態を禁止してはいけない。少なくとも全面的に禁止してはいけない。

なぜなら、悪態をつくことは悪いことではないからだ。それどころか、すべての子どもが身につけるべきスキルなのだ。

悪態は体にも心にもいい

「悪い言葉を使ったら、何かいいことある？」とレックスにたずねてみた。

「気持ちよくなる」という答えが返ってきた。

「どういうこと？」

「腹が立っているとき、気分がスカッとする」

「レックスは怒ったときに悪い言葉を使うの？」と私はたずねた。レックスがそんな悪態をついているのを聞いたことはない。

「うん、心の中で自分につぶやくんだ」

なんていい子だ！　でも、声に出して言ってしまったほうがいいかもしれないぞ。

リチャード・スティーブンスが行った有名な研究がある。彼は大学生に、冷たい氷水の入ったバケツに手を2回浸けるよう頼んだ。1回は悪態をついてもいいが、もう1回は悪態をついてはいけないことになっていた。その結果、悪態をついたときのほうが時間にして50％近く長く手を浸けておくことができ、痛みも感じにくかった。[6]

さらに追跡研究によると、強い言葉を使った悪態のほうが――「シット」より「ファック」のほうが――しっかり苦痛が軽減されることが認められた。[7]大声で悪態をつくことには、少なくとも一定程度の効果があるに違いない。
さらに重要なのは、悪態がやわらげるのは身体的な苦痛だけではないということだ。**マイケル・フィリップ**と**ローラ・ロンバルド**は、悪態は社会的に排除されることによって感じる心の痛みにも効果があることを示した。[8]
彼らは実験協力者に、仲間外れにされたと感じたときのことを思い出してもらった。協力者の一部には、思い出したら即座に悪態をつくよう指示し、ほかの人たちには普通の言葉を発するよう指示した。すると、悪態をついた人はつかなかった人に比べて、仲間外れにされたときの心の痛みが大幅に低減したことがわかった。これはレックスが——いや、世界中の子どもたちが——自ら気づいた事実とまったく同じだ。
私は**エマ・バーン**の『悪態の科学』（原書房）という本でこうした研究に出合った。そこに紹介されている科学は驚くべきものだ（手話を学んだチンパンジーは、なんと罵倒語を自分で発明するのだそうだ。[9] マジな話だぜ《アイ・シット・ユー・ノット》）。
なぜ悪態をつくと気分がよくなるのかについて、バーンはいくつかの仮説を提示している。それは感情的な言葉を処理する脳の部分と関係があるというものだ。[10] それについての科学的研究はいま進行中だが、細かい点はあまり重要ではない。重要なのは、悪態をつくとストレスが大いに解消されるということだ。
それだけではない。バーンは、悪態は「仲間同士の絆を深めるのに有効だ」とも言っている。[11]
彼女は人づきあいを円滑にする軽口や冗談についても研究した。悪態をつくことで社会に受け入れられた人のことも紹介している。そして、悪態がさまざまなかたちでコミュニケーションを効果的にすることも説明している。

含蓄のある研究だが、本を読まなくても彼女が言いたいことは理解できる。仲のいいグループを観察すれば、必ずと言っていいほど罵倒語が飛び交っているのが聞こえてくるはずだ。

この社会的側面こそ、私が子どもたちに悪態をつくスキルを習得させたいと考える理由だ。いつ、どこでなら悪態が咎《とが》められないかをわきまえるだけでは十分ではない。私たちは悪態を上手につけるようにならなくてはならない。

「ファック」の文法講座

だが、それは簡単ではない。まず、言葉の新しい使い方を学ばなくてはならないからだ。「fuck」は動詞のこともあれば名詞のこともあるが、たいていの場合、なじみのある品詞のいずれにもあてはまらない。

たとえば「fuck you」というフレーズを考えてみよう。命令文のように聞こえるが、命令ではない。これを「close the door」と比べてみよう。こちらはさまざまなセンテンスで使うことができる。

Please close the door.（ドアを閉めてください）

Go close the door.（ドアを閉めてきなさい）
I said to close the door.（ドアを閉めろと言っただろ）

しかし、「fuck you」はそうはいかない。次のようなセンテンスは意味をなさない。

Please fuck you.（ファック・ユーしてください）
Go fuck you.（ファック・ユーしてきなさい）
I said to fuck you.（ファック・ユーしろと言っただろ）

このことから、「fuck you」の「fuck」は動詞ではないことがわかる。これは特殊な言葉であり、非難の感情を伝えるためのものだ。* ところが奇妙なことに、「fuck you」の「fuck」は動詞として機能することもある。

I'll fuck you tomorrow.（俺は明日、おまえをファックする）
Don't let him fuck you.（あいつにファックさせるな）

まだ続きがある。「fuck」がおかしな振る舞いをする文脈はほかにもある。[12]
まず、次の二つのセンテンスは、どちらも、「うるさいテレビの音を小さくしなさい」という意味が成立している。

Turn down the loud television.
Turn down the television that is loud.

ところが次の二つでは、後者は意味をなさない。

Turn down the fucking television.（くそったれテレビの音量を下げろ）
Turn down the television that is fucking.（ファックしているテレビの音量を下げろ）

テレビに関する最初の二つのセンテンスでは、「loud（音が大きい、うるさい）」は形容詞だ。その次の二つでは、「fucking」が形容詞の役割を果たしているように見えるが、「loud」のように位置を変えられないことから、そうではないとわかる。

＊この観察は、「文法的に明らかな主語のない英文」という、題名からは内容が想像できない論文にまでさかのぼる。1960年代、南ハノイ工科大学（South Hanoi Institute for Technology）のクアン・フック・ドン（Quang Phuc Dong）の論文として発表されたが、実際はシカゴ大学で教鞭を執っていたジェームス・D・マコーリーという言語学者が書いたものだ[13]。罵倒語に関するその後の研究のきっかけとなった真面目な研究だが、架空のアジアの学校名を笑いのネタにした点は（大学名の頭字語を確認されたい）、いまなら人種差別的と見なされるだろう。

こんな話をしはじめたらきりがないが、さらに言えば、「fan-fuckin-tastic」と言う人はいても、「fanta-fuckin-stic」と言う人はいない。「fuck」をほかの単語に挿入するにはルールがあるからだ。**ジョン・J・マッカーシー**の大論文「韻律構造と卑語接辞[14]」を読まなくても、みんなそのことを知っている。

「fuck」は英語のなかでもっとも多用な使われ方をする言葉かもしれない。ほかの言葉ではほとんど不可能なことができるので、すごく楽しい言葉なのは確かだ。

しかし、この言葉を使って正しく悪態をつくには、文法以上のことをマスターしなければならない。

バーンが説明するように、悪態をついたときに相手がどう反応するかを予測するには、相手の感情を推し量る高度なモデルが必要だ。[15]微妙なバリエーションがたくさんある。「fuck off（消え失せろ）」は、友情を終わらせるような言い方で言うこともできれば、友情を維持するような言い方もできるし、面白おかしく言うこともできる。そのほかありとあらゆる言い方ができる。

すべては文脈、タイミング、そして口ぶりによる。何をもって問題のない悪態とするかの規範は、社会の意識で変わるので、つねに流動的だ。だから私は、息子たちに上手な悪態を教えようとはこれっぽっちも思わない。彼らは試行錯誤と観察によって自ら学び取っていくだろう。ただ、練習の場は与えてやりたい。いつか彼らは私に感謝して、こう言うだろう……（何と言うかはご想像にお任せする）。

悪態のレッスン

レックスは、最初の「ファック」から1年ほどで、ずいぶんうまく悪態をつけるようになった。それを目撃したのは、ハンクに初めて悪い言葉を教えた夜のことだった。

そのとき、私は息子たちに、私自身の母方の祖父母の話をしていた。祖父も祖母もちょっと意地悪で自分勝手なところがあった。私の祖父が孫のことを――つまり私のことを――好きではなかったと知って、レックスもハンクもショックを受けた。そういう事態を理解することができなかったようだ。

私は、たった一度だけ祖父が私と遊んでくれたときの話をした。

それは私が5歳のとき、祖父と祖母が何日か泊まりがけで訪ねてきたときのことだった。祖父は床に腰を下ろして、私にクラップス〔2個のサイコロの出目を競うギャンブル〕の遊び方を教えてくれた。子どもの遊びではないから、なぜそんなことをしたのかはわからない。でも、あとにも先にもそれが私にとって唯一の祖父との交流だ。

そこで、私はいったん話を止めた。ハンクの知らない言葉を口にしそうになったからだ。「もうすぐ悪い言葉が出てくるよ」と予告したら、彼が目を輝かせたので、私は話を続けた。

次に祖父母に会ったのは、外で夕食を食べたときだった。またあのゲームをして遊びたいと思ったので、私はたずねた。

「家に帰ったら、またシットで遊ぶ？」

「クラップス」と「シット」を取り違えた私を、祖父は厳しく叱った〔crapにも糞やうんこの意味がある〕。怒りは私の両親にも向けられたが、両親は笑いをこらえるのが精一杯だった。祖父はその後、私が悪い言葉を口にしたことを何日もぶつぶつ言い続けた。

だが、祖父は私を甘く見すぎていた。「シット」など、私が知っている悪い言葉のほんの一例でしかなかった。私は父の口ぐせの「こんちくしょうのクソ野郎《サノバマザーファッキンビッチ》」だって言えたが、祖父は私がこれを言った場面に居合わせたことがない。それも含めてもっと私のことを知ってくれていれば、孫である私をもっと愛してくれたのではないだろうか。*

この話で、ハンクは「シット」という言葉を知ったわけだが、少し説明を付け加えておく必要があった。「シット」が「うんち《プープ》」とか「うんこ《クラップ》」の同義語であることや、その言葉を使うのが人と話すときの一つの方法でもあることを教えた。

そして、ルールに従えば――人や場所に対する意地悪や侮辱でなければ――それを言っても全然かまわないことを伝えた。

そのときジュリーが、ハンクに試してみないかと言った。「何か嫌なことがあったら、クソッ！　て言うの。言ってみる？」

ハンクは少し警戒しているようだったが、ほとんど聞こえないほど小さな声で、「クソッ」

と言った。

私たちが笑うと、彼は恥ずかしそうにテーブルの下に隠れたが、すぐに顔を出して、少し大胆に、そして少し大きな声で「クソッ！」と言った。

私たちは腹を抱えて笑い、彼はノリノリで「クソ」を連発した。「クソッ、クソッ、クソッ！」

そのそばで、レックスは呆然としていた《ルージング・ヒズ・シット》。彼はそれまで長いあいだ、弟を悪い言葉から遠ざけてきた。弟が知らない悪い言葉を口にすることで兄貴風を吹かせ、大人っぽく振る舞っているつもりだったのに、いまや父親と母親が弟と一緒になって悪い言葉を叫んでいる（われながら、なんていい親だろうと思う）。

レックスを横目で見ながら、私たちは三人で悪態を連呼した。

「クソッ、クソッ、こんちくしょう！」

ジュリーはレックスにも仲間に入るよう誘った。

＊読者が私や私の親たちに厳しすぎる批判の目を向けないように、次のことは言っておきたい。私はまったく異常な子どもではなかった。多くの子どもが3〜4歳、場合によってはもっと幼いころから、罵倒語を口にする。5〜6歳までに、タブーも含めて相当数の汚い言葉を学習するという調査もある(16)。

異常というなら、私の子どもたちこそ異常だ。私たちは悪い言葉をうまく制限していたので、彼らがそれを覚えたのは平均的な子どもの年齢より遅かった。正直、私は一時期そのことが少々心配だったほどだ。というのも、子どもたちにはどんな社会的状況にも対応できる人間に育ってほしいと思っていたからだ。そこにはもちろん、罵倒語を言われたり言ったりする状況も含まれる。だが、この章を読めばおわかりのように、その心配は杞憂に終わった。

「何してんのレックス、一緒に言えばいいのに！」

もう一度言わせてもらうが、私たちはいい親だ。

レックスは顔を真っ赤にして、テーブルの下にもぐりこんだ。ほんの少しのあいだ隠れていたが、コーラスが最高潮に達したとき、飛び出してきて叫んだ。

「クソッなんて言うもんか、クソッたれ！」

「使用する」と「言及する」は違う

レックスの言葉を聞いてジュリーは噴き出した。彼女があんなに笑うのを見たことがない。一方、私が強く感じたのは、レックスの意図せざるジョークが、哲学者が言葉について考えるときに意識する区別の上に成り立っていることだった。

レックスは「クソ」とは言わないと宣言したが、その宣言のために「クソ」という言葉を使っている。

哲学者は、ある言葉を「**使用する**《ユーズ》」ことと、その言葉に「**言及する**《メンション》」ことを区別する。次の二つのセンテンスを読んでほしい。

① I'm going to the store.（私は店に行く）
② *Store* rhymes with *snore*.（「店《ストア》」と「いびき《スノア》」は韻を踏んでいる）

①のセンテンスは、買い物に行く場所を示すために「店」という言葉を使っている。②のセンテンスでの「店」は、実際の店を指すために使われているわけではなく、「店」という言葉に言及しているだけだ。その言葉が意味する場所ではなく、その言葉自体を想起させようとしている。

もう一つ例を挙げよう。

③ Shit, I spilled the milk.（クソッ、ミルクをこぼした）
④ You shouldn't say *shit* around the kids.（子どもの前で「クソッ」なんて言うべきじゃない）

③のセンテンスは、感情を表現するために「クソ」という言葉を使っている（うんこではないが、何かを意味するために使っている）。それに対し、④のセンテンスは、何かを表現したり意味したりするために「クソ」と言っているのではなく、ただその言葉に言及しているだけだ。

このように、語の「使用」と語の「言及」を区別することは哲学の基礎だ。哲学者は、「世界」と「世界を表現するために私たちが使う言葉」の両方に関心がある。

図らずもジョークになったレックスの言葉は、使用と言及の区別が作用して面白さが生まれた。彼は「クソッなんて言うもんか、クソッたれ！」と言った。それはウソだ。なぜなら「クソ」と言っているから。しかし別の意味では本当だ。なぜなら、使ったのではなく言及しているだけだからだ。

使用と言及の緊張関係と、たんなる言及にとどまらない強烈な言葉づかいが、レックスの言葉をジョークとして成り立たせている。

これはなかなか洗練されたユーモアのセンスと言ってよい。私にとって、それが現在にもつながるレックスの大きな魅力になっている。

なぜ行儀の悪い言葉で哲学を論じるのか?

いい歳をして、私はいまだに言葉づかいを注意される。編集者からは「ファック」と言いすぎだと言われるが、それがこの章を書いた理由ではない。本書の構成上、書かないわけにはいかないから書いている(編集長、聞いてる?)。

なぜ私は頻繁に行儀の悪い言葉を使うのか? 理由は二つある。

第一に、親密さを確立するため。相手との関係に応じて言葉づかいのルールは変わる。人のいるところで「ファック」と言うとき、私は、自分がその人との関係をどうとらえているかを示しているのだ。この場合、私とその人の関係は職場の同僚ではなく、見知らぬ他人などではさらになく、キャンプ仲間に近い。

第二に、哲学についてある程度のメッセージを伝えるため。哲学は、しちめんどくさく形式張った方法で論じることもできるし、愉快な方法で論じることもできる。私は後者を選ぶ。

だが、その愉快さは真面目な論点を提起するためのものだ。哲学は、神聖なものから俗なもの、そして平凡なものまで、私たちの生活のあらゆる側面を扱う。[17] 本書をこのようなスタイルで書いているのは、一つにはそのような確信があるからだ。

平凡な体験のなかにも哲学的な問いが潜んでいる。哲学は哲学者に任せておくには重要すぎる。読者には、哲学は楽しいということを知ってほしい。哲学を楽しく論じることは可能だし、そうでなくてはならない。実際、うまく取り組めばかなり楽しい。

行儀の悪い言葉づかいが哲学にふさわしいと考える哲学者は私だけではない。**ハリー・フランクファート**の著書『ウンコな議論《オン・ブルシット》』(筑摩書房)は予想外のベストセラーとなった。この薄い本は、「でたらめ《ブルシット》」とは何か、そしてなぜ私たちがでたらめにどっぷり浸かっているのかを説明することを目的としている。かなり愉快な本だ。*

＊ただし一つ警告しておきたい。フランクファートの本はでたらめ《ブルシット》だ。彼は、でたらめの本質を説明すると主張しているが、この本に書かれている「自分の言うことが本当かどうか気にせずに話す」というのは、たくさんあるでたらめの本質のうちの一つにすぎない。

ほかの例をいくつか挙げてみよう。サッカーやバスケットボールでファウルをアピールするために大げさに倒れるのはでたらめだ。審判の悪い判定もでたらめだ。ほとんどの会議はでたらめだ。言語行為に限っても、自分が真実を語っていないことを隠そうともしない人びとによって、多くのでたらめが垂れ流されている。彼らはでたらめを人に吹き込み、それを真に受ける人がでたらめを拡大再生産している。ビールでも飲みながら、一緒にもっといいでたらめの理論を練り上げよう。

言葉

しかし、私はもう1冊のベストセラーである**アーロン・ジェームズ**の『くそったれの理論《アスホール：ア・セオリー》』（未邦訳）のほうが好きだ。書名のとおり、「くそったれ《アスホール》」とは何か、そしてなぜそれが厄介なのかを説明しようとしている。この本は現代の必読書だと思う。

哲学者は堅物ぞろいと見えて、フランクファートやジェームズに対する苦言をよく耳にする。私にもときどきその流れ弾《だま》が飛んでくる。意外性狙いの目立ちたがり屋というお叱りが多い。だがそれは全然違う。確かに私は、哲学は楽しく、面白くなくてはいけないと思っているが、私たち自身を理解するためのものでもあるべきだと思っている。その「私たち」は神聖であり俗でもあるのだから、哲学もそうであるべきだ。

口にしてはならない言葉がある

要するに、私は悪態賛成派だ。少なくともある状況下では間違いなく賛成する。

だが、言ってはいけない言葉は確かにある。

私たちの社会では、人を侮蔑《ぶべつ》する言葉はタブーとされている。私たちは「ファック」のような言葉を使うのはやめようと言うが、実際にはあちこちで口にしている。いまやだれも気にしないからだ。見せかけの抗議はしても本気で怒ることはない。だが、黒人を侮蔑する**Nワード**〔nigger など〕を口にしたら大騒動になる。[18]

侮蔑語（slurs）は最近流行《はやり》の研究テーマだ。哲学者（と言語学者）はその働きについて、言語のレベルで議論している。たとえば、侮蔑語とは何であるかを明確にしようとしている。次のようなセンテンスを考えてみよう。

A kike wrote this book.（カイクがこの本を書いた）

これは事実だろうか？「カイク」というのはユダヤ人を侮蔑する言葉で、私はユダヤ人だ。なので、一部の哲学者は、このセンテンスは事実だが、人を不快にしない同義語があるのだからユダヤ人を蔑視するような言葉は使うべきではない、と言うだろう。

一方、この文章は誤りだ、カイクなどというものは存在しない、と主張する哲学者もいる。その場合は、カイクとは何か、ユダヤ人でないなら何なのか、という疑問が生まれる。[19]

私が興味があるのは道徳的な問題なので、言語面の議論には深入りしない。ここで考えたいのは、侮蔑語を使うことが許されるケースはあるのか、あるならそれはいつなのか、ということだ。

とはいえ、言語の問題と道徳の問題はつながっている。侮蔑語がどのように機能するのかを見なければ――つまり言語のレベルで見なければ――道徳的な問いに答えることはできない。

私はそのことをミシガン大学の同僚である**エリック・スワンソン**から教わった。彼は哲学と言語学の教授で、かっこいい《キックアス》カヤックの名手でもある。スワンソンによれば、侮蔑語とは何かを理解する鍵は、イデオロギーとの関連性にあるという。[20]

「**イデオロギー**」とは、人が世界や世界の一部とどのように関わっているかを示す、考え《アイデア》や概念《コンセプト》や態度の分かちがたい集合のことだ。[21]

イデオロギーには、資本主義や社会主義など経済システムに関連するものもあれば、リベラルや保守など政治的立場に関連するものもある。また、スポーツ（「勝つことがすべてではない」）や演劇（「幕を下ろしてはならない《ザ・ショー・マスト・ゴー・オン》」）など、人間の活動に関連するイデオロギーもある。そして、人種差別、性差別、反ユダヤ主義など、差別や抑圧に関連するイデオロギーもある。

このことからわかるように、イデオロギーそのものは善でも悪でもない。人種差別反対もイデオロギーであり、その信奉者はそのイデオロギーで世界を理解する（それによって白人優越主義や白人特権、大量収監などの問題が可視化された）。

だが、イデオロギーのなかには確かに悪いものがある。それがアメリカの人種差別、奴隷制度、人種隔離、リンチなど、多くの悪を引き起こした。このような悪は、黒人を劣った存在と見なし、そのような扱いを正当化する、何らかの裏付けとなるイデオロギーなしにはとても考えられない。

スワンソンは、侮蔑語はイデオロギーを想起させると論じている。何らかのイデオロギーを意識に浮かび上がらせ、それについて考えさせ、それに基づく行動を促すというのである。[22]

「ユダヤ人がこの本を書いた」と、「カイクがこの本を書いた」の違いは、後者が反ユダヤ主義のイデオロギーを想起させる点にある。ユダヤ人は汚く、強欲で、世界支配を目論んでいるといった考えへと人びとを誘う。「カイク」という言葉は、そういうイデオロギーを構成する一つの要素なのだ。

「カイク」という侮蔑語を使う人は、たんにその言葉を頭に思い浮かべるだけでなく、その言葉を使ってもかまわない、そのイデオロギーを受け入れてもかまわない、ということを暗に示している。[23] つまり、反ユダヤ的な見方で世界を見るよう、人を誘っているのである。

そんな世界の見方は有害だ。ホロコーストやポグロム〔ロシアや東ヨーロッパで起こったユダヤ人に対する集団的迫害〕を引き起こし、いまも多くのヘイトクライムの原因となっている。ある種のイデオロギーは完全に封印すべきだし、それを想起させる合図《キュー》となる侮蔑語を使うべきではない。少なくとも、そんなイデオロギーを受容してもかまわないと示唆するような合図を発してはならない。要するに、「口にしてはならない言葉」があるということだ。

侮蔑語を差別者から奪い返す

だが、よほどの理由があれば話は違う。そして、そんな理由がないわけではない。たとえば、あるイデオロギーを批判したり、それに抵抗したりするためには、そのイデオロギーに言及しないわけにはいかない。

ジェームズ・ボールドウィンが『次は火だ』[24]（弘文堂新社）で甥に宛てた手紙、**マーティン・**

ルーサー・キング・ジュニアの「バーミングハム刑務所からの手紙[25]」、そして**タナハシ・コーツ**が『世界と僕のあいだに[26]』（慶應義塾大学出版会）で息子に宛てた手紙には、Nワードが登場する。いずれの場合も、Nワードはそれが象徴する憎悪に満ちたイデオロギーの全容を伝えるために使われている。はっきり書かなければ主張がぼやけてしまう。

しかし誤解がないように言っておくが、私は、人種差別的イデオロギーへの批判や抵抗が目的でさえあれば、いつでもその侮蔑語を使ってもよいと言っているのではない。使ってよいかどうかは、部分的には、だれがその語を使うのかによる。

この考えに違和感を覚える人がいるかもしれないので、少し説明しておこう。ユダヤ人である私は「カイク」と言うことができる。そのとき、私は反ユダヤ的なイデオロギーを連想する合図を発することになるが、私がそのイデオロギーを受け入れているとか、ほかの人にそのイデオロギーを採用するよう勧めているなどと思う人はいない。

一方、ユダヤ人ではないだれかが「カイク」という言葉を使った場合、反ユダヤ主義的イデオロギーを支持していなかったとしても、それを見分けるのが難しいことがある。だから、ユダヤ人でない人は、できるだけこの言葉を避けるほうが理にかなっている。

つまり、私は「カイク」と言えるが、あなたは言えないということだ（あなたがユダヤ人であるか、反ユダヤ主義の歴史を教えるというような正当な理由がある場合は別だが）。

しかし、その私にしても、「カイク」と言えるからといって、「カイク」と言うべきとはかぎらない。なぜなら、好むと好まざるとにかかわらず、その言葉は反ユダヤ主義的イデオロギーを想起させるからだ。

同じことが、親愛の情を伝えるために侮蔑語を使う場合にも当てはまる。実際、私たちはその種の言葉で親愛の情を示すことがある。抑圧された集団は、しばしば侮蔑語を逆手にとって自分たちを強くするために使うことがある。

「**クィア**」(queer)〔性的マイノリティや、既存の性のカテゴリーに当てはまらない人びとの総称〕はそれがもっとも成功したケースだ。かつてこの言葉によって攻撃されていた多くの人びとに受け入れられ、好まれるようにさえなっている。ほとんどの人にとって、この言葉はもはや反同性愛イデオロギーを示すものではなく、その真逆のものとなっている。

しかし、多くの侮蔑語奪還プロジェクトはそれほど成功していない。女友だちを「**ビッチ**」(bitch)と呼ぶ女性にしても、いつか男性もその言葉が使えるようになるとは思っていない。予見しうる将来において、この言葉を口にする男性は性差別的イデオロギーの持ち主と見なされ続ける。だとすれば、女性が使う場合でも、そして奪還のための使用であったとしても、やはり性差別的イデオロギーを想起させるリスクはあるということだ。

その事情はNワードも同じだ。黒人のあいだでは親しみを込めて使われることも多いが、同情的ではない白人の耳にその言葉が届くと、意味が再び反転して、人種差別的イデオロギーを前景化させることになる。

だとしても、侮蔑語の意味を反転させようとすることは間違いではない。抑圧されている集団が、自分たちを抑圧する言葉を自ら使うのは、そうすることでその言葉が持つ力の一部を奪うことができるからだ。

だから、そのような言葉がしばしば愛称に転化するのは偶然ではない。女性が親しい女友だちを「ビッチ」と呼べるという事実は、その言葉の深刻な意味さえ変えてしまうほど二人が親密なことを示している。

しかし、自分たちを抑圧する言葉を奪い取るためだとしても、その言葉を使うことの悪影響が効果を上回ってしまうことはないのだろうか？

それについて、私は何か言える立場にはない（「カイク」を使うことについてなら言えるが）。抑圧されている人びとのコミュニティの外にいる人間は、当事者にとってのコストとベネフィットを評価することができないからだ。

この問いは、その言葉の影響をもっとも強く受けている人びとが答えるべき問いだ。そうでない人びとは、この問いが、攻撃の標的となっている当事者のあいだでさえ論議されている理由を知る必要がある。

「その言葉」を使わず「その言葉の問題」を指摘する

白人がＮワードを口にすることについて、あまり目くじらを立てなくてもいいのではないかと考える人もいる（最初に言っておくと、白人はNワードを決して口にしてはならない、百歩ゆずってもほとんど言ってはならない、というのが私の考えだ）。気にしなくてもいいと考える人は、言葉の使用と言及の区別を持ち出す。だれかを指して侮蔑語を使うのはよくないが、ただ言及するだけならかまわないというわけだ。

私は長いあいだ、この線引きは妥当だと考えていた。いまでも道徳的には一理あると思っている。侮蔑語を使えば、抑圧的なイデオロギーを支持し、攻撃されている人びとを貶めることになるが、言及するだけなら、そんなことは起こらない。それは確かに重要な違いだ。この種の言葉をだれかに対して使うのは由々しき間違いだが、*言及するだけなら話は違う。

だが、たんなる言及でも、その侮蔑語が象徴するイデオロギーを想起させるので、まったく無害というわけにはいかない。

もちろん、攻撃的な侮蔑語でも、あえて言及しなくてはならない場合もある。すでに述べたが、ボールドウィン、キング、コーツなどが遠回しな言い方をしていたら、あれほど効果的にメッセージを伝えることはできなかっただろう。つまり、正当な理由があれば、侮蔑語に言及することに問題はない。

＊スワンソンは、侮蔑語の道徳上の深刻度は、その語と関連するイデオロギーが引き起こす害の関数であると論じている(27)。だから、Nワードは、白人を指す「ホンキー(honky)」や「クラッカー(cracker)」より悪く、おたくを意味する「ナード(nerd)」や「ギーク(geek)」よりはるかに悪い。

しかし、そんな正当な理由があることはまれなので、言及もできるだけ控えたほうがいいということになる。[28]

スワンソンは、白人は個々の具体的なNワードについては言及することも避けて、「Nワード」という言葉で言い換えるべきだと指摘している。侮蔑語を使わず、その悪を問題のない別の言葉で指摘するということだ。言ってはならない言葉をただ避けるのではなく、言うべきことを言うということだ。

ある言葉の使用を回避することは、その言葉やその言葉が指し示すイデオロギーに対する抗議の意思表示になる。侮蔑語を使わずにそれが惹起する問題を示すことは、人種差別に対するささやかな異義申し立てとなる。*

「善意の行動」が人を不快にする理由

侮蔑語とイデオロギーの関連に注目するスワンソンの理論は、タブーではない言葉が有害になることがある理由を理解するのにも役立つ。

これはスワンソンの体験談だが、あるとき彼が幼い息子の世話をしていると、通りすがりの女性から、「パパが子どもの世話を手伝ってくれるなんて、坊やのママはお幸せね」と言われたという。[29]

この言葉に侮蔑に当たるような語彙は何もない。しかし、「手伝う」という言葉を選んだことで、この女性は、子どもの世話をする責任はまず母親にあり、男性を完全な親としてではなくヘルパーと見なすイデオロギーを前景化させた。自分はそのイデオロギーを支持しているということを暗に伝え、スワンソンに同調するようさりげなく促したことになる。

間違いなく、彼女はよかれと思ってスワンソンにその言葉をかけた。実際、彼女は親切だった。しかし、その親切は、スワンソンとその配偶者をひそかに傷つける親切だったのである。

スワンソンの理論は、言葉以外のものにも当てはまる。ある行動が、悪意はなくても、他人には不快に感じられることがあるのはそのためだ。

男性が女性のためにドアを開けてあげるという行為には、従順でか弱い女性を助ける強くて礼儀正しい男性というイデオロギーが透けて見える。そのイデオロギーのなかでは、それは善意の行為だ。だから、それを嫌がる女性の気持ちが男性には理解できない。抵抗感を覚える女性は平等のイデオロギーに根ざした別の種類の敬意を求めている、ということがわからないのである。

ここで学ぶべき教訓は、私たちは、自分の言葉や行動に潜むイデオロギーにもっと注意を払

＊ほとんどの場合はそう言える。ただ、婉曲的な言い方も度が過ぎると、反人種差別より、むしろ人種差別的イデオロギーを想起させたがっているように見えかねない。侮蔑語の乱発は問題だが、遠回しな言い方の乱発も問題だ。コミュニケーションは複雑だ。言葉の社会的意味は変化するので、倫理的な境界線もつねに流動的であり、絶対的なルールというものはありえない。

うべきだということだ。善意の行動が、拒絶すべきイデオロギーを反映していたり、支持していたりすることは少なくない。

いちばん意地悪な言葉

この章を書いているとき、私はレックスにたずねた。

「言ったらいけない悪口を何か知ってる？」

「一つ知ってる。パパが教えてくれたやつ」

え⁉ ……そんな記憶はないぞ。

「どれのこと？」

「『ワシントン・レッドスキンズ』。フットボールチームの名前だけど」〔2022年に「コマンダース」に名称変更〕

それを聞いて私はほっとした。

そう言えば、そのときアトランタ・ブレーブス――これは野球チーム――についても、球団名を変えるべきだという話をした。

ブレーブスはアメリカ先住民への敬意を表明している。たぶんそれは本心だ。しかし問題はブレーブスの意図ではなく、球団名とロゴやマスコットが想起させるものだ――それはネイティブ・アメリカンを野蛮人と見なすイデオロギーであり、チームが何十年間もそのイメージを受け入れてきたことには問題がある。

レックスはもう一つ、言ってはならない悪口を付け加えた。

「『MARCH』で知った悪口もあるよ」

『MARCH』（岩波書店）というのはシリーズもののマンガで、公民権運動のスーパーヒーローであり下院議員でもある**ジョン・ルイス**の物語を描いたものだ。10歳前の子どもがいる親は、ぜひ子どもに読ませてほしい。自分用に1冊買うのもいいだろう。すばらしいマンガだ。

「白人が黒人を呼ぶときに使う言葉だけど」と言って、レックスはその言葉を口にした。

私は、その言葉についてレックスが何を知っているのかたずねた。

すごく意地悪な言葉、たぶんいちばん意地悪な言葉だ、とレックスは言った。

私とレックスは、なぜそれが意地悪な言葉なのかについて語りあった。彼は歴史について、『MARCH』やその他の本からすでに多くのことを学んでいた。

さらに私たちは、なぜその言葉が人を傷つけるのか、なぜその言葉が歴史と結びついているのか、さまざまな醜い連想を呼び起こすのかということを話した。そういう歴史を考えると、その言葉を口にすることがどれほど心ないことかも話した。

私はレックスに、その言葉を二度と口にしてはいけないと言った。

彼は心配そうにうなずきながら、「ごめん。知らなかったんだ」と言った。

「謝らなくてもいいんだ。パパはレックスにそのことを知ってほしくて、たずねたんだから」

第 2 部

自分を理解する

Making Sense of Ourselves

Chapter 6

男女

性、ジェンダー、スポーツを考える

仲良し三人組の5キロマラソン

レックスとジェームズは、小学2年生のとき、初めて5キロマラソンを走った。二人は34分少々で走りきった。8歳男子では9位と10位の成績だった。私とジュリーはゴール地点で二人を出迎え、走りきった子どもたちを誇らしく思った。

二人を祝福しながら私は言った。

「スージーを見た？」

レックス、ジェームズ、スージーは、学校でも学校の外でも、いつも一緒の仲良し三人組だ。

「見てない。どうだった？」とレックスがたずねた。

「1着だった」と私。「すごく速かったぞ。25分でゴールしたんだ」

正確には25分を少し切っていた。

「ぼくらより先にスタートしたから」

レックスは、スージーが9分も先にゴールした理由を説明するかのように言った。

「それほど前にいたとは思わないけど」

「かなり前にいたよ」とジェームズが言った。「スタートしたとき、見えなかったほどだもの」

「ここからは見えてたけどなあ」と私は言った。「それに、ゼッケンにはタイムを計るチップが付いてるから、いつスタートしたかはタイムと関係ないし」

「知ってる。でも、大勢が固まっちゃって、まともに走れなかったんだ」とレックス。

「9分間もか？」と私は訊いた。

「全力で走ったわけでもないし」とジェームズは対抗心をにじませた。

「そうだよ」とレックス。「ぼくたち、ゆっくり走ったんだ」

「そうか、わかった」と言いながら私は、スージーを祝福しようとしない二人に少しイラッとした。「でも、一生懸命走ってもあれほど速く走れなかったかもしれないぞ。スージーはすごく速かったから」

女子に負けた男子はどうなる?

なぜ少年たちは言い訳をしたのか?

女の子に負けたからだ。男子は女子に負けてはいけないことになっている。それは女の子にとって嬉しくない約束事だが、男の子にとっても嬉しいことではない。実際、その約束事が女の子を困らせる理由の一端は、それが男の子を困らせることにある。

男子はスポーツで女子に負けてはならないという考えは、言うまでもない理由で、女子にとっても迷惑な考えだ。それは女子はスポーツに不向きだという認識の反映であって、長いあいだ女子をスポーツの世界から排除する理由になっていた。

スポーツでは男子のほうが有利だ、という当たり障りのなさそうな想定でさえ、女子の機会を制限してしまう。スポーツが得意であることを期待されない女子は、その方面で励まされることもないし、プレーする機会も限られる。すると自己成就の予言のようなもので、実際にスポーツが得意ではなくなっていく。それに対して男の子はスポーツが得意になる。生得の能力によるのではなく、スポーツのために親が時間とお金をかけるからだ。

それがなぜ男の子にとってよくないのか? 男子は女子よりスポーツに秀でていなくてはならないという考え方のせいで、運動能力が男らしさの条件になってしまっているからだ。女子に負けた男子は、男らしくないと見なされる。男と認められないことさえある。そのメッセージが心に刻み込まれると、自分には欠陥があるとさえ思うようになる。

そこが男子にとっての悪いことだ。そして、それは女子にとっても悪いことになる。なぜなら、自分の男らしさを守らなくてはならないと感じる男子が、女子に負けるリスクを回避するために、女子を排除してしまうからだ。あるいは、女子の成績を否定して、自分のほうがすぐれているという意識にしがみつこうとするからだ。5キロマラソンで、レックスとジェームズがスージーの好タイムを素直に認めなかったのは、自分たちにおよぶ脅威を遠ざけたかったからだろう。

しかし、少年たちを責めることはできない。そんな考えを定着させてしまったのは彼らではないからだ。それに、少年たちはその体制内で自分の地位を守ろうとしてはいるが、特権だけを享受しているわけでもない。

多くの少年は、手の届かない基準（届きたいとも思っていないかもしれない基準）に到達しなくてはならないというプレッシャーを感じている。それができなければ、特権のない女子と同列の地位に追いやられる。それどころか、そこにもとどまれない。男子からも女子からも歓迎されない存在となるのである。

スポーツが苦手な少年が気づいた真実

それは私にとって抽象的な問題ではない。

かつて私はクラスでいちばん背が低かったので、スポーツでは苦労した。気合いと根性と身体能力で補ったと言いたいところだが、ミスター・ポテトヘッド〔ジャガイモの顔をした人形の玩具〕のような動きしかできなかった。

とにかく何か運動をしようとすると、いつもそうなってしまった。不器用だったわけではない。バランス感覚はあったし、反射神経も悪くはなく、健康だった。しかし脳が身体《からだ》をうまくコントロールすることができなかった。糸がからまったマリオネットのように、すべての動きがぎくしゃくした。うまくやろうとすればするほど糸がからまった。

子ども時代の私は、男子として許されるぎりぎりのレベルの運動能力で過ごした。運動能力が関係する遊びでメンバーを選ぶような場面では、不安で押しつぶされそうになった。勝利に貢献できるかどうかだけで、容赦なく振り分けられたからだ。

ある夏、母は私を1週間のスポーツキャンプに参加させた。キャンプそのものに問題はなかった。スポーツは得意ではなかったが、嫌いだったわけではない。

最終日、キャンプ参加者は二つのチームに分けられ、丸一日、チーム対抗形式でさまざまな競技をした。昼食のとき、二人のキャンプ・スタッフがチーム編成について話しているのが聞こえてきた。

そのうちの一人が、「スコットを選んだのか？」とたずねた。足手まといを引き受けたことを驚いている響きがあった。

「最後に彼か◯◯（名前は伏せる）のどっちかを選ぶことになってさ」

名前が出たその子は、キャンプ参加者のなかで唯一の女子だった。私より大きくて力があったが、スージーと違ってほとんどのスポーツが初体験で、根っからのアスリートでもなかった。「究極の選択だな」と、もう一人のスタッフが言った。「結局スコットを選んだよ。なんと言っても男だし」

それを聞いて驚いた。自分にはなんと大きな特権が与えられていたことか。

でも待てよ、彼女だって特権を与えられているのでは？　スポーツキャンプで唯一の女子というのはつらいし、最後の一人に残ったと知れば傷つきもするだろうが、その子の女性らしさは傷ついていないじゃないか。だれも彼女が運動で苦労していてもからかわなかったし、女の子らしくないと責めることもなかった。女子はスポーツが得意である必要はないのだ。スポーツキャンプに参加している場合でさえそうだった。*

男子はそれではすまない。そして、私はスポーツが得意ではなかった。それでも、ともかくスタッフは私を男として扱ってくれた。だれも彼らの話を聞いていなかったことはありがたかった。ほかの参加者はそんなにやさしくない。

＊誤解がないように言っておくが、女の子にスポーツでのプレッシャーがないわけではない。文脈によっては、彼女たちもスポーツを上手にこなすことを期待されるプレッシャーを感じる。男子との違いは、スポーツで失敗しても、女性らしさを疑われることはないということだ(1)。むしろ、女子はその逆の問題を抱えていることが多い。スポーツで成功すると女性らしさを疑われるという問題だ。子ども時代はそういうことはないが、思春期に入ると問題になりはじめ、成人後、女性がスポーツで頂点に立つと深刻化する。

男女

男子は女子に負けてはいけない？

5キロマラソンのときに話したことについて、レックスは私とは違う受けとめ方をしていた。彼の話も聞かなくては公平さを欠く。

私が記憶していることを話したら、レックスは「そんなんじゃなかったと思うけど」と言った。

「じゃあ、どんなだった？」

「スージーのほうが速かったぞって、パパがからかった」とレックス。

「スージーに負けたからって、パパがそんなことをするって本気で思ってるのか？」

「そう聞こえたけど」

はっきり言っておくが、私は、息子が女の子に負けたからといってからかったりはしない（おわかりのように、私はこの問題にはこだわりがある）。

だが、レックスがそう受けとめた理由はわかる。スージーの奮闘ぶりを聞いただけで、不安が頭をもたげたのだ。私も、スージーを祝福することはレックスにとって大事だと思うあまり、少し力が入りすぎたのかもしれない。

私たちは話を続けた。私は、男子は女子に負けてはいけないと教え込まれているのだと話した。

「そんなこと言われたことないけど」

「本当に？」

「まあ、少なくとも大人から言われたことはないけど」[2]とレックスは考えながら答えた。「でも、そのつもりでがんばれって期待されてるんだろうね」

「それはどうしてだと思う？」

「なんでかな？　男子が女子に負けると、みんなそんな感じになるね。チームをつくるときでも、スポーツでは男子のほうが上だと思ってるような気がする」

「男子のほうが上なのかな？」

「そんなことはないよ」とレックスは即答した。「サッカーがすごく上手な女子も何人かいるし」

「男子が女子に負けたら、友だちがからかったりする？」

「それはあるかな」とレックス。「ぼくの友だちにはいないけど、からかう男子はいる」

「女子はどうなの？」

「女子も、女子に負けた男子をからかう」

スポーツを性別で分ける必要があるのか？

性差別の構造は複雑だ。

被害者はほとんど女性、そして女の子だ。だが、男性と男の子も被害を受けるので、女子を助けたければ、男子も助けなければならない。男子が差別される不安を感じるとき、女子を抑圧する行動に出ることが多いからだ。

また、性差別は男子から女子に向けられるものだけではない。女子が男子を差別することもある。女子が女子を差別することもあるし、男子が男子を差別することもある。

つまり、私たちはみな性差別に加担している。だれもがステレオタイプな性別役割分担にからめとられているからだ。

そして、だれもが性差別に苦しんでいる。男女別に割り振られた役割を果たせ、というプレッシャーにさらされているのだ。

あとでまた性別役割の話に戻るが、もう少し5キロマラソンの話をしたい。

私はスージーが1着でゴールインしたという話をした。でも、ブレイクも1着だった。スージーのほうが1分近く速かったのだが。

スージーより遅かったなら2着だ。どうして1着でゴールしたことになるのか？

答えは、ブレイクが男の子だったからだ。レースは男女別だったのだ。男の子も女の子もみんな一緒に走ったが、レースは男子の部と女子の部の二つが設定されていた。

そこで次の疑問が生まれる。

なぜ私たちはスポーツを性別で区別するのか？　スージーは男子も含めてクラスでいちばん足が速かったのだから、特別扱いする必要はなかったのではないか。ブレイクには男子の部1位のメダルが与えられたが、それは正しいのだろうか？　2位として扱っていたらブレイクは――そしてほかの男子も――「女子は男子と同じ条件で競っても表彰台に立てる」という事実を学べたかもしれない。

それは学ぶ価値のある事実だ。もしレースが男女別でなかったら、翌年も男子は厳しい現実を知ったはずだ。スージーはまたもや男子の1位に勝ったのだ。しかも時間差は前年の倍の2分だった。

さらに言うと、男子の1位より先着した女子はスージー以外にもう一人いた。つまり男子の1位は全体の3位だったのだ。しかしブレイクはその日、負けたほうの性——少なくともその大会ではそうだった——の勝者として帰宅した。

分けなければ女子は大会に出られなくなる?

なぜレースは男女別になっていたのか?

正直なところ、そうする必要が私にはよくわからない。幼い子どもの場合、男女を競わせることに何の不都合もないと思う。男の子にとっても女の子にとっても、運動能力において女子も男子に引けをとらないばかりか、勝《まさ》っていることもあるとわかるのはいいことだと思う。

しかし、その方針の効力は長続きしない。遅かれ早かれ、男子がスージーを追い越しはじめるからだ。追い越すのはレックスではないかもしれない。というか、男子の多くは追い越せない。しかし、おそらく何人かの男子は確実に追い越す。なぜなら、少なくともほとんどのスポーツで、運動能力上位の男性は、上位の女性を上回るからだ。

最高レベルでは、男女の差は歴然としていることがある。100メートル走を例にとると、フローレンス・グリフィス゠ジョイナーは、10秒49という女子の世界記録を持っている。[*] 信じられない速さだが、ウサイン・ボルトの男子世界記録9秒58より1秒近く遅い。

実際、ジョイナーと同じタイムで走る男性は、男子の基準では全然速くなく、2019年のシーズン記録では801位ということになる。[3] 高校生でもとくに注目されないだろう。同年、史上最速の女性より速く走った18歳以下の少年は十数人いた。[4]

大人になってからも女性が男性を凌駕するスポーツはある。あとでその例を挙げるが、いまのところそういうスポーツは少ない。

だから、もしスポーツを男女で分けなければ、女性が重要な大会で勝つことはほとんどないだろう。もっと困るのは、参加基準をクリアできないため、女子はほとんどの大会に出場できなくなることだ。

スポーツにおいて性別分離が重要な理由

女性が出場できなくなったとしても、それがなぜ問題なのかと疑問に思う人がいるかもしれない。もっともな疑問だ。

そもそも、さまざまな人をふるい落とすのがエリートスポーツというものではないのか。バスケットボールがすばらしくうまくても、身長が低いためにNBAのドラフトにかからない選手はいる。小柄すぎてNFLに入れないフットボール選手もいるし、足が遅いためにプレミアリーグでプレーできないサッカーの名手もいる。

この種の問題を解決する方法を用意しているスポーツがボクシングだ。

私の祖母のいちばん下の弟は、1930年代にボクサーとして活躍していた。リングネームはベニー・〝アイリッシュ〟・コーエン。マネージャーはアイルランド人だったが、本人はアイルランド人ではなかった。それでも〝アイリッシュ〟・コーエンを名乗ったおかげで入場料が倍になった〔アイルランドはボクシング強国で、当時の米国におけるボクシング人気を牽引していた〕。それはともかく、ベニーは優秀なボクサーで、全盛期には世界3位だった――彼の階級では。[5] ベニーはバンタム級の選手だった。身長160センチ弱、体重54キロ。私でも見下ろせそうな身長だ。私がそんなことを言えるエリートアスリートはほかにいない（私がボクサーなら63・5キロ以下のスーパーライト級だ）。もしベニーがヘビー級の選手と戦ったら殺されていたかもしれない。ボクシングは体重別階級制を採用しているので、ベニーのような選手も活躍できる。

＊風速計が故障していた可能性が高く、この記録には議論がある(6)。ジョイナーが走ったとき、風速計は無風を示していたが、その後の調査で、レースができる風速を超える追い風が吹いていた可能性があることが指摘されている。もし、ジョイナーのレースを記録から除外したら、エレイン・トンプソン＝ヘラ選手の10秒54が女子の世界記録となる。

そのおかげで、ボクシングは魅力を増した。小柄な選手の試合は見ていて楽しい。大柄な選手より動きが速いし、技術的にもすぐれた選手が多い。ボクシング・ファンのあいだでは、階級を取り払って、すべての選手のなかで最高のボクサーはだれかという議論が行われる。軽量級の選手が重量級の選手に勝つのは難しいが、その勝敗とは別に、最高のボクサーはだれかを考えるということだ。

多くの人がシュガー・レイ・ロビンソンを全階級を通じて史上最高のボクサーだと考えている。彼はウェルター級（66・68キロ以下）とミドル級（72・57キロ以下）の2階級を制覇したが、モハメド・アリのようなヘビー級（90・72キロ以上）の選手なら彼を打ちのめしただろう。しかし、体重別階級制であることによって、ロビンソンはだれもが認めるボクシングの王者になることができた。

男女を分けることのメリットについても、同じことを言う人がいる。もしテニスの試合が男子と女子で分かれていなければ、ウィリアムズ姉妹のすばらしい活躍を見ることはなかっただろう。

これは私の意見ではなくセリーナ・ウィリアムズの意見だ。アンディ・マレーとのエキシビションマッチについてたずねられたセリーナはこう答えている。

「男子テニスと女子テニスはレベルが全然違う、別のスポーツよ。私がアンディと対戦したら、0－6、0－6で、あっという間に負けちゃうと思うわ。……男子のほうが球が速いし、サーブも強いし、とにかく違う競技なのよ」[7]

もちろん、違うということは、劣っているということではない。実際、いくつかのスポーツの女子バージョンは、間違いなく男子より面白い。バスケットボール・ファンのなかには、WNBA〔女子リーグ〕の試合のほうがNBA〔男子リーグ〕より見ていて楽しいと言う人がいる。女子選手は男子選手と異なるスキルを見せてくれるからだ。

彼女たちは、個人の運動能力に過度に依存せず、チームとして協力し、セットプレーや組織的ディフェンスを行う。[8] 実際、WNBAが古いタイプのバスケットボールを復活させたと感じる人もいて、スーパースターが牽引するNBAのプレーよりも楽しんでいるようだ（ちなみに最近、レックスから、女子《ウィメンズ》リーグにはWがついているのに、男子《メンズ》リーグにはなぜMがついていないのかとたずねられた。いいところを突いている）。

異なるタイプのアスリート、あるいは異なるプレースタイルを見て楽しめるというのは、間違いなくスポーツを男女で分けることの利点だ。しかし、利点はそれだけではないし、もっとも重要な部分でもない。

まず、そういうことなら、男女を分けなくてもほかのさまざまな方法で実現できる。ボクシングの体重別階級制がいい例だ。それをまねて身長別バスケットボール、スピード別サッカー、筋力別テニスなどはどうだろう。新しいタイプのアスリートや新しいプレー方法が登場して、観客を楽しませてくれるかもしれない。実際、背の低いバスケットボール選手同士のプレーは面白くなりそうだ。しかしそういう選手同士のゲームがあったほうがいいという声は聞かない。異なるタイプのアスリートやプレースタイルを楽しめることをスポーツの性別分離の根拠とすることには、別の理由からも無理がある。すべてのスポーツでそのような効果があるとはかぎらないということだ。

男子と女子のスポーツ・エリートは、バスケットボールなら異なるプレースタイルで楽しませてくれるかもしれないが、ただ走るだけの競技ではそうはいかない。男子も女子も、速く走るためにすることは同じなので、性別で分けても、異なるプレースタイルを楽しめるわけではない。*レックスたちの5キロレースが男女を分けずに行われていたら、少年たちはそのことをスージーの健脚から学んでいただろう。

どうやら、スポーツで男女を分けることの重要性は、男女は平等でなくてはならないという考えと関係がありそうだ。背の低い選手のバスケットボールが、女子バスケットボールと同じようにチームワーク重視のプレーで見る者を楽しませてくれるとしても、背の低い選手にプレーする機会を与えるべきだという声が挙がらないのは偶然ではない。私たちは背の低い選手がプレーすることはそこまで重要には感じないが、女性がプレーすることはとても重要だと感じる。

スポーツにおいて男女平等が重要な理由

スポーツが男女平等であることが、なぜ重要なのか？　その答えは、なぜスポーツが重要なのかを考えることによって見えてくる。

ジェーン・イングリッシュは哲学者であり、すばらしいアマチュア・アスリートだった。彼女はマッターホルン登攀《とうはん》中、31歳の若さで悲劇的な死を遂げた。[9] 死の直前、「スポーツにおける男女平等」という論文を発表している。[10]

イングリッシュによると、スポーツをすることには「**基本的恩恵**」と「**希少な恩恵**」の2種類の恩恵があるという。

基本的恩恵には健康、自尊心、そして「理屈抜きの楽しさ」などが含まれる。[11] 彼女は、すべての人にスポーツの基本的恩恵を受ける権利がある、と主張した。

彼女の論文には、男子のウォルターと女子のマチルダというレスリング選手が登場する。ウォルターのほうがマチルダより強い。だが、ウォルターのほうが強いからといって、「マチルダが健康や自尊心や楽しみのためにレスリングをする平等な機会を否定する理由にはならない」とイングリッシュは述べている。[12] ウォルターのほうが強いというだけの理由で、マチルダの意欲を挫《くじ》くのは不当だということだ。

＊厳密に言うと、男女の走り方には生体力学的な違いがあるようだ(13)。しかし、そこに注目して競技を観戦するには洗練された観察眼が必要だ。女性が走るのを私たちが見るのは、女性の生体力学が男性とどう違うかに興味があるからではない。

イングリッシュは、すべての人がスポーツの基本的恩恵を享受できるようにするために、レクリエーションスポーツを「年齢、性別、所得、能力を問わず、だれもが楽しめるものにしなければならない」と主張した。[14]

では希少な恩恵とは何か。

スポーツを楽しむことの重要性を論じるだけでなく、自ら実践した彼女は、熱心なスイマーであり、ランナーであり、テニスプレーヤーでもあった。亡くなる数カ月前には、地元の陸上競技大会で10キロ走の年齢別新記録を出した。[15] その記録を出すことでイングリッシュが手に入れたのが「希少な恩恵」だ。

希少な恩恵には、名声、富、一位の座などが含まれる。だれもがファンレターをもらえる選手になれるわけではないし、一位の座に就けるわけでもない。[16] 並外れたスキルを持つ者だけが、希少な恩恵をつかむことができる。

個人の権利ではなく共同の権利

だが、平等も必要だ。スポーツで名声や富などの希少な恩恵を得るために競う機会は、男女に平等に与えられなくてはならないとイングリッシュは主張する。

ただし、名声や富を獲得する権利は、いや、それ以前に競技に参加する権利も、個々の女性に与えられているわけではないとイングリッシュは強調する。スポーツがもたらす希少な恩恵を平等に受ける権利は、女性がスポーツの世界で重要な役割を果たせるように、女性全体が共同で持っている、と論じたのである。[17]

なぜ個人の権利ではなく共同の権利なのか？

この問いには、**アンジェラ・シュナイダー**というもう一人の哲学者が的確に答えてくれる。彼女もすばらしいアスリートだった。１９８４年、ボート競技のカナダ代表としてロサンゼルス・オリンピックに出場し、四人乗りボートで銀メダルを獲得した。[18] 引退後はスポーツ哲学者となり、ドーピング、アマチュアリズム、スポーツと遊びの関係といったテーマで論文を発表している。

シュナイダーが指摘するように、私たちが生きている世界はきわめて不平等だ。女性は「権力からも世間の注目からも組織的に排除されている」[19]。多くの場合、女性の「才能や実績」は「知られることも称賛されることもない」[20]。

この問題のかなりの部分がスポーツの世界にも存在する。今日の社会は卓越したアスリートを称賛するが、注目されるのは一部のスポーツの男子選手にほぼ限られている。

それによって生じているのがスポーツの世界での代表性《レプリゼンテーション》の問題だ。少女はスポーツで活躍する女性の姿を見る必要がある。さもなければスポーツは女性には向いていないと思い込みかねない。そうするとスポーツの基本的恩恵を得る機会を失ってしまう。

私たちはスポーツに秀でた人に強い権力と影響力を認める。男子スポーツでは、たとえばマイケル・ジョーダンは巨額の富を築き、ＮＢＡのチームを購入した。最近、人種的不平等と闘うために1億ドルを寄付すると約束した。[21]

アメリカンフットボールのコリン・キャパニックも同様だ。彼はその名声のおかげで、試合前の国歌斉唱のときにグラウンドに片膝をついただけで、警察官の暴力行為に対する抗議活動を加速させるほどの影響力を発揮した。日曜日ごとにＮＦＬを中継するカメラクルーの注目を集め、この問題に社会の目を向けさせたのである。

社会変革を求めて活動するアスリートはジョーダンやキャパニックだけではない。モハメド・アリ、マジック・ジョンソン、グレッグ・ローガニス〔飛び込み〕、ジェシー・オーエンス〔陸上〕、ジャッキー・ロビンソン〔野球〕など、社会の意識を変えたアスリートは枚挙にいとまがない。

男子偏重のスポーツ界ではあるが、それでもスポーツが男女別になっているおかげで、このリストには多くの女性も含まれる。最近ではセリーナ・ウィリアムズ、ミーガン・ラピノー〔サッカー〕、マヤ・ムーア〔バスケットボール〕。それ以前ならベーブ・ディドリクソン・ザハリアス〔ゴルフ、バスケットボール、野球、陸上競技など〕、マルチナ・ナブラチロワ、ビリー・ジーン・キング〔ともにテニス〕などの名前が思い浮かぶ。

このリストだけでも、スポーツの性別分離を支持する強い根拠になる。彼女たちをはじめとする多くの女性アスリートが与えてくれたインスピレーションがなかったら、いまの世界はもっと悪い場所になっていただろう。少女たちにとってはもちろんのこと、それ以外のすべての人びとにとっても。
私たちは、だれがいちばん速く走れるか、だれがいちばん高く跳べるかという興味だけでスポーツを見ているのではない。シュナイダーが言うように、スポーツは「私たちが何者であるか、そして人間には何ができるかというイメージをかたちづくり、定義するもの」なのだ。[22]
私たちが応援するアスリートは、私たちを応援してくれる存在でもある。困難を乗り越えて戦う彼ら彼女らは、私たちにとってやる気、決意、忍耐のお手本だ。彼ら彼女らは成功することもあれば失敗することもある。潔く負けを認めることもあれば、泥臭く勝利を追い求め続けることもある。私たちはそんな彼ら彼女らから学ぶ。だから、男性アスリートだけでなく女性アスリートも活躍できるスポーツ界であることが大切なのだ。

女性の運動能力は男性と「違う」だけ

スポーツにおける性別分離を擁護するシュナイダーだが、もし世界が本当に平等なら、分離は必要ないと考えている。あらゆるスポーツで男女は互いに競いあい、平等な条件で卓越性を追求することができるというのだ。[23]
そうなるためには、男子にも女子にも、スポーツを楽しむことをまったく同じように奨励しなくてはならない。競技人生全体を通じた支援も男女に等しく必要だ。そして、女性がアスリートとしての可能性を十分に発揮できるよう、もっと幅広いスポーツが必要だ。
女性の身体特性を考慮したスポーツはすでにいくつかある。それがいちばんはっきりうかがえるのは体操だろう。平均台は女子にはあるが男子にはない。[24]もし男女が競えば、重心の低い女子が男子より有利になる。たぶん**シモーネ・バイルズ**だけではない。**フィオナ・コルビンガー**がぶっちぎりの金メダルだ。
男性に勝てる女性はバイルズだけではない。**フィオナ・コルビンガー**をご存じだろうか。2019年、彼女はヨーロッパを約4000キロ走る自転車競技、トランスコンチネンタル・レースに出場した。レースは過酷で、1週間以上続く。アスリートに個人的なサポートは付かず、完全に自分一人だけで戦わなくてはならない。スタートからレース終了まで時計は止まらないので、いつどこで食べて寝るかという戦略も練らなければならない。コルビンガーは2位の男性に10時間以上の差をつけて優勝した。[25]
ジャスミン・パリスはもっとすごいかもしれない。モンテイン・スパインレース〔山脈縦走レース〕で、約430キロのコースを83時間強で完走し、大会新記録を樹立した。しかも、乳腺炎を防ぐために、途中何度か立ち止まって母乳を搾って捨てながらだ。それでも過去の男性最高記録より12時間も早くゴールインしたのである。[26]
コルビンガーやパリスがそれほど有名でないのは、スポーツにおける男女の不平等の表れだ。シュナイダーが言うように、女性の記録や成績は注目されないことが多い。
彼女たちの勝利は、女性の運動能力は男性より劣っているのではなく、ただ違うだけだということを証明している。男性は速く走れる。3日間なら速く走り続けることができる。だが、次の日にジャスミン・パリスに追い抜かれる。

子どもたちが持ち出したさらに複雑な問題

私の息子たちは女子スポーツが好きだ。なんと言ってもスポーツだから。点数やタイムがからむものなら、彼らはどんな競技でも見たがる。

彼らがあこがれる英雄のなかには女性もいる。サッカー女子ワールドカップの開催中、ミーガン・ラピノーのジャージをねだられ、子どもサイズを見つけるのに苦労した。たまたま旅行中だったので、ライブ観戦できるテレビのある場所を探すのにも苦労した。

旅先でのテレビ観戦中、レックスは、私がたったいま述べた話をさらにややこしくするような質問をした。

「トランスジェンダーの女性は、女子サッカーの試合に出られるの？」

「ルールはよくわからないけど、議論になってるみたいよ」とジュリー。

「どうして？」

「彼女たちが不当に有利になると考える人もいるみたい」

「ぼくはプレーすることが許可されるべきだと思う」と言ったレックスに、家族全員が賛成した。

「性」と「ジェンダー」はどう違うか?

しかし、この問題について、それほど明確な考えを持つことができない人がいる。**トランスジェンダー**〔身体的性と性自認が異なる人びと〕の女性が女子スポーツに参加することを認めると、性別分離の目的が達成しにくくなるというのだ。

私はその考えは間違っていると思う。その理由を説明しよう。この問題を明確に考えるためには、**性**《セックス》と**ジェンダー**〔社会的・文化的性差〕について簡単な知識が必要だ(ジェンダー論に詳しい人は、ここは飛ばして先に進んでくれてもかまわない)。

性は生物学的なもので、身体の特徴によって決まる。だが、それは学校で習ったことほど単純ではなく、人間を男か女のいずれかに分類できるような単一の身体的特徴はない。あるのは男性を代表する特徴のクラスター(XY染色体、精巣、外性器など)と女性を代表する特徴のクラスター(XX染色体、卵巣、内性器など)だ。

しかし、なかには両方の特徴のクラスターを持つ人や、どちらの特徴にも当てはまらないクラスターを持つ人もいる。つまり、だれもが明確に男性か女性かに分かれるわけではなく、**インターセックス**〔身体的性が男性・女性の中間、もしくはどちらとも一致しない状態〕の人もいるということだ。*

「性」と「ジェンダー」を同義語のように使う人がいるが、この二つは同じではない。ジェンダーは社会的役割に関連する概念であり、生物学の概念ではない。

女性は、人の目にどう映るか、どんな服を着るか、どのように歩くか、どのように話すか、どのような仕事をするか、何を感じるか、何を考えるか、などなど、際限なく続く一連の期待にさらされている。男性も、期待される内容は違うが、それは同じだ。成人する前の男の子も女の子も、期待の内容が〝子ども版〟というだけで、期待にさらされている点では大人の男女と違いはない。

「ジェンダー披露パーティ」で上がる歓声の意味

多くの親は、子どもが生まれるとき、性差の問題に振りまわされる。その第一歩が妊娠18週目の超音波検査のときだ。私はハンクのときのことをよく覚えている。医療検査技師がジュリーのお腹にプローブ〔患者の身体に当てる棒状器具〕を当てかけて、一瞬手を止めた。

「本当にいま知りたいですか？」と彼女がたずねた。

「ええ、知りたいわ」とジュリー。

＊何人ぐらいいるのか？　それはどのような特徴をインターセックスと見なすかによるので、一概には言えない(27)。厳密に絞った定義では約4500人に1人いるとされ、広い定義では100人に1人という推定もある。

「わかりました。難しいことじゃないので」

技師がプローブをお腹に当てると、画面にハンクの姿が映し出された。脚を広げて、「ぼくのおチンチン見えた？」と言っているみたいだった。

私たちはハンクのこのセリフを写真に書き添えて、家族に送信した。

というのはウソだが、生まれてくるのは男の子だということは伝えた。

レックスのときも、生まれる前から性別はわかっていたが、前もって知らせはしなかった。家の中が男の子用の物だらけになるのが嫌だったからだ。でも、それは無駄な抵抗だとわかったので、ハンクのときはさっさと知らせたというわけだ。

最近は、赤ちゃんの性別を「ジェンダー披露パーティ」で伝える親もいる。レックスやハンクのころには行われていなかったことなので、どんなものか私にはよくわからない。だが想像するに、これを成功させるには特殊工作員のようなスキルが必要なのではないだろうか。

超音波検査を受けた妊婦本人も、立ち会ったパートナーにも伏せられた性別が、パーティを準備する友人にだけは知らされる。その友人は、生まれてくる子が男の子なら青、女の子ならピンクのケーキを用意し、表面にクリームを塗って色を隠す。パーティの進行につれて期待と緊張が徐々に高まる。

ついに親がケーキをカットすると、中から青かピンクのケーキが現れ、子どもの性別を知って感激した親や参加者から歓声が上がる（どちらの色のケーキが出てきても、まったく同じ歓声が上がる）。

少なくとも、これが標準的なやり方のようだ。*


ここで質問。ジェンダー披露パーティという名称は正しいか？

答えは「ノー」だ。なぜなら、披露したくてもジェンダーはわからないから。超音波検査でわかるのは、胎児にペニスがあるか膣があるかだけだ。あるいは卵巣があるか精巣があるか。画面に映し出されるのは、やがて生まれてくる子どもの身体の特徴だけだ。

つまりこれは、正確には「セックス披露パーティ」と呼ぶべきものなのだ。

このイベントを仕掛けたマーケティング担当者がその名前を避けた理由は明らかだ。こんな招待状は出しにくいし、出席もしにくい。

ご招待
カレンとカーターの
セックス披露パーティ！

＊しかし仕掛けに凝りすぎると事故につながることもある。花火を使った発表の仕掛けで山火事が2件発生している(28)。大砲で一人(29)、手製のパイプ爆弾で一人(30)、死者が出ている。私ならケーキよりチョコレートのほうが嬉しいが、花火をぶっぱなされるよりはケーキのほうがましなのは確かだ。

男女

おばあちゃんから、どんなプレゼントが届くことやら。

ちなみに、これはセックス披露パーティであるだけでなく、「ジェンダー割り当てパーティ」でもある。

ケーキカットと同時に、まだ生まれてもいない子どもが、ある社会的役割を担っているかのように扱われる。参加者一同がそのことに暗黙のうちに同意するのがこのパーティなのだ。

青が出たら、バットやボールを買ってあげよう。ピンクが出たら人形やドレスを買ってあげて、男性より安い給料で同じ仕事をしてもらおう。

それが、このパーティで上がる歓声の意味だ。

かつて「男の子はピンク、女の子は青」だった

冗談めかしたが、ここには深刻な問題がある。私たちは子どもがまだ生まれてもいないうちに役割を決めてしまう。そして、その役割分担が子どもの人生の大きな部分を決定してしまう。それは子どもの可能性を抑え込むものでもある。歴史を振り返って、女性が女性であるという理由だけで、できなかったことの数々を思い浮かべてほしい。

そのような制約を正当化するために、女性の身体的特徴がしばしば持ち出される。「女性はスポーツや肉体的にきつい仕事には向かない、なぜなら……」と、妊娠や生理に結びつけてあ

れこれ理由が挙げられる。
でも、そんな理由はナンセンスだ。セリーナ・ウィリアムズは妊娠していても、左腕を骨折していても、風邪をひいて熱があっても、テニスをしたら私を打ち負かすはずだ。女性だというだけで、スポーツや身体的に厳しい仕事に参加することが妨げられてはならない。

男女の性別役割分担と身体のあいだには、それほど密接な関係はない。脳とのつながりも、それほど強くはないようだ。たとえば、女の子とピンク色の関係は、完全に文化的なものだ。1918年に出版された『アーンショーズ幼児用品一覧』という業界誌の記事を見てみよう。

> 一般的に、男の子はピンク、女の子は青というのが通例です。その理由は、ピンクは確固とした強い色なので男の子にふさわしく、青は繊細で可憐な色なのでかわいい女の子にふさわしいからだとされています。[31]

最近の間違った通念を正したければ、ジェンダー割り当てパーティを開くとき、『アーンショーズ』誌が示した昔のルールに従って、ピンクと青を入れ替えればいい。

脳や身体が性別役割分担と何の関係もないと言うつもりはない。実際、息子たちを見ていると、とくにそう仕向けられたわけでもないのに、興味の対象が、典型的に男の子向きと思われている対象にだんだん移っていくのがわかる。

だが、性別役割について親が子どもに発しているシグナルを自覚するのは難しい。友だちから受けている感化は、もっとわからない。

性差の科学はここでも問題に直面している。条件をコントロールした対照群を設けて、子どもたちに異なるジェンダー規範を注入するような実験は不可能だからだ。

しかし、ここ数十年の社会の急速な変化を見れば、脳や身体に関するどんな事実よりも、文化が性別役割の形成に大きな役割を果たしていることは間違いない。

そのため、フェミニストは長いあいだ、性別役割分担を緩和すること、あるいは完全に撤廃することを主張してきた。

女性アスリートの活躍からもわかるように、性別役割分担の緩和は大きな成功を収めている。スポーツだけでなく、あらゆる分野で女性が活躍するようになった。もちろん、まだ障壁はあるし、活躍している女性の数も十分ではない。しかし、女性の前に立ちはだかる壁が、生物学的なものではなく社会的なものであることは明らかだ。

トランス女性の出場資格をめぐる論争

レックスが**トランス女性**〔身体的性は男性だが、自身を女性と認識している人〕について発した問い——トランスジェンダーの女性は、女子サッカーの試合に出られるの?——は、子どもに厳格な性別役割を押しつけることにともなう別の問題に気づかせてくれる。

子どものなかには、周囲から期待される役割に自分を合わせられない子どももいるし、その役割の根拠とされる自分の身体的特徴を受け入れられない子どももいる。[32]* 性別分離されたスポーツの世界で、トランスジェンダーのアスリートはどう位置づけられるのだろうか？

トランス男性〔身体的性は女性だが、自身を男性と認識している人〕については、男子スポーツで成功している人はいるが、彼らの活躍を懸念する人はほとんどいない。[33] しかし、トランス女性が女性のスポーツに進出することについては、彼女たちが不当なアドバンテージを得る可能性が一つの理由となって、多くの論争がある。

確かにアドバンテージはあるかもしれない。

ジョアンナ・ハーパーはトランスジェンダーのアスリートのパフォーマンスを研究している科学者だ。[34] 彼女は、トランス女性はいくつかのスポーツで、ホルモン療法を受けるまではアドバンテージがあると考えている。鍵を握っているのはテストステロンだ。[35] 男性はふつう女性より多くのテストステロンを持っており、この差が、強さとスピードで男性が女性に勝る大きな理由だと考えられている（少なくとも一部の人はそう考えている）。

ハーパー自身もトランスジェンダー・アスリートなので、個人的な経験に基づいてこの問題

＊最近のギャラップ社の調査では、Z世代（１９９７〜２００２年生まれ）の１・８％が自分はトランスジェンダーだと回答している(36)。X世代（１９６５〜１９８０年生まれ）とベビーブーマー（１９４６〜１９６４年生まれ）では、その割合はわずか０・２％だったので、かなり上昇していることになる。

を語ることができる。彼女は30年以上にわたって男性のマラソン大会に出場していた。その後、性別を移行してホルモン療法を開始し、女性として競技に参加するようになった。ハーパーの報告によると、薬物の影響でスピードが12%落ちたという。[37]

しかし、彼女が新たに競う相手となった女子選手たちも男子に比べれば遅かったので、ハーパーは集団のなかで相対的には以前とほぼ同じ位置にとどまった。[38]

ハーパーは自分の体験が例外ではないことを示唆するデータを集めている。[39] ただし、その研究は小規模で、性別以外の要素（年齢やトレーニングなど）が結果に影響を与えた可能性があるため、議論を呼んでいる。[40]

性差の科学には、想像以上に曖昧な部分がたくさんある。素人目には、確かにテストステロンが重要に見える。テストステロンをドーピングしたアスリートのパフォーマンスがしばしば顕著に向上することが知られているからだ。

しかし、**レベッカ・M・ジョーダン＝ヤング**と**カトリーナ・カルカジス**が『テストステロン——その非公認記録』（未邦訳）で説明しているように、テストステロンとアスリートの成績のあいだに一貫性のある関係は認められない。[41]

実際、成功した男性アスリートのなかにはテストステロン値が低い人もいる。また、仮にテストステロンのドーピングでパフォーマンスが向上するのが事実だとしても、アスリートの身体は現状のテストステロン値に適応しているので、ドーピング後の新たなバランスが期待どおりの効果をもたらすとはかぎらない。

それでも、テストステロンがトランス女性に有利に働くのではないかと多くの人が疑っている。その懸念は、トランス女性だけの問題ではない。インターセックスの女性のなかにも男性に近いテストステロン値を持つ人がいて、彼女たちが女子スポーツに参加することも物議をかもしている。

これまでのところ、競技関係者はこの論争にうまく対処できていない。長年にわたり、彼らは少なからぬアスリートの性やジェンダーに疑惑の目を向け、汚名を着せてきた。屈辱的な身体検査も強いてきた。ここでその恥ずべき行為の詳細を説明するつもりはないし、精査の対象とされたアスリートの名前を挙げるのも適切ではないだろう。

「平等な競争条件」にこだわることは正しいか？

ここで私が問いたいのは、次のことだ。仮にトランスジェンダーやインターセックスの女性に何らかの有利さがあるとしても、それは問題なのだろうか？

ハーパーは「問題だ」と言う。おそらく競技関係者も同意見だろう。そうでなければ、該当するアスリートの身体を調べあげたりしないだろう。

だが、なぜ問題なのだろう？

ハーパーは、女子スポーツの意義は「女性アスリートに有意義な競争の機会を提供することにある」と言う。[42] 彼女の考えでは、トランスジェンダーやインターセックスの女性の参加が認められるのは、「ほかの女性の競争条件を過度に変えることにならない」場合に限られる。[43]

彼女は、女性スポーツへの参加資格をテストステロンのレベルで判断することを提案している。[44]競技関係者もそれに同意しているようで、スポーツ界はその方向に進みつつある。テストステロンは簡単な血液検査で調べられるので、これまでのような生体に傷害を与えかねない侵襲的な検査よりはよい方法だと思う。しかし、それでもこの提案には問題がある。一部の女性が排除され、負の刻印を押されることになるからだ。

さらに悪いことに、テストステロン値を下げるために、そんな検査がなければ飲むことはなかった薬を飲まなくてはならないというプレッシャーを感じる人も出てくるだろう。

その薬物は身体によいものではない。ジョーダン＝ヤングとカルカジスが指摘するように、テストステロンの低下は、「うつ病、疲労、骨粗しょう症、筋力低下、性欲低下、代謝の問題」を引き起こす可能性がある。[45]

ジェーン・イングリッシュが教えてくれたことも忘れてはならない。スポーツがもたらす「希少な恩恵」について言えば、勝つチャンスのある競争の機会や平等な競争条件を与えられる権利は、男女を問わず、もともとだれにも保障されていない。

ウサイン・ボルトと競走した選手は、自分が勝てるとは思っていなかっただろう。全盛期のマイケル・フェルプスと競いあった水泳選手もそうだっただろう。それでも、ほかの選手に勝つチャンスを与えるために、ボルトやフェルプスに競技に出場するなとはだれも言わなかった。

レクリエーション・アスリートにとっては有意義な競争は重要だ。いつも負けてばかりでは楽しくないし、技術も向上しないかもしれない。彼らがスポーツの基本的恩恵を得るためには、自分と同程度のレベルの人たちと一緒にプレーできることが必要だ。しかし、エリート・アスリートがそれを主張することはできない。

ベロニカ・アイビーもその点を指摘した。[46]

彼女はトランス女性で、自転車の世界チャンピオンだ。近年、アイビーはスプリント競技の年齢別女子世界記録を樹立している。そして哲学者でもある。

身長、体重、筋肉など、アスリートの身体にはさまざまなバリエーションがあることをアイビーは指摘する。２０１６年のオリンピックで、女子走り高跳びで1位になった女性は、10位になった女性より身長が26センチ高かった。[47]

そのほうが有利なのは間違いない。しかし、だからといってその競技が不公平だとはだれも思わなかった。なぜトランスジェンダーについてだけ、身体の違いを問題視するのか？

さらにアイビーは、トランス女性は男子スポーツに出場する資格も与えられないことが多いと指摘する。とくに、女性への性別移行を法的に認定されたあとではそのような扱いを受けることが多い。[48]したがって、彼女たちを女子スポーツから排除することは、スポーツの世界から完全に排除することに等しい。

それは、だれもがスポーツの基本的恩恵を受けるべきだというイングリッシュの主張に照ら

男女

せば正しいことではない〔253ページ参照〕。シュナイダーが指摘する代表性の問題に照らしてもよいことではない〔255ページ参照〕。トランスジェンダーのアスリートも、スポーツが提供する権力《パワー》や影響力を持つことができてしかるべきだ。

私たちは身体の特徴にこだわるのをやめ、スポーツを性ではなく性自認で分離すべきだと思う。自分を女性だと考える人には、女子スポーツに参加する資格を与えるべきだ。*[49]

「女性」と宣言すれば女子スポーツに出場できる？

ちょっと待った、という声が聞こえる。「私は女性です」と宣言しただけで女子競技に出場できるなら、勝つために、女性のふりをする男性が出てくる心配はないだろうか？

それは考えられない。男性が「女性」として競技に出場して勝ったところで、名誉でも何でもないからだ。[50]

スポーツの歴史を振り返れば、それが疑われるケースはいくつかある。しかし、いまにして思えば、取り沙汰されたアスリートはインターセックスであった可能性が高い。[51] 女性になりすましてメダルを獲ろうとする男性など、はたしているのだろうか。

トランス女性やインターセックスの女性を、女性を装った男性だと考える人にとっては、ありえない話ではないのかもしれない。悲しいことに、多くの人が彼女たちのことをそんな目で見ている。

そんな見方のどこが間違っているのかを説明しよう。

役割を演じることと、その役割にアイデンティティを見出すことは違う。テイラー・スウィフトは「ザ・マン」（The Man）のミュージックビデオに男の姿で出演している。男の服を着て、男のように歩き、地下鉄で男のように脚を広げて座る。しかし、スウィフトはただ演じているだけで、自分を男性だと思っているわけではない。

私も毎日、服装、歩き方、話し方など、あらゆることを通して男らしさを演じている（地下鉄であんなに大股は広げないが）。テイラー・スウィフトとの違いは、私の場合は男性を演じているのではないということだ。私は男性としての自分に期待されている役割と自分を同一視している。私は自分を男性だと思っており、男性を演じているとは思っていない。

＊トランス女性が女子スポーツ界を席巻しても、私はこの考えを貫けるだろうか？　これを本文ではなく脚注で論じるのは、この懸念には現実味がないからだ。

トランス女性がシスジェンダー〔生まれ持った性別と性自認が一致しており、その性別に従って生きている人〕の女性を圧倒すると考える理由はほとんどない。スポーツにおいてトランス女性はすでにシスジェンダー女性との競争に参加しているが、シスジェンダー女性は自らの立場を守れている。

この私の楽観論が間違っていたら、スポーツで成功するのは特定の身体特性を持っている人だけだという考えを強化することになってしまうが、そのような考えは過去のものにしなくてはならない。もしトランス女性がシスジェンダー女性を蹴散らしてしまうようなことがあれば、改めてあらゆる人をスポーツに参加させる新しい方法を模索しなくてはならないが、そんな問題に直面することはないと私は思っている。

トランスジェンダーの女性やインターセックスの女性も、女性を演じているわけではない。彼女たちは女性としてのアイデンティティを持っているのだ。彼女たちは自分を女性と認識している。だから私たちも、彼女たちをそのように見るべきなのだ。

確かに、「女性」という言葉を、特定の身体的特徴を持って生まれた人に限定して使うことはできる。しかし、そんな意味で使うと、身体的な理由だけで割り振られた役割——本人が自分で選んだのではない役割——を押しつけ、人生の可能性を制限してしまう。それは性差別というものだ。

「女性」という言葉が長年そのように使われてきたのは事実だとしても、今後もそれを続けていい理由にはならない。

その点について、**ロビン・デンブロフ**は、私が考えを整理するのを手伝ってくれた。デンブロフはイェール大学で哲学を教えており、ジェンダーとは何か、それがどのように機能するかについて書いている。

デンブロフは、ジェンダーに関する会話にはしばしば混乱が見られると言う。「女性」という言葉の意味は一つしかないと思い込み、自分好みの意味を押しつける人が多いからだ。だが実際には、何をもって女性とするかについてはさまざまな考え方があり、女性というカテゴリーを定める方法もたくさんある。[52]

いったんそのことに気づけば、新たな問いを立てることができる。「女性とは何か」と問うのではなく、「女性というカテゴリーをどのような概念で構成するべきか」と問えばよいのだ。生まれついての身体的特徴でカテゴライズするのか、本人が自分を何者と考えるかでカテゴライズするのか？

どのような概念で「女性」を理解するか？

哲学には「**概念倫理学**」と呼ばれる分野がある。[53] それはこう問いかける。世界を理解するために、私たちはどのようなカテゴリーを使うべきか？

この問いを結婚というテーマに当てはめれば、議論は次のように進む。

同性婚に反対する人は、結婚とは男と女が一つに結ばれることだと言う。確かにそれは一つの考え方で、長いあいだ支配的な考え方だった。

しかし、結婚について、同性婚を受容する別のカテゴリーを立てることもできる。つまり、互いに対して責任を負う二人のパートナーの関係として結婚をとらえるということだ。

異なる結婚観があることが理解できたら、どちらの結婚観に立つべきかを考えよう。答えは、それを問う文脈によって異なるかもしれない。性の平等をめざす政治的コミュニティなら、同性婚を歓迎し、性によって制限されることなくパートナーを選べるという考えを好むだろう。教会は、宗教的な理由から伝統的な考えを好むかもしれない。

「結婚とは何か」という問いの立て方では、どちらか一方だけが正しいことになる。しかし、問いの立て方を「どのような概念を使うか」というかたちに変えれば、両方を満足させる答えを見出せるかもしれない。

たとえば、性の平等と信教の自由を大切にする政治意識に立つコミュニティなら（この本の読者にはそうであってほしい）、法の観点から同性婚を歓迎し、同時に、宗教コミュニティが伝統的な結婚観を維持しようとすることにも理解を示すことができるだろう。

「女性」についてはどうだろう？　ここでも、カテゴリーを広げる考え方と、狭く制限する考え方がある。

どこかに正解があるかのように、「女性とは何か」と問うのは的外れだ。なぜなら、ジェンダーは私たちが決めるものだからだ。それは社会的なカテゴリーであり、生物学的なものではない。したがって正しい問いは、「私たちは女性についてどのような概念を使うべきか」ということだ。

私は広い概念を使うべきだと思う。本人が決定するアイデンティティを社会が尊重するようになれば、他者から強制された人生ではなく、自分が選んだ人生を生きていると感じる人が増えるだろう。[54]

「トランス女性は女性だ」（Trans Women Are Women.）というスローガンを聞いたことがあるだろう。このスローガンは、「女性」という言葉を広い概念で使う人にとっては事実の叙述であり、その確信が持てない人に対しては、そう考えようという呼びかけとなる。

スポーツの世界もスポーツ以外の世界も、その呼びかけに応えなければならない。

「ノンバイナリー」のアスリートの参加資格は?

最後に、話がさらに複雑になるが、もう一つの論点について考える必要がある。

ここまでは、男子スポーツと女子スポーツの問題を考えてきた。だが、すべての人が自分をはっきりと男、あるいは女と認識しているわけではない。

とくに若い人たちのあいだで、数はまだ少ないが、伝統的な性別役割を真っ向から否定する人びとが増えている。彼らは自分たちを「**ノンバイナリー**」〔男女どちらにも当てはまらない人、当てはめられることに違和感を感じる人〕と呼んでいる。*

自分をそう呼ぶ理由は人それぞれだが、男性の役割あるいは女性の役割がしっくりこないという人が多い。

デンブロフのように、政治的な主張としてノンバイナリーというアイデンティティを受け入れている人もいる。[55] 男女いずれかを選ぶのを拒否することで、デンブロフは性別役割が私たちの生活を支配していることに異議を唱えているのだ。

* 全米トランスジェンダー平等センターが2015年に行った調査では、トランスジェンダーを自認する人の3分の1弱が、自らをノンバイナリーと呼んでいた(56)。

デンブロフの取り組みは、性別役割の変化に不快感を覚える人がいる理由を教えてくれる。もちろんさまざまな理由があり、たんに自分と異なるものに対して敵意を覚えるという人もいる。しかし善意の人も、複雑化するジェンダーのありように戸惑っていることが多い。それは、性別役割が私たちの生活の構造をかたちづくっているからだと思う。

生活のいたるところに社会的役割がある。それがなければ社会は回らないし、何も成し遂げることができない。役割によって、文脈ごとに、だれが何をするべきかが決まる。役割が人と人の相互作用のあり方を規定する。

たとえば、レストランに入ったら私は接客係を探す。テーブルに案内してもらうためだ。教室に入ったら教師を探す。授業を仕切るのは教師だからだ。プールで溺れかけている人を見つけたら、ライフガードに助けを求める。救助訓練を受けた人だと知っているからだ。

ジェンダーによる役割分担にも、こうした機能がある。パーティに参加して、初対面の人と会った場面を想像してほしい。その人のジェンダーは、あなたがその人から受ける印象にどんな影響をおよぼしているだろう――家庭での役割、仕事、関心事項、いまこのパーティ会場で何をしようとしているのかといったことについて。もちろん、ジェンダーだけで相手がわかるわけではないが、言葉を交わす前に人物像を思い描くのに役立つ。

ジェンダーは人との関わり方にも微妙な影響をおよぼす。よくジュリーに指摘されるが、私は女性とはソフトな声で話し、男性とは低い声で話す。知らない人と電話で話すときは、さらに低くなるようだ（これは、母親と間違われるのが嫌だった10代のころに身につけた習慣だ）。また、男性に対するときと女性に対するときとでは、距離の取り方も違う。男性に対するときは、私は文字どおりの意味でも比喩的な意味でも、身を乗り出す。気圧《けお》されたくないからだ。だが女性に対しては、とくに初対面の女性には、距離を取って相手にスペースを与える傾向がある。近づきすぎると、相手にどんなシグナルを発しているかが気になるということもある。

このように私たちは、相手のジェンダーがわからないと戸惑うことがある。標準的な手がかりがないため、どんなふうに関わるのが適切かわかりにくいからだ。

デンブロフは、そんなときはちょっと立ち止まり、その人と社会的関係を構築するうえでジェンダーを考慮する必要があるか問い直してほしいと言っている。[57] 男とか女とかではなく、人として関わればよいのだと。

スポーツの場合はどうだろう？　私たちは男とか女とかではなく、人として競うべきだろうか？

私はそうは考えない（少なくともいまはまだ）。私たちはジェンダーによって構成された世界に生きているし、予見しうる将来においてもそうだろう。すでに述べたように、女性がスポーツの恩恵に与《あずか》るために、私たちには女子スポーツが必要だ。

では、ノンバイナリーのアスリートはどうだろう？　彼らは男女どちらのスポーツに参加するのだろう？

これは難しい質問だ。彼ら自身に選んでもらうことはできる。[58] それは本人に性別欄にチェックを入れてもらうということだが、それを避けたいというのが彼らの願いのはずだ。ジェンダー・ニュートラルなカテゴリーを設けることもできるが、いまのところ、それで競技が成り立つほど該当するアスリートはいそうにない。

私にはまだ、いい解決策がわからない。でも、きっと子どもたちが解決してくれると信じている。ジェンダーの問題については、社会の意識は変わりつつあり、新しい可能性を見出すだろう。若い人たちはまだ考え方が固まっていないので、この問題にも取り組みやすい。スポーツでも、それ以外でも、若い世代が公正で包摂的《インクルーシブ》な世界をつくってくれると信じている。

あらゆることに哲学はある

この章を書き終えようとしていたとき、隣で本を読んでいたハンクが私にたずねた。

「何を書いているの？」

「男の子と女の子とスポーツの話」

「スポーツ？　哲学の本じゃないの？」

少し意外そうだ。

「そうだよ。何にでも哲学はあるんだ。パパは男の子と女の子が一緒にスポーツをするべきかどうかについて書いているんだ。どう思う？」

「もちろん、そうすべきだと思うけど」とハンクは言った。「なんでそんなに時間がかかるの？」

「章の終わらせ方がわからないんだ」

「それなら知ってる」

「ほんとか？」

「うん。何か面白いことが書けたら、途中でやめて、『次に続く』って書くんだ。すると、みんな次のページをめくるしかなくなるでしょ」

では……次に続く。

Chapter 7

差別

ほかの人がやったのに、責任を取らなきゃいけない？

ローザ・パークスのバスに座る

ミシガン州ディアボーンにあるヘンリー・フォード博物館は最高だ。

だが3歳児にとってはそうではない。3歳児にとっては、め、ち、ゃ、く、ち、ゃ、めちゃくちゃ最高なのだ。しかし残念な点もある。車、トラック、飛行機、列車がたくさんあるのに、どれも触ることができないからだ。

ところが、なぜかはわからないが、**ローザ・パークス**の伝説的な抗議の舞台となったあのバスだけは例外だ。触れるだけでなく、座ることもできる。

あのローザ・パークスが腰をおろした座席に座ることができるのだ。

3歳児なら、きっと座るだろう。ほかの座席にも全部座ってまわるだろう。そして帰りの車で、自分のシートに座ってこう質問する。

「なぜ、ローザ・パークスはバスの後ろに移らなかったの？」

「なぜ、ローザ・パークスは運転手の指示に従わなかったの？」

「なぜ、ローザ・パークスはバスの真ん中に座ったの？」

父親がローザ・パークスは自分自身と黒人全員のために立ち上がったのだと説明すると、さらに質問が飛んでくる。

「なぜ、ローザ・パークスはバスの中で立ち上がったの？」

「なぜ、ローザ・パークスは座らないの？」

「なぜ、ローザ・パークスはバスに乗ったの？」

眠くなってくると、質問は哲学的なものになっていく。

「なぜ、ローザ・パークスなの？」

「なぜ、ローザなの？」

「なぜ？」

父親は書店の前で車を停めて、『わたしはローザ・パークス』[1]（未邦訳）を買い与える。人種問題について子どもと話すことは重要だからだ。

「ぼくたち、そんなことしなければよかったのに」

レックスはその本が大いに気に入ったようだ。そこで私たちは『わたしはマーティン・ルーサー・キング・ジュニア』[2]を買った。『わたしはジャッキー・ロビンソン』[3]、さらに『ジャッキーとハンクが出会ったとき』[4]も買った（いずれも未邦訳）。最後の本は人種差別と反ユダヤ主義を扱ったもので、野球にたとえたら満塁ホームランのような本だ。

これらの本で、レックスはアメリカの人種差別の歴史と、それと闘ったヒーローについて学んだ。タイミングもよかった。警察の暴力に対する批判が再び高まり、「ブラック・ライブズ・マター」運動が起きていたからだ。レックスは新聞やニュースで抗議デモを見た。レックスは、英雄たちの仕事がまだ終わっていないどころか、もっと必要だと知った。

フォード博物館を見学した数カ月後の朝食のとき、レックスは重大な発表をした。

「ぼく、黒人だったらよかったのに」と言ったのだ。

私は理由をたずねた。

「白人は黒人にたくさんの意地悪をするから。悲しくなる」

「確かに、悲しくなることがたくさんあるよな」

「ぼくたち、そんなことしなければよかったのに」（I wish we didn’t do those things.）

それは「私たち」に責任があるのだろうか？

「黒人だったらよかったのに」というレックスの言葉を聞いても、私は驚かなかった。私たちは黒人のヒーローが登場する物語をたくさん読んでいたからだ。それには悪い白人も出てくる。だから彼は黒人になりたかったのだ。なりたいものと言えば、レックスは猫にもなりたかった。彼には実現しそうもない、たくさんの願いがあった。

だが、「ぼくたち、そんなことしなければよかったのに」というひと言にはドキリとさせられた。

それは単純なセンテンスだし、素朴な感情だ。だが、主語が「ぼくたち」であることには深い意味を感じずにはいられない。

この一語で、レックスは、自分は本で読んだ奴隷制度や人種隔離といった悪事に責任がある「私たち」の一員であると告白したのだ。

多くの白人は、これらの過ちについて「私たち」という主語では語らない。似たような見解を表明するとしても、「彼らがそんなことをしなければよかったのに」と言うだろう。一人称複数形でこの問題を自分の問題として語ることはないだろう。悪いことをしたのは自分以外のだれかであって、解決と修復はそのだれかの責任だ。だが、その連中はもう死んでいる。だから申し訳ないが、もうどうしようもない。

これに対し、レックスは自分も悪いことをした集団の一員だと考えた。驚くのは、レックスはそのときまだ4歳だったということだ。道徳的に汚《けが》れのない人間がいるとしたら、まさにレックスがそれだった。

だが、彼の思いは違った。白人である自分は汚れていると考えた。あまりにも汚れているので、自分が白人でなかったらよかったのに、と思ったのだ。

人種は存在しない?

レックスの考えは正しいのだろうか? 白人であること《ホワイトネス》は、それだけで汚れているのだろうか?

難しい質問だ。それに答えるには、白人であることの意味を考えなければならない。レックスは白人であり、黒人ではない。しかし、白人であるとはどういうことなのか。黒人とは? 人種とは何なのか?

私たちはみな、こうした概念を直感的に理解し、その言葉を毎日使っている。しかし、人種が何であるかは難しい問題だ。人種などというものは存在しないと考える人もいる。ある考え方に立てば、確かに人種というものは存在しない。

多くの人は、人種とは生物学的なものだと考えている。ある程度理にかなった考え方だ。身体の物理的特徴は、しばしば人種を識別する方法となる。私たちは皮膚や髪、顔の形などを見て、人種を識別している。そうした特徴がかなり遺伝的なものであることも知られている。

私たちは長いあいだ、外見に表れる違いが、より深い気質の違いを示していると考えてきた。[5]たとえば、肌の色を見れば、その人の認知能力や性格がわかると考えてきた。さらに、そうした深い違いは、社会的環境などではなく、生物学的な要因によってもたらされていると考えてきた。

しかし、実際には生物学的要因はそんなふうには機能しない。[6]肌、髪、顔の特徴といった表面的な人種指標と、そのほかの特徴とのあいだには、ほとんど相関関係がない。歴史的に、相関があることを証明しようとする試みが数多く行われてきたが、その内容はすべて噴飯物だ。[7]

ヒトゲノム計画のリーダーである**クレイグ・ヴェンター**はこう断言した。「肌の色によって知能を予測できるという考え方は、科学的事実にも人間の遺伝コードにも根拠がない」[8]。もちろん、性格についても同じことが言える。

すべてのヒトは「同じ家族」の一員である

もっと踏み込んだことも言える。

人種は、ヒトを生物学的に有意な亜種に分類するものですらないのだ。

何らかの生物学的特徴が、他の人種よりもある人種に多く見られることはある。しかし、どの人種にも幅広い多様性がある。実際、遺伝子に関して言えば、単一の人種の中に人類全体とほぼ同じだけのバリエーションが存在する。[9]

要するに、私たちはみな同じ家族の一員なのだ。少なくとも同じ家系に属する一員だ。現在生きているすべての人は、ほんの数千年前に生きていた一人の共通の祖先を持っているという研究結果もある。[10]

信じられない人は、人間の系図の構造を考えてみるとよい。[11] あなたには2人の親、4人の祖父母、8人の曾祖父母がいる。この計算を続けていくと、その数は指数関数的に増えていき、すぐに妙な問題にぶつかる。たとえば33世代（約800年から1000年）さかのぼると、80億人以上の祖先がいる計算になってしまうのだ。だがもちろん、そんな昔に80億もの人間がいたはずがない。

こんな計算になってしまう理由は明らかだ。膨大な人数が何度も重複して数え上げられているからだ。

最初のうちは、代をさかのぼるにつれて祖先の数は問題なく増えていく。しかし、ある程度さかのぼると、その数は縮小に転じざるをえなくなる。遺伝学者の**アダム・ラザフォード**が説明しているように、「あなたの祖母の祖母の祖母は、あなたの大叔母の大叔母の大叔母と同一人物かもしれない」からだ。[12] 実際、家系をどんどんさかのぼっていけば、すべての人が同じ祖先を共有する地点に到達する。

これはなんら驚くべきことではない。私たちはみな、およそ10万年前に東アフリカに住んでいた一つの集団の子孫なのだから。[13]

だが、そこまでさかのぼらなくても、いま生きているすべての人間がすべての祖先を共有している時点に到達する。統計学者によれば、この「**遺伝的等値点**《ジェネティック・アイソポイント》」は7000年前、あるいはそれよりもっと現在に近い時期だという。[14]

そのときから現在まで、人間は世界中に散らばり、さほど混ざりあうことなく集団をつくって生活してきた。その結果、科学的に調べれば、集団ごとに、いくつか特有の形質のクラスターを保有していることがわかる。しかし、ヒトという種を研究している科学者たちは、ヒトという種を少数の集団――人種と聞いて私たちが想像するような違いのある集団――に分ける明確な基準を発見することができずにいる。[15]

実際、科学的に有意な観点によって区別される集団は、私たちが「人種」として理解しているものとはまったく異なる。[16]

私の仲間――アシュケナージ・ユダヤ人〔おもに東ヨーロッパに定住した離散ユダヤ人とその子孫〕――は遺伝の専門家のあいだでは有名だ。テイ＝サックス病〔知的障害や麻痺、失明などを生じさせる〕などの特定の疾患が高い確率で発生するからだ。

しかし、私たちはそんな理由で自分たちの人種を捉えてはいない。アシュケナージ・ユダヤ人のほとんどは「白人」とされる。白人とみなされる人びとのなかには、遺伝学的には別個の集団と認識されるアーミッシュもいればアイルランド人も含まれる。なぜそんな多様な集団を白人という一つの人種にくくってしまうのだろう？　科学はその問いに答えることができない。

人種は生物学的に意味のある違いを示すものではないからだ。

人種は「社会的概念」である

人種など実在しないということだろうか？

ある意味ではそうだ。人間は生物学的に他と区別できる、片手の指で数えられるほどの集団に分けられるとか、各集団は社会的に重要な点で異なっているとか、そういう意味での人種は存在しない。

哲学では、実体や対象が存在しないカテゴリーについての言説や主張を「**錯誤理論**《さくご》」と言う──これは「おっと、完全に間違っていた」ということを意味ありげに言うための用語だ。

その誤りに気づいたら、そんな間違いがなぜ生じたかを説明するのが哲学者の仕事になる。生物学に立脚した人種観は、壊滅的な結果を招いてさえいなければ、「おっと、間違っていた」と言ってすませることもできるのかもしれない。

しかし実際には悲惨な結果を招いてきたし、いまも招き続けている。

そこに目を向けると、人種について、生物学的ではない考え方が見えてくる。すなわち、社会的概念としての人種だ。とりわけ、ある人間集団をヒエラルキーの中に押し込むための社会的概念としての人種だ[17]。

そのような人種観に立てば、黒人であるということは、ある社会的地位に追いやられ、ある種の支配――奴隷制度、人種隔離、大量収監など――を受けることを意味する。
それをもっとも端的に表現したのが**W・E・B・デュボイス**〔アフリカ系アメリカ人の社会学者、歴史学者、公民権運動家〕の言葉だ。「黒人とは、ジョージア州でジム・クロウ法〔人種差別的内容を含む米国南部諸州の州法の総称〕に従わなければならない人間のことである」[18]
ジム・クロウ法に従わされるのが黒人だとしたら、白人とは何か？　従わなくていい人びとだ。というか、黒人をジム・クロウ法に従わせる人びとだ。つまり、黒人を写した写真のネガが白人ということになる。黒人性《ブラックネス》が存在するから白人性《ホワイトネス》が存在すると言えるのかもしれない。

かつてイタリア系移民は「黒人」だった？

奴隷貿易によって、アフリカのあちこちからアメリカ大陸に人びとが連行されてきた。それまで彼らには共通のアイデンティティはなかったが、アメリカに運ばれてきたときに黒人というアイデンティティを押しつけられた。そのアイデンティティが生まれたことで、それと対置させる新たなアイデンティティが必要になった。彼らを黒人にしたことで、それ以外の人間が白人になったのだ。[19]
それは決して平和的なプロセスではなかった。**ジェームズ・ボールドウィン**〔アメリカの小説家、劇作家、詩人、公民権運動家〕が言っているとおりだ。
「彼や彼女がアメリカに連れてこられる前は、白人などどこにもいなかった。この国は、何世

差別

代にもわたる強烈な抑圧の果てに、白人の国になったのだ」[20]

白人や黒人というカテゴリーが社会的なものだという事実は、人種の変遷をたどるとさらにはっきりする。ヨーロッパからの移民は、つねに白人と見なされたわけではない。少なくとも、当初は白人とは見なされなかった。

たとえばイタリアからの移民、とくに南イタリアから来た移民の場合は、黒人に近い存在と見られた。人種差別的な理由でリンチされることもあった。[21] コロンブス・デー〔コロンブスの初航海を記念する米国初の法定祝日〕の制定は、イタリア系移民をアメリカの歴史に組み入れて白人にするための努力の成果であった。[22] その効果はあった。今日、イタリア系移民とその子孫は、アメリカにおいて間違いなく「白人」である。

複雑な社会的ダイナミクスの歴史をわずか数行で語ることはできない。アメリカ先住民、アジア人、太平洋諸島民《パシフィック・アイランダー》など、アメリカで個別の人種として認識されているその他の集団についても、ここで何かを述べる紙幅はない。*

しかし、すべてを語らなくても核心は明らかだ。要するに、人種を生物学的に解釈しようとする考え方は破綻しているのだ。しかし、それを指摘するだけでは、この国の社会的関係にはびこる人種差別を取り除くことはできない。

「惑星」と「借金」と「人種」

その点を意識して、私たちは「人種は社会が定めた概念である」[23]と言うことがあるが、この考え方にも注意が必要だ。ある意味、すべての概念は社会が定めたものだからだ。科学的概念でさえ例外ではない。

冥王星という星がある。私が子どものころ冥王星は惑星だったが、ある日を境にそうではなくなった。何が変わったのか？　冥王星が変わったわけではない。冥王星は昔もいまも氷と岩でできた、質量が月の6分の1の球体だ。変わったのは私たちのほうだ。私たちが冥王星は惑星ではない、と決めたのだ。

なぜそんなことをしたのか？　よく見たら、太陽系の外縁部に冥王星サイズの天体がほかにもあることがわかったからだ。[24]そこで私たちは選択を迫られた。ほかの天体も含めてすべてを惑星とするか（惑星の数が増える）、惑星の認定基準を変えるかの選択だ。

科学者は後者を選び、冥王星とその仲間たちに準惑星という名前をつけた。これは、惑星は太陽系の重要な天体であるという考え方を維持するためでもある。現在、太陽系の天体が惑星

＊アメリカ以外の地域で人種がどのような役割を果たしているかについても、本書では論じていない。哲学者のマイケル・ルートは次のように述べている。「場所が変われば人種も変わる。現在ニューオリンズに住む黒人は、何年か前にはオクトルーン［8分の1黒人］と見なされていたし、いまでもブラジルに行けば白人だ。ソクラテスが生きた古代アテネの時代には人種という概念はなかったが、いま彼がミネソタに来れば白人と見なされる」(25)。場所が変われば人種も変わるという事実は、人種がいかに恣意的なものであるかを物語っている。それは科学的根拠によるものではなく、根本的には社会的な現象である。

に分類されるためには、「その軌道近くのほかの天体を掃き飛ばしていること」[26]という条件を満たしている必要がある。この条件によって冥王星は惑星ではなくなった。冥王星のまわりには大きな天体がいくつもあったからだ。

惑星という概念を定めたのは私たち人間だ。太陽系についての知識が増えたとき、私たちはその概念を更新した。だが間違ってはならない。惑星はもともと実在する物体であって、私たちの想像の産物ではない。惑星というカテゴリーをつくったのは私たちだが、そこに入るものは私たちと無関係に存在している。

しかし、人種は違う。「人種は社会が定めた概念である」というのは、人間がそんな概念をつくっていなければ、そもそも人種などというものは存在しなかったという意味だ。

それだけではない。バスケットボールやビール、橋なども、人種と同様に社会が定めた概念だが、これらは人間から独立して物理的に存在する。人種がそれらとも違うのは、人種は社会が定めた概念でしかないということだ。

では、人種は現実のものではないという意味だろうか？　そんなことはない。人種は明らかに現実のものだ。「負債」を例に考えてみよう。私が住宅ローンや自動車ローンを抱えているとする。負債は社会的な仕組みで、私と無関係に存在するわけではない。私が存在しなければ負債も存在しない。負債とは社会的関係に基づく概念だ。しかしそれは現実に存在し、抱え込んだら身を滅ぼすこともある。

人種についても同じことが言える。それは社会的な枠組みであり、人びととの関係を組織化する方法だ。負債と同じように、破壊的な力をふるう可能性がある。

だから、こう問う価値がある。私たちは「人種」という概念を捨てることができるだろうか？

「あの人、黒い」と言った子どもに教えた三つのこと

多くの人が、人種という概念は捨てるべきだと思っている。実際、すでに自分は捨てたと思っている人もいる。そして、「私は肌の色なんか気にしない」と言う。

だが、それは本当ではないことをだれもが知っている。うんと幼い子どもでさえ、肌の色を見る。そして、しばしば親を困らせる方法でそれに反応する。

ハンクはよちよち歩きを始めたころ、「あの人、黒い」と何度も言った。レックスも同じことを言った。皮膚は人間の身体の重要な特徴なので、肌の色が人によって違うことに気づかないわけがない。

子どもたちは幼いころ、毎日わが家とＪＣＣ（ユダヤ・コミュニティ・センター）のあいだを往復していたので、肌の色が白い人ばかり見ていた。なので、肌の色が違う人を見るのは、彼らにとって新鮮な体験だった。だからそれを口に出した。子どもとはそういうものだ。

子どもがそんなことを言ったとき、私たちはいくつかのことを教えた。

第一に、肌にはさまざまな色があるということ。これは単純な事実の指摘だ。ただし、色の見極めについては多少の難しさもあった。ハンクは、大人が色を間違えているかのような口ぶ

りで、「ぼくの肌は白くない。ピンクっぽいし、茶色も混ざってる」と言った。

第二に、肌の色は重要ではないということ。私たちの身体はみんな違う。大きい人もいれば小さい人もいる。背の低い人も高い人もいる。目も、髪も、肌も違う。でも、その違いのために、ほかの人と違う扱い方をしてはならないことを教えた。

第三に、肌の色は重要——とても重要——だということ。肌の色が重要ではないというのは、道徳的な意味においては重要でないということであって、社会的には間違いなく重要だ。*

いくつかデータを紹介しよう。
アメリカの家庭が保有する資産を見ると、黒人家庭の中央値は、白人家庭の中央値の15％にも届かない。[27] 失業率は、黒人労働者は白人労働者の2倍も高く、スキルに見合った仕事に就ける可能性も低い。[28]
白人の生徒が多数を占める学区では、子どものために支出される教育予算は、そうではない学区より生徒一人当たり年間約2200ドルも多い。[29]
白人は黒人より長生きする。その差は、最新の調査では約3・6年だ。[30] 白人は黒人よりよい医療を受けることもできる。[31]
最後に、黒人男性は白人男性より刑務所に入る確率がはるかに高い。2015年には、黒人の若者の9・1％が刑務所に入っていたが、白人の若者は1・6％にすぎなかった。[32]
いま挙げたことのすべては関連しあっている。さらに、互いに強化しあっている。すべて奴隷制度に始まり、奴隷制度廃止後も続く、長く恥ずべき歴史の反映だ。

たとえば、人種間の貧富の差は赤線引き《レッドライニング》〔金融機関が特定地域を対象として行う融資制限〕の結果だ。これによって黒人は家を買って資産を形成することを妨げられた。1921年のタルサの暴動（ブラック・ウォールストリートと呼ばれていた黒人たちのビジネス街が破壊された）のような暴力も、貧富の格差の反映だ。[33] もちろん日常的な差別の反映でもある。

刑事司法制度の分野での人種格差は、黒人を白人よりも厳しく取り締まり、罰するという意図的な決定の表れだ。一例を挙げると、白人と黒人の薬物使用率はほぼ同じなのに、黒人は薬物犯罪で逮捕される割合が白人より4倍近くも高い。[34]

子どもたちが小さいうちは、こうしたデータまでは話さなかったが、アメリカ社会には黒人をないがしろにしてきた長い歴史があることは伝えた。そして、黒人に対するそのような扱いは、過去の歴史ではなく、現在の私たちの一部でもあることを伝えた。

私たちは人種差別を過去のものにできるだろうか？　できるかもしれない。しかし、簡単なことではない。人種が意味を持たない世界に住みたければ、格差をなくさなければならない。

＊子どもとこの種の会話をするようになったとき、私たちはまだビバリー・ダニエル・テイタムの古典『なぜ黒人の子どもたちはカフェテリアで一緒に座るのか』(35)を読んでいなかった。この本には、子どもとこのようなテーマで会話をするとき役に立つお手本が記されている。もっと早く出会えていたらよかったのにと思った。

「私は肌の色なんか気にしていない」と言うだけでは問題は解決しない。*

黒人であることには喜びもある

私たちは人種という概念を捨てるべきなのだろうか？

もちろん、人種による差別や格差はなくすべきだ。しかし、人種がもたらした苦渋の歴史にもかかわらず、人種に価値を見出す人もいる。

チケ・ジェファースは人種について研究している哲学者だ。ジェファースは人種の起源が抑圧にあることには同意している。[36] 奴隷制度がなければ、黒人や白人というラベルもなかったかもしれない。だが、抑圧の文脈でしか黒人を語れないわけではない。アメリカで黒人は「汚名、差別、疎外、不利益[37]」に耐えているが、ジェファースは「黒人であること《ブラックネス》には喜びもある[38]」と言う。

黒人の文化――アート、音楽、文学など――のなかには喜びがある。[39] 喜びは黒人の宗教的伝統や儀式にも染み込んでいる。それは黒人の話し方、服装、踊り方にも表れている。歴史の現時点で、黒人であることは、人を豊かでユニークな文化的遺産に結びつける。黒人のアイデンティティは抑圧と分かちがたく結びついているが、黒人であることの意義はそれをはるかに超える。

キャスリン・ソフィア・ベルもその点を強調している。彼女は黒人女性哲学者協会の創設デイレクターだ。この協会《コレギウム》の目的は、マイノリティである黒人女性哲学者の声を哲学の世界に響かせることだ。ジェファース同様、ベルも「人種は抑圧と搾取のために使われる否定的なカテゴリーにとどまるものではない」と主張する。[40]黒人にとって人種は、「メンバーシップや帰属意識、闘いと困難克服の記憶、新たな理想や成果に向かって前進し努力する動機などを包含するポジティブなカテゴリー」でもあると彼女は言う。[41]

ジェファースとベルは、人種差別が終わることを望んでいる。しかし、彼らは黒人文化が存続し、さらに花開くことも望んでいる。対等な関係を結ぶというのは、たんに人種的アイデンティティを捨てることではない、と訴えている。

他者の痛みの上に築かれた特権

では、白人であることについては何が言えるだろう？　そこに喜びはあるのか？　白人の文化が存続し、さらに花開くことを望むべきだろうか？

＊アメリカの人種問題の歴史について、基本的なこと（奴隷制度や人種隔離）しか知らないという人は、手始めに、２０１４年に『アトランティック』誌に掲載されたタナハシ・コーツの「賠償請求訴訟」（The Case for Reparations）という論考を読むとよい（賠償についてはあとで論じるので、その意味でもこの論文はおすすめだ）。これは、私がジョージア州の公立学校時代に読まされたどんな記事よりも効果的に、私たちの歴史の重みと、それが黒人の重荷になっている状況を教えてくれる。私の子どもがこの本を読める年齢になったら、ぜひ読ませるつもりだ。

差別

私はそうは思わない。その理由を説明しよう。

黒人文化の美しさは、抑圧に抵抗し、それを超越するために使われてきた方法と結びついている。黒人の歴史は、ジャズやヒップホップを生み出した。そしてマヤ・アンジェロウやジェームズ・ボールドウィン、ソジャーナ・トゥルース、マーティン・ルーサー・キング・ジュニアなど、多くの人物を世に送り出した。

ベルが言うように、私たちが「黒人」の作家や活動家、芸術形態を称えるとき、私たちはそれらを闘争と克服の歴史と結びつけている。

白人の文化には、そのような美しさはない。それは抑圧された人びとの反対側で生まれたものだ。たまたま白人であったとしても、個人を祝福することはできる。それは間違いない。作家、アーティスト、アスリートなど、大勢の白人を私たちは祝福している。彼らの物語にも苦難と偉大な達成がある。

また、アイルランド人、イタリア人、ゲルマン人、ユダヤ人など、白人に区分されるコミュニティの文化を称えることもできる。

しかし、白人としての彼らを祝福するという考えにはぞっとさせられる。

白人というアイデンティティは、他者の痛みを鉄床《かなとこ》としてかたちづくられたものだ。[42] それ以上のものではない。それは特権の源だが、意味の源ではない。

そうは考えない人もいる。自分が白人であることに誇りを持つ人びとだ。彼らは間違っている。白人性を歓迎している彼らは、白人のなかでも最悪の白人だ。

白人性は汚染されている。彼らの中に、その汚染のもっとも醜悪な結果を見ることができる。黒人性と違い、白人性は自らの負の起源を克服することができない。いつか、白人性を重要なアイデンティティと考える人がいなくなる日が来ることを願いたい。

白人というだけで責任があるのか?

レックスは4歳のとき、もちろんそんなことまでは理解していなかった。彼の考えは、本で読んだ公民権運動についてのストーリーによってかたちづくられたものだ。そこに出てくる黒人はいい人だ。白人はだいたい悪い。だからぼくは黒人になりたい。*

この章の最初のほうにも書いたが、レックスが言ったことを聞いても驚かなかった。私が注目したのは、レックスが言ったことの後半部分だ。「ぼくたち、そんなことしなければよかったのに」と彼は言った。レックスはこの言葉で、自分も悪いことをした集団の一員であると考え、それを悔いていることを示したのだ。

理解していただけるだろうか。多くの白人はレックスと違って「私たち」とは言わないだろ

＊ビバリー・ダニエル・テイタムは『なぜ黒人の子どもたちはカフェテリアで一緒に座るのか』のなかで、人種について子どもと話すときは、白人のポジティブなロールモデルを紹介することが重要だと強調している。私が息子たちに教えた最初のロールモデルは、先ほど紹介した『ジャッキーとハンクが出会ったとき』という本に登場する、ジャッキー・ロビンソンをサポートしたハンク・グリーンバーグだった。この本については、またあとで紹介する。

差別

う。奴隷制度や人種隔離政策などの悪事に対して悔恨の情を表明するとしても、三人称で表現するはずだ。その理由ははっきりしている。「過ちがあったのは昔のことで、自分は関与していない」と思っているからだ。

だが、白人の多くは自分が犯した罪の責任を取る必要がある。昔ほど露骨ではないかもしれないが、人種差別は過去のものではない。私たちの社会にはまだ深刻な差別があり、それを否定することはできない。当然、だれもが現在の自分の行動に責任がある。

しかし、私の問いはその「当然」の先にある。

いま生きている白人は、白人であるというだけの理由で、奴隷制度や人種隔離といった過去の過ちにも責任があるのか？　自分は関わっていなくても、現在の差別に責任があるのか？　言い換えれば、人種を根拠として行為の責任を問うことはできるのか？

それはできない。以下にその理由を述べる。

道徳に関わる責任は個人的なものだ。だれでも自分が犯した罪には責任があるが、他人の罪については責任はない。5章で触れたが、私の母方の祖母はいい人ではなかった。彼女は自分の子どもも自分のきょうだいもぞんざいに扱った。私はその遺伝子を受け継いでいるが、犯した間違いは受け継いでいない。彼女がしたことで私を責めるのはお門違いだ。私たちは、人格を疑いたくなるような行動をした人を非難する。[43] だが、祖母の行動は私の人格と何の関係もない。

同じことが、奴隷制度や人種隔離政策などの歴史的過ちについても当てはまる。そうした悪行は、それに加担した人びとの悪の反映だ。彼らの行動は、彼ら以外のだれかを非難する根拠にはならない。現代の白人も、それを根拠として非難されるべき対象ではない。

ボーイング社と「白人」の違い

この考えは、個人の責任に関するかぎりにおいては有効だ。しかし、ここで考えを止めてはならない。責任は個人的なものだけではないからだ。

ボーイング社のことを考えてみよう。同社は737マックスの設計で手抜きをした。[44] その結果、2機が墜落して数百人が死亡した。私たちはボーイング社を非難することができる。同社には航空機の安全性を確保する責任があったが、それを果たさなかったからだ。その失敗で、人命より利益を優先するという同社の体質的欠陥が露呈した。

なぜ私たちは、事故につながる決定を下した個人ではなく、ボーイング社を責めるのだろう？　責任者を特定できるなら、会社だけでなく彼らも責めることができるし、責めるべきだ。しかし、ボーイング社は部分の総和を超える大きな存在だ。個人ではだれもボーイング737を製造できないが、ボーイング社にはできる。個々の従業員には航空機の安全を確保することはできないが、ボーイング社にはできる。

私の家がある通りは、間違いなく世界でもっとも多くの法哲学者が住んでいる（人口当たりの話だが）。九人の住人のうち法哲学者が三人いる（レックスとハンクはカウントしていない。彼らを加えれば法哲学者は五人になる）。

ウィル・トーマスは、三人いる哲学者の一人だ。彼の家は通りを挟んでわが家の向かいにある。彼は息子たちにせがまれて、しょっちゅうサッカーゴルフ（彼らはそう呼んでいる）に興じているが、それは彼の本業ではない。トーマスはミシガン大学のビジネススクールで教えており、問題を起こした企業を罰する方法について研究している。

過去長いあいだ、私たちは企業を罰することができなかった。昔のアメリカでは、企業で働く個人を罰することはできても、企業そのものを罰することはできなかった。

しかし19世紀末になると、それが変わった。なぜか？　企業が変わったからだとトーマスは言う[45]。企業の組織形態が新しくなり、それまでより複雑化したのだ。個人商店主が税金をごまかしたなら、問題はその個人にある可能性が高い。しかし、ボーイング社には10万人以上の従業員がいて、航空機の設計や試験といった複雑な仕事の責任は数百人で分担している。

仕事が分担されているため、ボーイング社の失敗の責任を特定の従業員に帰することはできない。ボーイング社の事故は、個別に取り上げれば大したことのない多くのミス、ほかの従業員がきちんと仕事をしていればどこかでカバーできた程度のミスや見落としの結果だったのかもしれない。

極端なケースでは、個人はだれも悪くないのに、会社として間違いを犯すということもある。会社の体制や組織に問題があったということだ。そのような場合、責められるべきは会社のみであり、そこで働く個人ではない、とトーマスは言う。

だが、従業員に問題があった場合でも、会社が非難されることがある。それは、会社が独立した道徳的主体だからだ。ボーイング社は理性に従って意思決定できるのだから、行動に表れた同社の人格に問題があれば、同社を責めることができる。

では、ボーイング社を責めるように、白人という集団を責めることはできるだろうか？

それはできない。白人という集団は、個人の集合であって法人ではないからだ。人種による集団は、部分の総和以上にはならない。白人という集団の中には、集団としての意思決定を下すための組織がない。個々の白人は自分の行動に責任があるが、白人という集団がその構成員とは別に責任を問われることはない。

責任がなくても責任を取る

以上のことから、人種を根拠として責任を問うことはできない、というのが私の結論だ。同じ人種だからといって、その人種に属するほかの人の行為について責任を問われることはない。奴隷制度や人種隔離のような過去の過ちに対して責任があるのは、当時それに関わり、いまも生きている少数の白人に限られる。

しかし、すべての白人がその責任を取るべきだ。

「責任がある」ことと「責任を取る」ことは違う。悪いことをしていながらそれを認めず、何の対応もしない人がいる。それは自分の行為に責任を取っていないということであり、それ自体が別の悪だ。* だから私は子どもたちに、間違ったことをしてしまったら、間違いを認めて、過ちを正すためにできるだけのことをしなさいと教えている。そうでなければ、また間違いを繰り返すことになる。

ほとんどの場合、責任を取るのは自分に責任があるときだ。しかし、自分に責任がなくても責任を取ることは可能だし、責任を取るべきときもある。

デイヴィッド・エノクもそう言っている。[46] 彼も法哲学者だが、私の家がある通りには住んでいない。ヘブライ大学で教えているからだ。私は彼と議論するのが大好きなので、彼が近所に住んでいたら最高なのだが。私と彼はほとんどすべてのことで意見が食い違う。自分が間違っているのだろうかと心配になることも多いが、それこそが知的論争の最高の醍醐味だ。

そんなエノクだが、この主張は正しい(私がそれを認めたことはエノクに知られたくない)。自分に責任がないときでも責任を取ることはできるし、そうすべきときもある。

子を持つ親はしばしばこの立場に立たされる。

たとえば、自分の子がよその家で遊んでいて、何かを壊してしまったとしよう。人の物に注意するよう教えなかった親に責任があるケースもあるかもしれないが、ほとんどの場合、親が何か間違いを犯したわけではないと考えるのが普通だろう。どんなに言い聞かせていても、子どもは何かしら粗相をする。

それでも、親は子どもがしたことを謝り、何らかの償いをしようとするのではないだろうか。自分に責任はなくても、責任を取るべきだと考えているからだ。

なぜ親はそう考えるのだろう？

これは興味深い問いだ。

親は、自分の子どもには他人に迷惑をかけてほしくないと思うものだ。そう思う背景には実利的な計算があるかもしれない。つまり、自分が静かな家でくつろぐために（あるいは子どもに友だちができるのはいいことだと思うので）、友だちの家に行って遊んでほしいのかもしれない。それなのに、その家の物をわが子が壊してしまったら、もう家に招いてもらえなくなるかもしれない。それは困るから、弁償を申し出るのかもしれない。

しかしこの親の行為は、そんな実利だけを考えたものではないと思う。実際のところ、自分の子どもが引き起こした問題の責任を取ろうとしない親は、人としてどこか間違っている。ただ、それをどう説明すればいいのかが私にはわからない。いまのところ、私なりの答えは次のようなものだ。

私たちは、自分に親切にしてくれた相手に負担がかかることを望まない。とくに想定外の負

＊ここで言う「責任を取る」の意味は、ロバート・ポール・ウルフの権威に対する異議申し立てについて論じたときの意味〔168ページ参照〕とは違う。ウルフは、行動する前に理由を考え、それに基づいて何をすべきかを決めるという意味で責任を取ることが必要だと論じたが、ここでの議論は、行動したあとで責任を取ること、つまり自分の過ちを認めるという意味の責任である。

担は望まない。「子どもを家で遊ばせてくれてありがたい、いつかお返しをしなくては」と思っている相手の家で子どもが何かを壊してしまったら、ただお返しをするだけでは釣り合わなくなる。だから責任を取って弁償し、想定以上の負担を相手に与えないようにするのだ。*

利益を享受する者は、その負担も負うべき

自分に責任がないのに責任を取るのは、子を持つ親だけではない。そのことをエノクは、人種について考えるヒントになりそうな事例を挙げて説明している。

エノクは、自分の国が行ったことを嫌悪している人物を登場させる。[47] おそらく正当化できない戦争を始めてしまったのだろう。それは彼女のせいではないかもしれない。彼女は戦争を起こした政治家に反対票を投じていたかもしれない。戦争に抗議したかもしれない。

しかしエノクは、それでも彼女は責任を取るべきだと言う。それは、戦争について謝罪することかもしれないし、戦争の影響を軽減するために努力することかもしれない。戦争に賛成していないからといって、自分は手を汚していないと考えるのは間違っているとエノクは言う。

私は、白人はそれと同じような立場にあると思う。

自分が人種隔離政策に加担していなくても、それに抗議していたとしても、そのときまだ生まれていなかったとしても関係ない。自分に責任がないからといって、無関係を決め込むことはできない。私たちは責任を取るべきだ。

それはなぜか？　「利益や恩恵を受ける者は、それにともなう責任や負担も受け入れるべきだ」という古い慣習法の公式がある。「Qui sentit commodum, sentire debet et onus.《キー・センティート・コモドゥム、センティーレ・デベート・エト・オヌス》」という意味だ。

これは、ある種の財産紛争を解決するための原則だが、人種問題にも当てはまると思う。白人は、本来存在しなかったはずの社会階層の頂点に立ち、特権的な地位を占めているのだから、そんな階層を取り壊すために自分の役割を果たすべきだ。

もう一つの理由はもっと単純で、人種に関係なくすべての人に当てはまる。**イザベル・ウィルカーソン**がそれを、最近出版した『カースト――アメリカに渦巻く不満の根源』（岩波書店）で述べている。彼女はアメリカという国を一軒の家に見立てている。外から見れば美しいが、

＊話がさらに複雑になるが、弁償の申し出を受けた側は、おそらくそれを断るべきだ。友人間でお金をやりとりするのは気まずいことだし、損得や貸し借りの類いを細かく気にしないことが友人であることの表れでもある。

壊された物がよほど高価な物でないかぎり、弁償の申し出に対しては、「気にしなくていい」と返すのが普通の対応だ。少なくとも友情を維持したい（あるいは友情を築きたい）場合はそうだ。壊れた物が高価だったり、代わりを見つけるのが困難な場合は話が少し違ってくるが、その場合は、そんな物を子どもの手が届くところに置いていたという責任も問題になる。

ともあれ、一方の側には何かを申し出ることが求められ、もう一方の側にはそれを辞退することが求められるという展開は、人間関係の微妙さが凝縮されているようで興味深い。一方は自分に責任のないことの責任を取ろうとしなくてはならず、他方はその必要はないと申し出を断らなくてはならない事態が生じていることになる。そうすることが双方にとって、相手に対する正しい態度ということになる。

近づくと「ストレスによるひび割れ、反り返った壁、土台に入った亀裂」が見える家だ。[48]

それは、いまの住人のせいではない。だがウィルカーソンはこう考える。

「多くの人は当然こう言うだろう。『私はこんなことになったそもそもの発端とは何の関係もない。過去の罪と私には何の関係もない。私の先祖も、先住民を攻撃したこともなければ、奴隷を所有したこともない』と」[49]。きっとそのとおりなのだろう。だが、それは関係ない。私たちはこの家を受け継いだ。「よいものも悪いものも含めて、私たちが相続人であることは間違いない。不揃いの柱や根太《ねだ》を組み立てたのは私たちではないかもしれないが、いまこの家は私たちのものなのだ」[50]

この状態を放置するなら、この家は崩壊する。だが私たちには家を「修復する」という選択肢がある。

親にできるのは子どもと話すこと

どうすれば修復できるのか。

その問いに簡単な答えはない。しかし、私たちにできるもっとも強力なことの一つは、子どもに話をすることだ。白人の親は、人種差別について子どもに教える必要がある。息子たちが初めて「ブラック・ライブズ・マター」のデモをニュースで見たとき、私は、警察官は正当な理由がなくても、あるいは理由などまったくなくても、黒人を殺すことがあるという話をした。

それを教えることは難しく、子どもたちも受けとめるのに苦労した。とくにハンクは、警察官が悪いことをするかもしれないということが、なかなか理解できなかった。

「警官が悪いことをしたら、ほかの警官がつかまえてくれるよ」とハンクは言った。それは彼なりに考えた事実の指摘だが、質問でもあった。

「黒人を殺した警官が罰せられることはめったにないんだ」と私は言った。そのとき、彼の無邪気さが少し失われたのがわかった。

正義の味方はいい人で、悪いヤツは罰を受ける。本やテレビのストーリーはそのように進む。しかし一歩家の外に出た現実の世界はそうではない。

こんな話を子どもとするのは気が重いが、黒人の親が子どもに人種問題を語るときに直面する深刻さとは比べものにならない。

ハンクが「警官はぼくを撃ったりしないよね」と安心の保証を求めてきたら、私はそれに応えてやることができる。だが黒人の親にはそれができない。黒人の親が子どもに教えることは、警官から身を守る方法だ。危ないことはないんだよと、子どもに安心を与えることができない。

最近、友だちの**エコウ・ヤンカ**と話した。彼も法哲学者で、とくに治安維持と刑罰の専門家だ。私たちは、親として――私は白人の親として、ヤンカは黒人の親として――人種について子どもと話すとき、何を伝えるべきかという話をした。

私の場合は、子どもたちに白人が置かれている有利な状況を教え、その有利さは不公平だという事実を理解させ、世界をより公正にするのは自分たちの責任であると思わせることがおもな仕事だ。

ヤンカが伝えなくてはならないことはもっと切実だ。子どもたちに、いつか直面することになる敵意に備えさせなければならない。不公平な事実に対処できるよう助言を与えなくてはならない。そして、まったく理不尽なことを理解するために考えさせなければならない。

ヤンカの関心はある問題に集中している。黒人は、自分たちをこんなにも長いあいだひどい方法で扱ってきたこの国と、どう向きあえばいいのか？

考えるまでもなく、そこには悲しみと怒りがある。拒絶という対応も仕方ないのかもしれない。しかし、ヤンカはあきらめず、自分の子どもにもあきらめるなと教えている。

彼はこう考える。アメリカの物語はまだ書かれている途中だ。これまでのところ、それは黒人にとって醜悪な、かたちを変えながら何百年も続いている抑圧の物語だ。だがそこには新たな建設の足がかりにできる前進もあるし、よりよいものの種もまかれている。

奴隷にとって7月4日は何の日か？

ヤンカは**フレデリック・ダグラス**の有名な演説「奴隷にとって7月4日は何の日か？」からインスピレーションを受けている。独立記念日にぶつけたこの演説の冒頭、ダグラスはかつて奴隷だった人びとが驚くような言葉で、アメリカという国とその建国に携わった人びと、そして建国の理念を称えた。

独立宣言に署名したのは、勇敢で、偉大な人たちだった。尊敬すべき政治家、愛国者、英雄でもあった。彼らがなした良き業《わざ》と、闘い守り抜いた原則を覚え、私はあなた方と心を合わせて彼らを称えよう。[51]

ダグラスは真摯な思いで、建国の父たちの徳と、自由のための闘いをしっかりと褒め称えた。しかし、と彼は主張の方向を変え、アメリカは建国の理念に従っていないと断言する。「あなた方の父祖たちが遺した正義、自由、繁栄、独立という豊かな遺産は、あなた方に与えられたが、私たちには与えられなかった[52]」

ダグラスの言葉に曖昧さはない。彼は奴隷制度を「アメリカの大罪、恥辱[53]」と呼ぶ。そして、演説のタイトルでもある「奴隷にとって7月4日は何の日か？」という問いに答えるかたちでアメリカを糾弾した。

アメリカの奴隷にとって、7月4日はどういう日か。答えははっきりしている。ほかのどの日にもまして、私たちを虐げるはなはだしい不正と残忍さが露《あら》わになる日だ。奴隷にとって、あなた方の祝典はまがいもの、あなた方が誇る自由は汚らわしいご都合主義、あなた方の国の偉大さは思い上がった虚栄、あなた方の喜びの声は空虚で非情だ。あなた方が暴政に対して上げる非難は厚顔無恥、自由と平等を求める叫びは空疎な偽りだ。祈りも賛美歌も、説教も感謝の捧げ物も、それらを飾る宗教の隊列も荘厳さも、奴隷の目にはただの大言壮語、詐欺、偽り、不敬、偽善であり、泥にまみれた粗野な国の犯罪を隠すための薄っぺらいベールにすぎない。[54]

それでも、ダグラスは演説の最後で「私はこの国に絶望していない」と言う。[55]

それはなぜか？　ダグラスは聴衆に、独立宣言に記されている「偉大な原則」を想起させ、アメリカにはまだそうした原則に従って前に進んでいける可能性があると訴えているのである。

ヤンカは子どもに話をするとき、ダグラスにならう。婉曲な言い方はしない。アメリカ社会の不正の重大さを隠すことも、被害を割り引いて伝えることもない。

しかし、子どもたちには社会をよい方向に進めることは可能だと知ってほしいと願っている。平等はアメリカと無縁の価値ではない。それは合衆国憲法に刻まれている。いまこの国はその要請に従っていないが、アメリカの物語は――そして闘いは――まだ終わってはいないのだ。

私はヤンカに、私の子どもたち（レックスとハンク）に何を学んでほしいと思うかをたずねた。

「それははっきりしている」と彼は言った。「親切にするだけじゃ足りないということだ」

もちろん、互いに親切にすることは大切だ。しかし、子どもたちに、それだけ心がけていればいいと思わせてしまったら、問題のほとんどはいつまでも変わらない。

親切にするだけでは、黒人は十分な医療を受けられない。貧富の差も縮まらない。学校への補助金も平等にならない。警官の行為に不安を覚えたハンクを私は安心させることができるが、黒人の親は子どもを安心させることができない。

私たちが互いに対してどう行動するかは重要だ。しかし、私たちがコミュニティとしてどう行動するかのほうがはるかに重要だ。問題を解決したければ、国にこれまでの過ちの責任を取らせ、正しい行動を取らせなくてはならない。

賠償は「支払い」ではなく「プロジェクト」である

ボーイング社がそうであるのと同じ理由で、アメリカという国はその国民とは別個の道徳的主体だ。国はたんなる人の寄せ集めではない。政府は理性に従って行動できるように組織されているのだから、その行動に責任がある。

人種問題については、アメリカが行ってきたことは悲惨の一語に尽きる。国は奴隷制度、人種隔離政策、赤線引き、大量収監、そのほか私たちを苦しめている多くのことに責任がある。しかし、この国はその責任をほんの少しでも取ったことがない[56]。私たちは持てる力のすべてを振りしぼって、国に責任を取らせなくてはならない。

具体的には、どんな行動を取らせればよいのだろう?

最近、「賠償」について強い関心が寄せられている。2014年に、タナハシ・コーツが『アトランティック』誌に「賠償請求訴訟」という記事を発表した[57]。

記事は奴隷制度にも多少触れているが、ほとんどがそれ以後の問題を取り上げており、とくに20世紀になされた罪に焦点が当てられている。コーツは、赤線引きが社会をどう変えたか、差別された地域で吹き荒れた物件差し押さえが特定の人びとにどんな影響を与えたかを、たんねんに掘り起こしている。

コーツの文章を読むと、私たちは犯した過ちを正さなければならないという思いが強く迫ってくる。これは終わったことではなく、いまも私たちの問題だ。いま責任を取らなければ問題は将来も続く。

どう責任を取ればいいのか？　まずは謝罪することだ。そうして過去の過ちを断ち切らなくてはならない。もちろん、被害を修復する努力も合わせて行わなければ、言葉だけの謝罪は空しい。*

すべてを何もなかった昔に戻すことはできない。もっとも深刻な被害を受けた人びとの多くは、もう亡くなっている。しかし、これから人間を平等に扱う社会を築いていくことはできる。それが賠償の真の目的だ。

ダニエル・フライヤーは、私と同じ通りに住む三人目の法哲学者だ。彼は賠償と人種的正義を研究している。

賠償の水準については、「奴隷制度や人種隔離がなければ黒人が立っていたはずの位置」を基準にするという考え方があるが、フライヤーはそれは違うと言っている。そんなことは不可能だからだ。時間を戻すことはできないし、悪が行われていなかった場合の現在を出現させることもできない。

彼はさらに、それは不可能なだけでなく、正しい目標でもないと言う。賠償は黒人と白人の関係を修復することを目的とすべきだ。[58] 黒人が白人と同じように扱われ、同じ自由を得られる社会をつくることだ。

どうやって？

それは難しい問いだ。もちろん、お金を使ってできることもある。さまざまな予算措置で、黒人をさまざまな機会から遠ざけている貧富の差を縮めることができる。学校を改善し、医療へのアクセスを向上させることもできる。

しかし、お金ですべての問題を解決できるわけではない。大量収監や警察の横暴、有権者に対する投票妨害行動〔たとえば有権者登録の操作や投票所の削減〕などを、お金で解決することはできない。

賠償は、現在の社会が黒人を二級市民のように扱っているあらゆる方法を根絶するものでなくてはならない。賠償は「プロジェクト」であって、「支払い」ではないのだ。それは簡単なことではない。フレデリック・ダグラスが要求したこと、つまり建国の理念を実現する社会が

＊言葉だけの謝罪は、悪を行った者にメッセージを送るためには罰には厳しい仕打ちがともなわなくてはならないという考えに反する。繰り返しになるが、言葉より行動こそが重要である〔157ページ参照〕。

築かれるまで、賠償に成功したとは言えない。

ジャッキーとハンクが出会ったとき

『ジャッキーとハンクが出会ったとき』という本は**ジャッキー・ロビンソン**と**ハンク・グリーンバーグ**の物語だ。二人は史上最高の野球選手だが、グリーンバーグはユダヤ人だという理由で、ロビンソンは黒人だという理由で、不当な扱いを受けた。

かつて野球は人種で分離されていたので、ロビンソンは最初、「ニグロリーグ」でプレーしていた。その後、**ブランチ・リッキー**〔米国野球界の改革者で、当時のドジャースの社長兼ゼネラルマネージャー〕が彼と契約し、ブルックリン・ドジャースに迎え入れた。デビューは1947年だった。

グリーンバーグはロビンソンより年上で、一足先にメジャーリーグ・デビューを果たしていた。そのころグリーンバーグはピッツバーグ・パイレーツでプレーしていたが、そろそろキャリア晩年にさしかかっていた。

両チームが初めて対戦したとき、二人の運命が文字どおり交差した。

最初の打席でロビンソンがバントをした[59]。そのとき、悪送球のせいで一塁手のグリーンバーグがベースから離れて二人は衝突し、ロビンソンが転倒した[60]。

次の回、今度はグリーンバーグが四球で出塁した。一塁で、グリーンバーグがロビンソンに

「ケガはなかったか」とたずねた。ロビンソンは「ない」と答えた。
グリーンバーグは「倒すつもりはなかった」と言い、こう付け加えた。「いいか、君を困らせようとする連中を気にするな。耐えて、やるべきことをやるんだ。君は立派にやっている」[61]
さらに、グリーンバーグはロビンソンを夕食に誘った。[62] それはロビンソンが相手チームの選手から受けた初めての励ましだった。[63] 彼は、それが自分にとってどれほど大きな意味があったかを回顧している。

レックスはその話が大好きで、私たちは何度もこの本を読んだ。

そのころ、彼は幼稚園に上がる前のクラスに入っていたのだが、私に、みんなの前でこの本を読んでほしいと言ってきた。もっとも、レックスは話のすべてをしっかり理解できていたわけではない。それはほかの子どもたちも同じで、読み終わると質問が続いた。

「どうしてユダヤ人は嫌われるの？」

「なぜ黒人は嫌われるの？」

「バントって何？」

最初の二つは答えるのに苦労したので、三つ目の質問で救われた。

「自分と違う人を嫌う人がいるんだ」と私は答えた。ずいぶん単純な答えだが、核心を突く答えでもある。

レックスもハンクも、もう絵本を読まなくなったが、『ジャッキーとハンクが出会ったとき』

は、いまもわが家の本棚にある。私たちの生活のなかで、あまりにも大きな役割を果たした本なので、手放すことができない。この本は、ユダヤ人を嫌う人がいるということを、息子たちが初めて知るきっかけを与えてくれた。

特権と不安定さの奇妙な混合

私は小学校に上がるまで、世の中にユダヤ人を嫌う人がいることを知らなかった。私は学校でただ一人のユダヤ人生徒だった（12年生〔日本の高校3年生〕までずっとそうだった）。小学1年生のとき、私は隣の席の女の子が好きで、彼女も私に好意を返してくれるのではないかと期待した。彼女がおへそを見せてくれたことも、私にはよい兆候のように思えた。ある日、彼女が私に話しかけてきたときは興奮した。だが彼女はこう言った。

「ユダヤ人がイエスさまを殺したのよ」

何を言われているのかわからなかったが、私はユダヤ人を弁護したかった。イエスというのがだれかよく知らなかったので、彼女の主張の妥当性を直接論じることはできなかったが、ユダヤ人について人格証拠《キャラクター・エビデンス》を持ち出して反論した。

「そんなことないよ。みんないい人ばかりなんだから」

「だけどママが、あなたたちがやったって言ってたもん」

集団の責任についての議論を思い出しながら、彼女の言葉にある「あなたたち」の意味を考えてほしい。

彼女の母親は間違っている。イエスを殺したのはユダヤ人ではなくてローマ人だ。しかし、その主張は多くの反ユダヤ主義の根底にあって、何世紀ものあいだしぶとくはびこっている。そこでユダヤ人は、二千年前にやったこと――正確には、やっていないのにやったと言われていること――の責任をねちねちと人に押しつけることのバカさ加減に気づいてもらいたいという思いから、それをジョークのネタにすることがある。

有名なのは**レニー・ブルース**〔コメディアン〕のジョークだ。

「わかった、きっぱり告白しよう……そうだ、オレたちがやった。オレがやった。オレの家族がやった。地下室で見つけたメモに書いてあったよ。『私たちが彼を殺しました――署名モーティ』って[64]」

サラ・シルヴァーマン〔コメディアン、俳優〕のはもっと傑作だ。

「キリストを殺したのはユダヤ人だって、みんな非難するよね。ユダヤ人はローマ人のせいにしようとする。でも、私は黒人が怪しいと思ってる。だれも賛成してくれないけど[65]」

シルヴァーマンのジョークは、アメリカに住むユダヤ人の社会的地位の重要な一面をとらえている。それは特権と不安定さの奇妙な混合だ。

特権は、ほとんどのユダヤ人が白人であるという事実からもたらされる。私たちは白人として扱われる。店でじろじろ監視されないし、タクシーを拾うのに苦労することもない。警官に嫌がらせをされることもない。まして危害を加えられる心配もない。

それでも、私たちはアメリカの白人クラブの正式なメンバーではない。シャーロッツビルでデモ行進した白人至上主義者たちは、「ユダヤ人に我らの地を奪わせるな」(Jews will not replace us.)という、かつてのナチスのスローガンを唱えた。[66] ユダヤ人を受け入れているように見えるアメリカでも、何が起こるかわからないという事実を思い知らされた瞬間だった。

ユダヤ人のなかには、自分たちの白人性を補強することで、その不安定さに対処しようとする者もいる。補強の方法として、根拠のない言いがかりで黒人をいじめることほど醜悪なものはない。だからこそ、シルヴァーマンのジョークが成立する。ばかげているから面白い。だが、現実を反映していて悲劇的でもある。

社会的地位をめぐる競争で、疎外された集団はしばしば互いに攻撃の刃《やいば》を向ける。ユダヤ人と黒人も例外ではなく、[67] 人種差別的なユダヤ人もいれば反ユダヤ主義的な黒人もいる。憎しみを煽る要因にはさまざまなものがあり、社会的地位をめぐるものだけではないが、人種による社会的位置づけが一役買っていることは確かだ。*

子どもたちに望むただ一つのこと

だが、白人性を補強したり、疎外された他の集団を攻撃したりすることなく、別の方法で前に進む方法がある。それはジャッキー・ロビンソンとハンク・グリーンバーグが選んだ方法だ。

彼らは連帯という方法を選んだ。それは二人が一塁ベース上で出会ったときから始まった。グリーンバーグはその後、クリーブランド・インディアンスのゼネラルマネージャーになった。彼は、黒人選手を受け入れないホテルに自分のチームを宿泊させることを拒否した。そして、テキサスリーグの人種統合に貢献した[68]。

ロビンソンは、とくに黒人社会のなかで、反ユダヤ主義を批判する声を上げた。あるユダヤ人ビジネスマンが反ユダヤ主義の攻撃にさらされたとき、助けようとしなかった黒人のリーダーたちを非難した[69]。

自伝のなかで彼は、「黒人を差別する者たちと同じ不寛容を他者に向けたり黙認したりしながら、黒人に対する偏見に抗《あらが》うことなどできない」と訴えている[70]。

『ジャッキーとハンクが出会ったとき』の中心的メッセージは「連帯」だ。ジャッキー・ロビンソンの闘いはハンク・グリーンバーグの闘いとは異なる。ハンクはジャッキーの苦境のほうがはるかに深刻なことも知っていた[71]。だが二人とも、憎みあうより助けあうほうが得るものが大きいことを知っていたし、連帯して助けあうのが正しいことだと知っていた。

私は、レックスとハンクに、彼らのようにものごとを見てほしいと願っている。虐げられている人たちの側に立ってほしい。不当な扱いを受けている人たちのために立ち上がってほしい。

＊なかには正当な怒りもある。アメリカに住むすべてのユダヤ人は、ジェームズ・ボールドウィンが1967年に書いたエッセイ「黒人は反白人主義であり、ゆえに反ユダヤ主義である」を読むべきだ(72)。

もしそうしてくれるなら、ほかに彼らに望むことはない。それだけで親として成功したと思えるだろう。

第3部

世界を理解する

Making Sense of The World

Chapter 8

知識

この世界は本当に現実か？

人生はすべて「夢」かもしれない

「ぼく、もしかして、ずっとゆめをみてるのかなあ？」とレックスがつぶやいた。

彼は4歳にしてすでに立派な哲学者だったので、そのつぶやきを聞いても私は驚かなかった。

夕食どきだったので、嫌いな野菜から逃げるための作戦だったのかもしれない。それなら作戦は成功だ。レックスは私のことをお見通しだったようだ。

「カッコいいこと言うじゃないか。デカルトという人も同じことを考えてたんだよ。レックスは自分がずっと夢を見ていると思うの？」

「わからないけど……。もしかしたら」

「夢を見てるんだったら、いまレックスはどこにいるの？」

「まだママのおなかの中かもしれない。まだ生まれていないとか」

それは私の考えとは違う。

「まだ生まれていない赤ちゃんは話せるの？」と私。

「はなせない」

「じゃあ、赤ちゃんのレックスがパパとこんな会話をしている夢を見られるのかな？」

「見られないかも」と彼は認めた。

しかし、レックスの疑問を、もう少しありそうなものに変えるのは難しくない。

「夢を見てるのが今日だったらどうかな？」と私はたずねた。「きのうの晩から寝たままで、まだ目が覚めていないとしたら。夢かどうかわかる？」

「わからない！」とレックスは言った。いま自分が夢まぼろしの世界にいるのかもしれないという考えを楽しんでいるようだった。

「夢ではない」とわかる方法はあるか？

人間はだれでも何かを疑うことがある。友だちの話が信じられないとか、これまで知っていると思っていたことは正しかったのかと疑いはじめるとか。

だが、自分の人生はまるごと夢かもしれないというレックスの考えは、ほとんどすべてのことを疑ってかかることであり、懐疑のなかでも根源的なものの一つだ。

「**夢の懐疑**」について最初に論じたのはデカルトではない。この考えは大昔から入れ替わり立ち替わり登場している。私が好きなのは、二千年以上前に書かれた道教の書物『**荘子**』に出てくるバージョンだ。


あるとき、荘周《そうしゅう》〔荘子〕は自分が蝶《ちょう》になった夢を見た。花から花へと飛びまわるのが楽しく、自分が荘周だとはまったく意識しなかった。ところが、夢から覚めてみると、驚いたことに自分は荘周だった。彼ははたと考え込んだ。荘周が夢で蝶になったのか、それとも蝶が夢の中で荘周になっているのか。[1]

私はハンク（そのとき8歳）に、荘周がそれを判断する方法はないのだろうかとたずねた。

彼は一生懸命考えて、「この人、疲れてるんじゃないかな。そうじゃなければ、きっと蝶になった夢を見て、いま起きたばかりなんだ」と言った。

なかなか賢い考えだ。しかし十分に賢いとは言えない。のちにハンクも認めるのだが、目覚めている状態の自分の夢を見ることもある。ただ、彼はその可能性は低いと考えた。母の胎内にいる赤ちゃんとしてであれ、蝶としてであれ、自分の一生を夢に見るなどということはありそうもない。

それなのに私たちが夢の懐疑について真剣に考えるのは、生涯夢うつつという状態が心配だからなのではなく、それを考えることで、私たちの知識や認識のあり方や、私たちと世界の関係が見えてくるからだ。

あらゆることを限界まで疑う

夢の懐疑について思いをめぐらせたデカルトも、そういうことを考えていた。

ルネ・デカルトは1600年代の人間だが、いまでも史上もっとも影響力のある思想家の一人に数えられている。その理由は、彼が数学において果たした貢献、とくに幾何学の代数的解析などにもあるが（5年生のとき、直交座標に y＝x＋2 の直線を引きなさい、などという問題に苦労した人は少なくないだろう）、それ以上に、間違った思い込みから人を解放しようとした努力と結びついている。

デカルトは何か特定のことを疑うのではなく、あらゆることを疑おうとした。[2]

なぜ？

自らの知識を確固たる土台の上に築きたかったからだ。そのためには、自分が知っていると思っていることをすべて疑うのが最善の方法だと考えた。疑って疑って、最後に疑う余地のない何かが残れば、それが自分の知識を再構築するための確固たる土台になると考えたのだ。

すべてを疑い抜こうとしたデカルトにとって、夢の懐疑は疑いの強力な源泉だった。いま、あるいはこれまでの人生のすべてで、自分は夢を見ているとすれば、自分が知っていると思っているほとんどのことが疑わしくなるからだ。

なぜそうなるのかは、いくつか自分に簡単な質問をすればわかる。いま自分はどこにいるのか？　いま何をしているのか？

デカルトはこう考えた。自分はいま、暖炉の前に座っていて、服を着ていて、紙を手に持っていて、そして夢の懐疑について文章を書いている。本当にそうだろうか？

彼はまず、もしかしたら自分はベッドの上で眠っているのではないかと疑った。だが、そうは思えなかった。これほど鮮明に、いままさに経験しているように思える夢などありえない。

しかし彼はこうも思った。

これまで何度も、本当は夢なのに実際に起きていることだと錯覚したことがあったじゃないか。[3]ということは、自分が起きているのか夢を見ているのか、絶対に間違わずに判断できるようなしるしはない。

いま、あなたも同じような状態にある。この本を読んでいるぐらいだから、きっと、自分は起きていると思っているだろう。しかし、あなたもデカルトと同様、あれは夢だったのかと驚いたことや、やれやれ夢でよかったと安堵したことがあるはずだ。だとすれば、いま自分は夢を見ているのではないと確信することは難しい。

いま自分は目を覚ましているかどうかさえ確信できないなら、これまで経験してきたことの確かさを確信できるはずがない。あなたにははっきり記憶している出来事や体験があるだろう。しかし、それが夢でなかったと言いきれるだろうか？

荒唐無稽な懐疑論的仮説

ここまで読んで落ち着かない気分になってきた人は、知識のなかには夢の懐疑に影響されないものがあると知れば少し安心できるかもしれない。

デカルトの観察によると、自分が起きていようが寝ていようが正しいことがある。夢の中でも正方形には四つの辺がある。寝ていても2＋3＝5という事実は変わらない。[4] だから、ほかのことは確信できなくても、この種の真理は確信することができる。

ところが、その確信も磐石《ばんじゃく》ではない。デカルトはこの種の事実にも疑問を投げかけた。夢の懐疑にも限界があることに気づくと、彼はさらに強力な、だれも思いつかなかったような荒唐無稽な懐疑論的仮説を持ち出した。邪悪な天才が自分の思考を支配しているかもしれない、というものだ。[5]

その天才を、人気漫画の悪役にちなんでドゥーフェンシュマーツ博士*と呼ぶことにしよう。

＊ドゥーフェンシュマーツと聞いてピンとこない人は、子どもから『フィニアスとファーブ（*Phineas and Ferb*）』を借りて読むとよい。ハンクのおすすめでもある。

知識

ドゥーフェンシュマーツがデカルトを欺《あざむ》いて、頭の中をウソでいっぱいにしたのかもしれないというわけだ。

なぜそんなことをする必要があるのか？　正直なところ、そんなことをするのが天才にふさわしい時間の使い方とは思えないし、デカルトもドゥーフェンシュマーツがなぜ自分を欺こうとするのかを説明していない。

しかし、ともかくドゥーフェンシュマーツが自分をだましている可能性があるということが、デカルトにとっては大問題だった。もしそうなら、疑う余地のない数学的事実も含めて、信じていることすべてに確信が持てなくなるからだ。彼の思考のすべてをドゥーフェンシュマーツが欺いているかもしれないのだから。

あなたも欺かれているのかもしれない。ドーフェンシュマーツはあなたの脳を体から取り出して水槽に入れ、電極につなぎ、あなたが経験したと思っていることのすべてを脳にインプットしているのかもしれない。だとしても、あなたがそれに気づくことはできない。

あなたは、自分はいま服を着て、椅子に座って（あるいはベッドで横になって）、この本を読んでいると思っているかもしれないが、じつはそのいずれも行っていないのかもしれない。あなたは服を着ていない。裸でもない。つまり身体がない。脳だけの存在だ。自分は本を読んでいると思っているかもしれないが、本などどこにもなく、すべて頭の中にあることにすぎないのかもしれない。

そんなことがあり得るのだろうか。その可能性を否定することはできない。確かに言えることは、外の世界が精巧な幻想にすぎない可能性があるということだけだ。そこに何かが実在していようと、実在していまいと、あなたの目にはまったく同じに見えるということだ。

「自分は存在する」ことだけは知っている

ハンクと私は、荘周の話の次に、デカルトとドゥーフェンシュマーツの話をした。

「いくらドゥーフェンシュマーツがだまそうとしても、デカルトにとって、これだけは確実だとわかることってあると思う？」と私はたずねてみた。

ハンクは即座に答えた。

「自分はいま考えているということはわかる」

「ドゥーフェンシュマーツはどうして、それについてはデカルトをだませないの？」

「ドゥーフェンシュマーツはデカルトに、何か考えさせることはできるよ。でもデカルトが自分は考えていると考えるなら、つまり考えているということなんじゃないかな」

まさにそのとおり。デカルトもそう考えた。[6] どんなに極端な懐疑論にも限界があるということだ。

デカルトは「私はいま考えている。そのことは疑いようがない」と考えた。そしてその考えから、ドゥーフェンシュマーツにだまされた結果ではありえないもう一つの考えを導き出した——それが「私は存在する」という考えだ。

この推論は、ラテン語の「**コギト・エルゴ・スム**」（cogito, ergo sum）にちなんで「コギト」と呼ばれている。訳せば「われ思う、ゆえにわれあり」となる。

すべてが疑わしくても、デカルトはそれだけは言えた。「自分は存在する」ということだけは知ったのである。

しかし、パスタの買い置きがあったかどうかも知っている

ハンクの推論はなかなかのものだ。[7] デカルト以上かもしれない。

でも、本当に人がはっきり言えるのは「自分は存在する」ということだけだろうか。

私たちはだれもそんなふうに思って行動していない。次の質問を考えてほしい。

・映画が何時から始まるか、知ってる？
・どっちに行けば大通りに出るか、知ってる？
・パスタの買い置きがあったか、知ってる？

私たちはいつもこんな問いを発しながら暮らしているが、「パスタを見たのは夢かもしれないから、本当にあるかどうかはわからない」などと答える人はいない。「悪魔にだまされているかもしれない」などという答えは、もっとありえない。

子どもにソックスの場所をたずねられたとき、こんなふうに答えたらどうなるだろう。


「パパ、ぼくのソックス、どこにあるか知ってる？」

「何かを本当に知ってる人なんているのかな？」

「どこにあるの⁉」

「見たと思うけど、本当に見たかどうかわからない。夢だったかもしれないし」

「パパ！　ぼくのソックスどこで見たの？」

「ソックスって本当にあるのかな？　もしかして幻を見てたのかも……」


これはこれで面白そうだが、こんなことを言いはじめたら、そのうち相手は怒り出すだろう。デカルトの懐疑論によって日常生活の知識がすべて消えてなくなるなどとは、だれも思わないはずだ。

では、何かを確かに知っていると言うためにデカルトが採用した方法は間違っていたのだろうか？　それとも、私たちは徹底的に混乱していて、本当は知らないことを知っていると思い込んでいるだけなのだろうか？

どうすれば「知っている」と言えるのか?

その答えは、「知っている」とはどういうことかによる。私たちは長いあいだ、「知っている」とはどういうことかを知っていると思っていたが、じつは知っていなかったことがわかった。

最近、レックスに質問した。

「どんなときに、何かを知ってるって言えるのかな?」

「どういう意味?」

「そうだな、パパもレックスも、ママがいま買い物のために店にいることを知ってるよね。でも、そのことを知っているというのは、どういう意味なんだろう?」

「頭の中にあるということかな」とレックスは言った。

「頭の中にあることは全部知っているということ?」

「正しいことでなくちゃダメだ。もしママが本当は店にいないのなら、ママが店にいると思っていたとしても、知っているとは言えないと思う」

「じゃあ、頭の中にあって、それが事実だったら、知ってるって言えるんだね?」

「だと思うけど」とレックス。

「パパは、そこがよくわからないんだ。たとえば、レックスが明日は雨が降ると思っているとするよ。そして、実際に明日雨が降るとしよう。でも、いまはまだ明日の天気はわからない。それなのにレックスはなぜ雨が降ると思っているかというと、毎週火曜日には雨が降ると思っていて、明日は火曜日だからなんだ。でも、火曜日には必ず雨が降るなんてことはないよね。そんなのはバカげた思い込みだ。この場合、レックスは明日雨が降ることを知っていると言えるのかな？」

念入りに考えてから、レックスは「言えない」と答えた。「雨が降ると思う理由が、ちゃんとした理由でないと、本当に知っているとは言えないと思う」

最後の質問は少し誘導尋問めいていたが、私が望んだ地点までレックスを導くことができた。この簡単なやりとりで、レックスは知識についての伝統的な考え方を整理してくれた。それは、何かを知っているというのは、それについて「**正当化された真なる信念**」(justified true belief：ＪＴＢ)を持っていることであるというもので、哲学者はこれまでずっとそう考えていた。[8]

どういう意味か説明しよう。

何かを知っていると言えるためには、まず第一に、レックスが指摘したように、それが頭の中になければならない。しかも、頭の中にありさえすればいいわけではない。そうであってほしいと「望んでいる」というのではだめで、「信じている」ことが必要だ。

第二に、それが事実でないなら、知っているとは言えない。知っていると言えるためには、

知識

それが本当のことでなければならない。

　そして第三に、信じていることを正当化できなくてはならない。つまり妥当な根拠がなければならない。たんなる推測によるものや、明らかに誤った情報による思い込み（毎週火曜日には雨が降る）では、何かを知っているとは言えない。

　この「正当化された真なる信念」という基準は、だれも気づいていなかった抜け穴を**エドムント・ゲティア**という哲学者が指摘するまで、正しいものとして広く受け入れられていた。

たった3ページの衝撃的論文

　ゲティアはウェイン州立大学で教えていたが、終身在職権の審査時期が迫っていた。彼は論文を書いていなかったので、権利が与えられる可能性はなかった。[9]「出版するか滅びるか《パブリッシュ・オア・ペリッシュ》」と言われているとおりだ。ゲティアは同僚から、何か業績を残さないと仕事を続けられなくなると言われた。

　そこで彼は、たった一つだけ温めていたアイデアを論文にまとめた。１９６３年に発表されたその論文はわずか３ページ。「正当化された真なる信念は知識か？」という疑問形のタイトルが論文のテーマを示していた。

　ゲティアはその問いに「ノー」と答え、ＪＴＢの基準では必ずしも知識とは言えないという反証を二つ提示した。[10]そのままだと少し複雑なので、彼の発想を援用して、私なりに簡単な例を挙げることにする。

あなたは自分の家に『料理の愉《たの》しみ』という本があると信じている。数年前に買った本で、何度も使っている。家には確かにその本がある。あなたが信じているのは本当のことだ。

だが、あなたは知らなかったが、いま家にあるのはあなたが買った1冊ではない。それはあなたのパートナーがだれかに貸したきり、まだ返してもらっていなかった。

ところが、たまたま、あなたがその本を持っていることを知らない友だちが、誕生日にそれをプレゼントしてくれた。本はギフト用に包装され、あなたはまだ開封していない。

さて、あなたは自分の家に『料理の愉しみ』があることを知っていると言えるだろうか？

あなたは「ある」と考えている。実際にある。その本を買い、何度も使っているのだから、本が家にあると考える正当な理由もある。つまり、ＪＴＢの基準が妥当なら、あなたは自分がその本を持っていることを知っていると言える。

しかし、ゲティアはその考えは間違っていると指摘した。そして、このようなケースでは、ほぼ全員がゲティアに同意した。つまり、家に本があるのは好運な偶然であって、あなたは本があると知っているとは言えない、というのである。

解決不可能な難問

ゲティアの論文は哲学者たちに衝撃を与えた。知識とは何かを哲学者たちが知らなかったという事実を突きつけたからだ。

この論文以後、哲学者はＪＴＢの穴を埋めるために躍起になった。つまり、どんな条件を加えれば何かを知っていると言えるのかを確定し、ゲティアの提起が引き起こした混乱――のちに「**ゲティア問題**[*]」と呼ばれるようになった――を収拾しようと必死の努力を始めたのだ。哲学者たちはこの問題に何十もの解決策を提案したが、どれもうまくいかなかった[11]。

そこに登場した**リンダ・ザグゼブスキ**が、うまくいかなくて当然であることを論証し、ゲティア問題を解決しようとする多くの哲学者の望みを打ち砕いた。ザグゼブスキは、事実でなくてもそれを信じることを正当化できる場合があるという（理にかなった）前提から出発するかぎり、ＪＴＢにどんな条件を付け加えたところで、何らかのゲティア事例は必ずつくれると主張した。

彼女はそのつくり方まで示した[12]。

まず、正当化できるある信念を提示する。そこにちょっとした不運を加えて、その信念を事実ではなくする。さらに、こんどは幸運を加えて、その信念がやはり事実であったということにすればできあがりだ。

ザグゼブスキが挙げたストーリーを一つ紹介しよう。[13]
メアリーは夫が居間にいると信じている。そばを通り過ぎたとき、そこに彼がいるのを見たからだ。しかし残念ながらメアリーは間違っていた。彼女が見たのは、長いあいだ行方不明だったのに突然現れた夫の双子の兄弟だったのだ。だが、幸運なことに、彼女の夫も居間にいた。メアリーが通り過ぎたとき、彼女からは見えないところに座っていたのだ。

さて、メアリーは夫が居間にいることを知っていたと言えるだろうか？　彼女は夫がそこにいると信じている。実際、夫はそこにいる。夫とうりふたつの人を見たので、夫がいると信じたことも正当化される。夫に双子がいると知っていれば、見かけた人物が双子かもしれないと疑うことができたかもしれないが、長いあいだ行方不明だったのだから、今夜に限ってそこにいると期待すべき理由はない。よってメアリーは、夫が居間にいるという、「正当化された真なる信念」を持っている。

しかし、彼女は夫がそこにいると知っていたわけではない。彼女が正しかったのは、たまたま運がよかったからにすぎないからだ。

ゲティア問題に対する解決策はいまも提案され続けているが、どれもかなり複雑なのでここでは触れない。しかし多くの哲学者が、ザグゼブスキの言うとおり、この問題は解決不可能だ

＊ゲティアのもう一つの問題であった終身在職権の獲得問題は、この論文の発表と同時に解決した。

知識

と考えている。そう考える哲学者のなかには、そもそも知識を「正当化、信念、真」という単純な切り口で論じることが間違っていると指摘する人もいる。[14]

頭の中の考えは、つねに単純なものに分解できるとはかぎらない、ということだ。

大急ぎで、もう一つ質問。

椅子とは何か？

「その上に座れるもの」と答えた人には、ではベッドも椅子ですかとたずねたい。大きな岩も椅子ということになる。そう指摘されて、「脚だ！　脚がなければ椅子とは言えない」と思ったなら、「脚のない椅子」とグーグルで検索してみるとよい。明らかな反例がたくさん出てくるはずだ。

しかし、たとえ椅子とは何かを説明できなくても、どれが椅子かはだれでも簡単に識別できる。知識もそういうものだと考える人がいる。

それについてゲティアならどう考えるだろう？　自分が提起した問題をどう解決するだろう？　残念ながら、それはわからない。エドムント・ゲティアは20世紀でもっとも名前の知られた哲学者の一人になり、哲学者で彼の名前を知らない人はいない。だが彼は一発屋だった。論文発表後、何十年も教壇に立ち続けたが、それ以後一語も書かなかった。

書かなかった理由は単純で、「それ以上何も言うことがなかった」からだ。[15]

忘れ去られた哲学の業績に光を当てる

オチがついたところで、あまり知られていない事実を教えよう。じつは、ゲティア問題を最初に指摘したのはゲティアではない。

8世紀に、インドの哲学者**ダルモッタラ**がこんな話をしている。砂漠を歩いている男が、水を飲みたくなった。前を見ると水があるのが見えた。だが蜃気楼だった。しかしそこに着いてみると、岩の下に水が湧いていた。さて、この砂漠の放浪者は、そこに行き着く前から水があると知っていたことになるのだろうか？

ダルモッタラの答えはノーだ。[16] 水があったのは、たまたま幸運だったからにすぎない。

ゲティアはダルモッタラの考えを盗用したわけではない。1200年後に偶然、同じ考えに行き着いたのだ。ゲティアより前に、イタリアの哲学者**マントヴァのペテロ**もこの考えにたどり着いていた。[17] 彼は14世紀の人だが、ゲティアはこの人物のことも知らなかった。古い文書は翻訳されるとはかぎらず、歴史の中に埋もれてしまい、後世の人間がたどれないことがある。

話が逸れるが、それには哲学の世界に存在するいくつかの問題が関係している。遠い国の昔の哲学者はしばしば忘れ去られる。無視されるのは彼らだけではない。哲学の世界では、女性も長いあいだ排除されてきた。

先に私は、邪悪な天才が頭の中にウソを詰め込んだというデカルトのアイデアを紹介したが、最近の研究で、デカルトは、スペインの修道女である**アビラのテレサ**の著作からヒントを得ていたことが明らかになっている。[18] 彼女は知識について書いた自身の文書で、デカルトの議論とは異なる目的のためだが、悪魔について語っている。* すべての学生がデカルトについて学ぶが、テレサについてはほとんどだれも学ぶことはない。

新しい世代の哲学者たちは、そんな状況を改めるために努力している。彼らは、世界中の古い伝統の中に新しいアイデアを求めている。英語圏の哲学者がダルモッタラのことを知ったのはその成果の一つだ。

また、哲学の歴史から抹消されたり、しかるべき注目を得られなかったりした女性の業績に光を当て、称えようとする取り組みも行われている。[19] デカルトとその時代の哲学思想に影響を与えた女性はテレサだけではないこともわかっている。あとで、意識についてデカルトと論争を展開した王女のことを取り上げよう〔430ページ参照〕。

哲学研究の境界を広げることは難しい。少なくとも過去のほうへと広げるのは難しい。多くのものが歴史の中で失われてしまっている。しかしいま、同じ過ちを繰り返さないために、幅広くさまざまな哲学者の声に耳を傾けることはできる。

冷蔵庫が「空っぽ」とは?

というわけで、この章の議論も、そろそろデカルトから離れることにしよう。私はその手助けをしてくれる女性を知っている。ゲティアと同じウェイン州立大学で教えていた**ゲイル・スタイン**だ。スタインは1977年に37歳の若さで亡くなった。[20] 専門は**認識論**だった。認識論というのは、知識とは何か、どうすれば知識を得られるかを研究する哲学の領域である。

スタインも知識についての矛盾に困惑していた。

私たちは多くのことを知っているのが当然という前提で日常生活を送っている。ところが哲学では、知識はどんどん足場を失って心許なくなっていくような気がする。デカルトでも読もうものなら、自分は何も知らないのではないかとさえ思えてくる。

なぜそんなことになるのか？

スタインにはシンプルだが強力な考えがあった。[21] 言葉のなかには文脈によって意味が変わるものがあるという考えだ。

これについてはわかりやすい事例が多い。私は家では背が高いが、職場ではそうではない。なぜ？　比較する対象が変わるからだ。息子たちもジュリーも私より背が低い。だから、私は彼らと比べれば背が高い。しかし、私は平均的なアメリカ人男性より背が低いので、職場ではだれも私のことを背が高いとは思わない。

友人のＪＪの身長は１９０センチ以上で、職場では背が高い。しかし、プロバスケットボー

＊テレサの悪魔は、世俗的な喜びを刺激して、テレサが間違った考えに惹かれるように仕向け、自分自身と神を知るための瞑想を妨げようとした。

ルの世界では高くはない。世界でいちばん背の高い男性でさえ、キリンの横に立てば背が低いことになる。

「低い」とか「高い」といった言葉なら、状況や比較する対象によって意味が変わることは明らかだ。「大きい」と「小さい」も同様だ。

だが、文脈によってもっと微妙に意味が変わる言葉もある。たとえば「空っぽ」という言葉。「冷蔵庫が空っぽだ」と私が言ったとする。でも中を見れば、ドリンクや香辛料や、そのほかいろいろなものが入っている。なぜなら、私は夕食の材料にするものがないという意味で「空っぽ」と言ったからだ。

文脈を変えて、引っ越し業者が家財道具を搬出している場面を考えよう。「冷蔵庫は空っぽですか？」とたずねられたら、さっきの「空っぽ」とは意味が違う。ジュースであれスパイスであれ、何かが入っていたら「空っぽ」とは言えない。冷蔵庫の中のものがゴロゴロ転がったら大変だ。

これが本当の「空っぽ」なら、夕食の材料がないという理由で「空っぽ」と言うのは基準が甘いということになる。

しかし、安心するのはまだ早い。なぜなら、完全に何も入っていない冷蔵庫でも、文脈によっては「空っぽ」とは言えないからだ。何かの実験をしていて、冷蔵庫の中を真空にする必要があるなら、空気が全部なくなるまで冷蔵庫は空っぽではないことになる。

つまりほとんどの文脈で、「空っぽ」は完全に何も入っていないという意味ではない。「空っぽ」と言っても何かがある。何がないことをもって「空っぽ」と言うかは、場面によって変わる。

哲学と日常生活では「知っている」の基準が違う

スタインは、「知る」という単語の意味は、「空っぽ」と同様、文脈に左右されると指摘した。[22] 状況次第で、「知っている」と言えるかどうかの基準は変わるということだ。そしてその基準は、その文脈において「**考慮する必要がある別の可能性**」によって変わるとスタインは言う。

次のような例を使って説明してみよう。

いま、あなたは動物園にいる。遠くに、胴体が白と黒の縞模様になっている動物が見えた。あなたは「シマウマだ！」と思いながら近寄っていく。

さて、このときあなたは、自分がシマウマを見ていることを知っていると言えるだろうか？ もちろん言える。晴れた日で、普通の視力があれば、シマウマをほかの動物と間違えることはない。

しかし……シマウマのように見える偽装をほどこされたロバを見ているという別の可能性は考慮しなくていいのだろうか？

いまいる場所からは、その可能性は排除できない。シマウマに見えるが、巧みに化粧されたロバかもしれない。それを見極めるには、もっと近づかなければならない。

しかし、そんな可能性を排除しなくても自分がシマウマを見ていることはわかる、とスタイ

知識

ンは言う。[23] なぜなら、そんな可能性は考慮に値しないからだ。動物園がロバをシマウマに見せかけるのではないかと心配しなくてはならない理由などない、というわけだ。

もっともな話だと思えるが、その心配をしなければならない場所がある。メキシコのティファナだ。そこでは、シマウマのように縞模様に塗られたロバが観光客の人気を集めている。[24] なので、シマウマだと思っても疑う必要がある。変装したロバではないという見極めがつくまで、自分はシマウマを見ていると知ることはできない。*


いったい、私たちは懐疑論とどうつきあえばいいのだろう？

動物園から帰ってきたあなたが、友だちに「シマウマを見た」と話したとしよう。

「シマウマを見たかどうか、あなたはわからなかったはずよ」と彼女が言う。

「見たさ」とあなたは否定する。

「シマウマに見せかけたロバだったかもしれないじゃない？」と彼女が応じる。かなりの変人か、認識論を研究している哲学者のいずれかだろう。

このとき、あなたには二つの選択肢があるとスタインは言う。ロバをシマウマに見せかけるなどという可能性は考慮に値しない、自分は確かにシマウマを見た、と突っぱねるのが一つ。もう一つは、彼女が会話の文脈を変えることを受け入れ、何者かがロバをシマウマに見せかける可能性もあると認めることだ。[25]

後者の場合、動物園がロバをシマウマに見せかける可能性があるという根拠が彼女にないなら、彼女は懐疑論のゲーム——あらゆることについて疑う余地のない事実までさかのぼる遊び——をしていると言える。世界を知るための情報収集には限界があることがわかるので、必ずしも悪い遊びではないが、彼女と一緒にやる必要はないかもしれない。

ざっくり言って、スタインの考えは次のようにまとめることができる。

懐疑論者は間違っていない。懐疑論的な意味では、われわれは何も知らないからだ。しかし、哲学以外の世界で、そんな意味で話をする必要はない。日常生活で懐疑論者のように話すのは愚かだ。普通に言って、私たちが知っていることはたくさんあり、それを使って会話ができることが私たちには必要である。[26]

「確かなことはわからない」という巧妙な戦略

懐疑論をもてあそぶ人びとには気をつけなくてはならない。あなたが思うより懐疑論者は多い。哲学では楽しいゲームだが、哲学の外では陰湿なゲームになる。

ヌ・アンジェル・ピニリョスは最近、気候変動問題に関連してその点を指摘した。[27] 彼も認識論の研究者で、人びとが科学に対して抱く疑念のあり方に関心を持っている。

＊余談だが、ティフアナの変装ロバはゾンキー（zonkey）と呼ばれている。シマウマ（zebra）とロバ（donkey）を合体させた動物というネーミングだ㉘。シマウマのレギンスを穿いたロバのような姿をしている、なかなかの新種だ。

大気に放出される炭素が気候変動の原因であることを示す証拠は大量にある。[29] 人間は世界をじわじわと破壊している。それなのに、私たちはそれを食い止めるために十分な手段を講じていない。なぜか？

理由はたくさんあるが、その多くは、炭素排出をもたらす経済活動から一部の人が利益を得ており、それを手離そうとしないという事実に起因する。もちろん、そんなことをストレートに言ったら大変なことになるので、彼らは工夫する。行動を起こすにはまだ情報が不足している、と言うのだ。

一部の政治家はこの作戦を採用している。２０１７年、ニューハンプシャー州知事のクリス・スヌヌは、炭素排出が気候変動の原因なのかと質問されたときにこう答えた。

確かなことはわかりません。私はＭＩＴ（マサチューセッツ工科大学）でこの問題を研究しました。地球科学と大気科学を、世界でもっとも優秀な人たちと一緒に学びました。自分でも詳しくデータを検証しました。……私たちは事態の推移を注意深く見守らなくてはなりません。環境、社会、経済、そのほかすべての分野に気候変動が与える影響を研究し、理解しなければなりません。過去１５０年間、地球がほぼ一貫して温暖化した主要な原因は大気中への炭素排出なのでしょうか。そうかもしれませんが、わかりません。[30]

理にかなった考えのように聞こえる。スヌヌがこの問題について研究したのは事実だ。炭素排出が原因である可能性を否定しているわけでもない。わからない、と言っているだけだ。

しかし、スヌヌが「確かなことは」という言葉を話に忍び込ませて、知識の基準を高く設定していることに注意しなくてはならない。炭素排出が「確かに」気候変動を引き起こしていると知っているか、と問われたら、そうとは言えないかもしれない。しかし、それを言うなら、私たちにはほかにも「確かに」知っているとは言えないことがたくさんある。

ここで問うべきことは、なぜそれを「確かに」知らなければならないのか、ということだ。いま行動しなければ壊滅的な打撃を受けるかもしれないのだ。そして、完全に確かではないにせよ、危険水準に近づいていることはかなり確かだ。

「確かなことはわからない」という言葉を挿入するのは意図的な戦略で、長年採用され続けている。石油大手のエクソンは１９８０年代までに、自社の科学者の研究によって、人間の活動に由来する気候変動が現実の脅威だと確信していたにもかかわらず、会社として「科学的結論の不確実性を強調する」という方針を決定していた。[31]

この作戦を編み出したのはエクソンではなくタバコ会社だ。彼らは、自社の研究者が喫煙と癌《がん》の関連性を確認していたにもかかわらず、それを疑問視するよう世論を誘導した。タバコの製造販売を行っていたブラウン&ウィリアムソンの社内メモには、喫煙と癌の「因果関係に対する疑念を広める」という戦略が記されていた。[32]

疑念を操作して世論を左右しようとする人びとに、どう対処すればいいのだろう？

難しい問題だ。私は哲学者という職業上、デカルトと同じように疑うことにコミットしている。自分が知っていることを問い直し、間違いの可能性を探すことは大切だと思う。[*] 科学者にもそのような傾向があって、不確かさを数値化さえするが、そのため、意図的に疑念を浸透させようとする輩《やから》に利用されやすい。

「ダウトモンガー」に乗せられるな

レックスと私は、最近この話をするようになった。

私は彼に、疑うこと、つまり質問することを教えている。しかし彼には、世の中にあふれている質問は誠実な質問ばかりではないことも知ってほしいと思う。

だから、質問する者を疑うよう教えている。この人は本当に知りたいと思っているのだろうか？ エビデンスに関心があるのか？ 自分が間違っていたとわかったら、それを認める人だと信頼できるか？ それとも、うやむやにしようとする人だろうか？

ピニリョスは、公的な文脈では、何を知っているかではなく確率に基づいて話すべきだという戦略を提案している。[33] 確かに、科学的コンセンサスが間違っている可能性はある。つまり、人間が排出する炭素が気候変動の原因ではない可能性はある。しかし、科学者はその確率も計算することができ、その値はごく小さい。

科学が間違っているというわずかな可能性に、子どもたちの未来を賭けることは許されない。**「ダウトモンガー」**〔懐疑論で人心を操作する者〕の戦略にはまってはならない。

行動するために、「知る」ことは必ずしも必要ではない。私たちは完全に知っていなくても確率に基づいて考え、行動している。

ピニリョスはそれを宝くじに喩《たと》えている。私たちは宝くじが当たるか当たらないかを「知らない」。確率は低いが、当たるかもしれないという事実は排除できない。だから、私たちはそれを夢見てくじを買う。当選を夢見るのはかまわない。だが、当選を前提に何かを計画することはできない。

気候変動の懐疑論者は、炭素排出が気候変動を引き起こしているかどうかはわからないと主張する。合理性のあるいかなる基準に照らしても、その考えは間違っている。私たちはそのことを知っている。しかし懐疑論者はつねに、ありえないほど高い基準を押しつけてくる。

私たちは、彼らの土俵に上がって、まだ明らかになっていないことについて議論する必要はない。そんな手に乗らず、彼らにはこんな質問をぶつけるべきだ――なぜあなたは、私たちの未来を、科学が間違っているというわずかな可能性に賭けようとするのか？

宝くじは当たるかもしれない。だが、それを前提に将来の計画を立てるべきではない。

＊ただし、その方法はデカルトとまったく同じというわけではない。デカルトはすべてを疑ってかかったが、私たちに同じことができるとは思えないし、そうしたところでどこにも行き着けないだろう。すべてのことは懐疑の対象となるが、一度にすべてを疑えば、その疑いが正当化できる疑いかどうかの判断さえできなくなる(34)。懐疑は一歩ずつ進めるべき取り組みである。

知識

シミュレーション仮説——私たちは仮想現実の世界にいる?

子どもたちにプロパガンダに対する免疫を与えることは大切だ。エビデンスを評価する方法を教え、どの情報源が信頼できるかを見分ける方法を教えなくてはならない。

レックスはそういう話に食いついてくることがあるが、とくにぶっ飛んだアイデアが好きだ。最近、興味があるのは、水槽の中の脳にも通じる考え方で、自分はコンピュータ・シミュレーションの中で生きているのだろうかと思ったりしている。なんと、世界にあるすべてのものが(自分を含めて)、コンピュータの中で行われている操作の集合体かもしれないという考えに取り憑かれているのだ。要するに、私たちはライフシミュレーション・ゲームである「シムズ」の超高解像度版の中で生きているのではないかという疑念だ。

オックスフォード大学の哲学者**ニック・ボストロム**が、私たちはコンピュータ・シミュレーションの中で生きている可能性がある、と発言して以来、世間はこの話題で持ちきりで、多くの著名人も関心を寄せている。**イーロン・マスク**もそんな一人で、マスクは私たちはシムズの中の住人である可能性が高いと公言している。[35]

ボストロムは、オックスフォード大学の「人類の未来研究センター」の創設者だ。同センターは世界が間違った方向に進まないよう注視し、解決策を考えようとする学際的な機関である。

彼らが挙げるもっとも恐ろしい危険は、気候の大惨事、宇宙人の襲来、人工知能の暴走などだ。つまり、この研究所はキアヌ・リーブスの映画のような世界からわれわれを救い出そうとしているのである。

しかしボストロムは、私たちがすでにそんな世界の中にいると示唆したことで有名になった。私たちは映画「マトリックス」のようなシミュレーションの中で生きているのかもしれない、と彼は考えているのだ。

彼がそう考える理由を大まかに要約すると次のようになる。

もし未来の世界に、世界をシミュレートできるような高度な文明や知性が存在するなら、おそらく彼らはそれを実行するだろう。実行するなら、1回でやめることはないだろう。意義があると思えば（あるいは楽しければ）、何百、何千、いや何百万もの世界をシミュレートするかもしれない。

そうすると、現実の世界よりはるかに多くのシミュレートされた世界が存在することになる。だとしたら、私たちはそんなシミュレートされた世界の一つの中で生きている可能性が高い。

最初に断ったように、これはあくまで大まかに要約した理由だ。[36] いたるところに疑問を差し挟む余地があり、ボストロムも自分の結論を完全に受け入れているわけではない。

そもそも私たちが住んでいるこのような世界をシミュレートすることなど不可能かもしれない。可能だと考えている人の多くは、昔の単純なピンポン・ゲームから今日までのコンピュータの進歩に驚嘆し、それを未来に投影しているのだ。しかし進歩は止まることだってある。

それに、現実味のあるシミュレーションを行うには、莫大なエネルギーも必要だろう（コンピュータの大きさが惑星並みになるという推定もある）。そもそも、コンピュータの中に意識を持つ生き物をつくり出すことなど不可能かもしれない。

まだ不安な人のために付け加えると、ボストロムの議論にはさらに問題がある。私たちが住む世界のようなものをシミュレートできるだれかがいるとしても、そんなことをするとはかぎらない。ボストロムは、未来の科学者は自分たちの祖先を研究するためにシミュレーションを行うかもしれないと示唆しているが、もっと別のことにコンピューティング能力を使いたいと思うかもしれない。あるいは、私たちと同じような苦しみを体験する生き物をつくることに倫理的な懸念を覚えるかもしれない。いずれにせよ、確定的なことは何も言えない。

「世界をシミュレートすること」は可能か？

しかしボストロムは、確かに言えることがあると考えている。少なくとも次の命題のうち一つは真だというのだ。[37]

（A）私たちが住んでいるような世界をシミュレートすることは不可能である。
（B）シミュレートは可能だが、だれも実行しようとはしない。
（C）私たちはほぼ間違いなくシムズの世界の住人である。

レックスにどれに賛成するかとたずねたら、「人間はできることはなんでもやろうとする」から（B）は絶対違うと言った。

残るのは（A）と（C）だが、彼は世界のシミュレーションは可能になると思っているので、（C）に傾いている。レックスは、私たちはシムズの中に生きていると思っている。私たちの世界の背後にある、より根源的な現実の中に存在するだれかが、世界をシミュレートする方法を考え出し、私たちの世界を構築したと考えているのだ。

私はレックスより懐疑的だ。私たちが住んでいるような世界をシミュレートすることが可能だとしても、そのために必要なエネルギーは莫大なものになるはずなので、そう何度もできるものではないはずだ。

全宇宙を量子スケールまで微細にシミュレートするには、はかりしれないエネルギーが必要となる。したがって、必要な部分を選んでシミュレートすることになる。おそらく脳と、脳に直接関係する周辺環境を選ぶだろうが、それで問題が解決するわけではない。そうするためには、未来の科学者たちは人間の脳の働きを隅から隅まで理解する必要があるが、現在の私たちはそんなことができるレベルとはかけ離れた地点にいる。*

---

* ある意味、宇宙全体をシミュレートするほうが簡単だ。初期条件を設定し、放っておいて、何が起こるかを見ていればよいのだから。

知識

人工知能の進歩はそのような問題を解決するのに役立つかもしれないが、いずれにしても、すべての議論に「かもしれない」という留保がついてまわる。

「シミュレーション仮説」の問題点

このように、シミュレーション仮説は推論の域を出ないが、興味は尽きない。

まず、それは倫理的な問題を提起する。あなたなら人びとが痛みを感じるような世界をシミュレートしようと思うだろうか？　奴隷制度やホロコーストで人びとが苦しむことを考慮してもなお、その世界を創造する意味があると言える理由があるだろうか？　そんな理由はないとすれば（私はないと思う）、私たちがシミュレーション世界の中にいる確率は違ってくるだろうか？

それは神学的な問題を提起する。シミュレーション仮説が正しければ、ほとんどの世界にはそれぞれの創造主――その世界を設計したエンジニアたち――がいることになる。その創造主たちは、シミュレーション世界の住人にとっては全能であり全知だ。彼らは神なのだろうか？

それは形而上学的な問題を提起する。もし創造主たちがシミュレーション世界の運命を支配しているなら、私たちは自由意志を持っていると言えるのだろうか？　私たちが彼らの目的のためだけに存在し、彼らが私たちを必要とするかぎりにおいてのみ存在を許されているとするなら、私たちはある意味で奴隷のような存在ではないだろうか？[38]

それは現実的な問題を提起する。もし、私たちがシミュレーション世界の中にいるとしたら、何をすればいいのだろう？

レックスは全能のエンジニアたちにメッセージを送りたいと考えている。彼はそれをミステリーサークルのように畑に書くことを想像している。

「こんにちは！　ぼくらは自分たちがシミュレーションの世界の中にいることを知っています。もっとハンバーガーを食べさせて」

だが、それは危険だ。彼らが、世界はシミュレーションの中に存在することを知られたくないと思っていたら、世界を終わらせることも、私たちを削除することもできる。それは勘弁してほしい。

コンピュータの中のあなたも「本物」である

最後に、シミュレーション仮説は、「私たちは何を知りうるのか」という疑問を提起する。実際、シミュレーション仮説は邪悪な天才ドゥーフェンシュマーツの話のテクノ版のようなものである。邪悪な天才の話では、私たちの脳は水槽に浸けられていたが、シミュレーション仮説では脳もシミュレーションの産物なので水槽は存在しない。

しかし、自分が知っていると思っていることがすべて間違っているかもしれないという点は両方に共通する。もしあなたがシミュレーション世界の中にいるなら、この本を手に持ってはいないだろう。本も存在しない。本を持つ手もない。すべては精巧なイリュージョンだ。

いや、そうとはかぎらない、と言う哲学者もいる。

デイヴィッド・チャーマーズは哲学界のロックスターのような存在だ。長らく革のジャケットと長髪が目印だったが、白髪になったのでいまは髪を短くしている。ニューヨーク大学の哲学と神経科学の教授で、とくに意識についての第一人者だ。

チャーマーズは、われわれがコンピュータ・シミュレーションの中に生きているという可能性を冷静に受けとめており、それで私たちの知識が脅かされるとも考えていない。

シミュレーションの中で生きているとしても、私たちは自分には手があると思うし、事実持っている、と彼は言う。しかも、その手はあなたが思っているとおり、物質《マター》――電子やクォークといった物質――でできている。ただ、その電子やクォークが、じつはコンピュータのビットという意外なものだというだけのことだ。[39]

だから、シミュレーションの世界の中でも、あなたの手は本物なのだ。映画撮影用の小道具でもなければ、小説の登場人物の手のような想像上のものでもない。想像上の手は架空の世界でしか役に立たないが、あなたの手は多くのことに使える。本を持ったり、夕食をつくったり、そのほかいろいろなことができる。手がなくなったら、あなたは間違いなく悲しむだろう。それが本物であることの証しだ。

あなたは「そんな手は本物じゃない！」と言いたいかもしれない。シミュレートされているだけの手など手ではない。「全能のエンジニア神」には本物の手があるが、悲しいかな、私たちの腕はシミュラークル〔虚像〕だ。私たちは存在自体が悲しいシミュラークルなのだ、とあなたは考える。

だが、その考えには微妙な混乱が忍び込んでいる。[40] 私たちは、それでもやはり、これまで思っていたとおりの手を持っている。シミュレーションの世界に住んでいるとしても（あるいはそう仮定しても）、それは変わらない。世界の現実が、自分たちが考えていたのとは性質が違う――物理的《フィジカル》な存在ではなく計算《コンピュテーショナル》に基づく存在である――というだけのことだ。

人間が何でできていても道徳は変わらない

私が言いたいことを理解してもらうために、レックスの手を使って考えてみよう。

レックスは自分が手を持っていることを知っている。かなり前から持っている。彼はまず、手が骨と筋肉でできていることを知った。次に、その骨や筋肉が分子でできていて、その分子は原子でできていることも知った。

やがてレックスは、原子が陽子、中性子、電子でできていることを知るだろう。陽子と中性子がクォークでできていることも知るだろう。さらに、電子は教科書に出てくるような、原子核の周りを回る小さな球ではなく、雲のように広がっていることも知るはずだ。

こんなふうに、レックスは自分の手の性質を少しずつ詳しく知っていく。しかし、どこまで

知識

深く知ろうと、「ぼくには手がない！　手は筋肉と骨でできてるけど、それは電子とクォークでできているんだから」などと言うことはない。もしそんなことを言い出したら、私とジュリーは、レックスの手は筋肉と骨でできていて、筋肉と骨は電子とクォークでできているけれど、それがレックスの手であることには何の違いもないと教えるだろう。

シミュレートされた世界では、この話はさらに進んで、根源的な物質はビットのようなコンピュテーショナルなものだということになる。それをレックスが知ったら、彼は自分の手についてさらに詳しく知ったことになるが、手が実在しないと知ったことにはならないし、自分には手がないと知ったわけでもない。

この問題を考えるとき、私たちは全能のエンジニアの視点に立ちがちで、そのために考えが混乱しやすい。

全能のエンジニアが物理的世界に住んでいるなら、彼らは私たちの世界をバーチャルな世界——彼らの現実のシミュレーション版——と考えるだろう。彼らから見れば、私たちは仮想の手を持つ仮想の人間ということになる。しかし、私たち自身にとっては、自分はこれまでどおりの手を持つ人間以外の何ものでもない。

ここで私は、チャーマーズの考えをさらに一歩進めてこう言いたい。全能のエンジニアたちから見ても、私たちはバーチャルな人間ではない、私たちは人間だ、と。

人間であるということは、道徳的に確かな地位を占める——つまり権利と責任がある——ということだ。その道徳的地位は、その人が物質でできているかビットでできているかに依存しない。理性があるか、痛みを感じるか、といったことに依存する。

人びとが住む世界をシミュレートしようとする者は、重大な道徳的問題に直面する。なぜなら、シミュレーションの世界に住む人びとも道徳的意識を持つ存在だからだ。

この問題は、子どもを産むかどうかを選択する親が直面する問題と共通点がある。すべての人の生には何らかの苦難がともなうからだ。それはまた、世界を創造するかどうかを選択する神が直面する問題とも共通している（神が存在するとしての話だが）。

シミュレーションは創造《クリエーション》であって想像《イマジネーション》ではない。世界をシミュレートできるほどの社会なら、そのくらいは認識できると思いたい。

ともあれ、私たちの現実も、私たちが知っていると思っていることの大部分も、シミュレーション仮説によって揺らぐことはない。シミュレーション仮説は懐疑論的な仮説ではなく形而上学的な仮説だ。それは、私たちの世界のありようを説明する一つの方法だが、わたしたちは何も知ることができないと言っているわけではない。

「われ愛す、ゆえにわれあり」

子どもは何かになったふりをして遊ぶのが好きだ。現実とは違う世界を想像し、その中に入り込んで遊ぶのが好きだ。だから懐疑論やシミュレーション仮説が好きなのだろう。

レックスは一時期、夢の懐疑にはまっていた。それで私もこのテーマが好きになったほどだ。実際、私が父親としてもっとも忘れがたい瞬間の一つは、レックスがくれた、デカルトの言葉を借りたメッセージとともに訪れた。

そのときレックスは7歳。私の誕生日に手づくりのカードを贈ってくれたのだが、そこにはこう書かれていた――「パパ大好き。だからぼくがいる」。

ここで私は、「われ思う、ゆえにわれあり」を「われ愛す、ゆえにわれあり」に置き換えることを提案したい。「われ愛す」も「われ思う」と同じ働きができるはずだ。いや、それを言うなら、あらゆる心の状態が私の実在を確かなものにしてくれる。だとしたら、自分の心の中を見るときは愛を探すのがよい。

父と息子の関係に感動した読者にお断りしておくと、レックスは母親をもっと愛している。

レックスが2年生のとき、学校からの帰り道で私はそのことを知った。私たちは歩きながら夢の懐疑のゲームをしていた。レックスが自分はいま夢を見ているのではないことを証明し、私がそれを否定するという遊びだ。

レックスはこう言った。

「もし夢なら、二人で話してるってことは、同じ夢を見てることになるよね。パパとぼくが同じ夢を見てるなんて、変じゃない？」

「確かに変だな」と私。「でも、もしパパが現実でないとしたらどうかな？　レックスの夢の中に出てくる登場人物だったら、二人で話もできるんじゃない？」

それは彼の小さな心に衝撃を与えたようだ。飲み込むのに少し時間がかかった。レックスはその考えを広げて、こんな問いを返した。

「じゃあ、友だちも夢の中に出てくるだけなの？」

「そうなるね」

家に近づくと、ハンクを連れて帰宅したジュリーの姿が見えた。レックスは母親のほうを指し示しながらたずねた。

「じゃあママは？」

「ママもレックスの夢に出てくるだけの登場人物かもしれないよ」

するとレックスは顔を曇らせ、小さな声で言った。

「だったら、目を覚ましたくない」

Chapter 9

真実

ついていいウソと悪いウソはあるか？

「ふり」をして子どもと遊ぶ

「きょう学校で新しい動物のことを教わったよ」とハンクが言った。

「何ていう動物？」

「デュ・オ・ブラク・イー・アム・スパーク・セー」（小学2年生が発した言葉をうまく聞き取れない）

「それはすごいね」と私は言った。「パパが小学1年生のとき、クラスにデュオブラキウム・

スパークセイがいたって知ってる？」

「ウソだ」とハンク。「だって見つかったばかりだもん。2015年に初めて科学者が発見したんだよ」

「科学者がパパがいたクラスまで探しに来てたら、とっくに発見できてたのに」と私。「クラスメートの一人がデュオブラキウム・スパークセイだったんだ。スパーキーっていう名前だったんだけどね」

「ウソだ」

「ウソじゃないよ」とレックスが話に加わってきた。「パパの小学校にはいっぱい動物がいたんだぜ。幼稚園のときは席の隣にペンギンがいたし、サルが親友だったんだ」

これは前に私がレックスに話したネタだ。レックス自身はもう真に受けていないが、彼の援軍は心強い。

「どれくらいの大きさだったの？」。ハンクが食いついてきた。

「小学1年生のサイズ」

「そんなんじゃないよ」とハンク。「すごく小さいんだから」

「知ってる」と私。*「スパーキーの秘密を守るために、わざと違うことを言ったんだ。本当は3匹のデュオブラキウム・スパークセイが上下に重なって、トレンチコートを着ていたんだ。

＊知らなかった。

重なる順番はときどき変わってたけど」

「水の中に住んでるんだよ」とハンクはバカにしたように言った。「小さいクラゲみたいな形をしてるのに」

おっと、それを知っていたらもっと違う話にしたと思うが、もう手遅れだ。

「そう言えば、トレンチコートの中でブクブクと水の音がしていたな」と私。「一度コートの中を見せてもらったけど、1匹ずつ金魚鉢の中に入っていて、ほかの金魚鉢を支えていたよ」

「どうやって歩いてたの？」とハンク。

「それはわからなかった。トレンチコートがすごく長くて、地面まで隠れてたから」

「きっといちばん下のヤツが触手を使って歩いてたんだよ」と言ったのはレックスだ。

「スクーターに乗っていたのかも。こんど同窓会で会ったら訊いてみるよ」と私。

レックスがうなずいている。

「顔もないのに？」ハンクは鋭く言った。

「そう、海の中にいるときはね」と私。「でもスパーキーはサインペンで顔を描いてた」

ハンクはテーブルをこぶしで叩いた。

「ウソだ！」と彼は叫んだ。「ウソつくな！」

「ウソをつくこと」と「ふりをすること」

ちょっとやりすぎたかも。でも面白かったし、悪いことをしたとは思わない。ハンクは学校で教わったことをただ話すのではなく、私のでたらめな話を論破するためにその知識を使う練習もできたのだから。

だが、彼は少し不満そうだった。私がウソをついたと思ったのだろう。私はウソをついたのだろうか？　そうは思わない。確かに私は事実ではないことを言った——事実ではないと知ったうえで。

でも私はふりをしていただけで、それはハンクもわかっていたはずだ。だから私はウソはついていないと思う。だが、**「ウソをつくこと」**と**「ふりをすること《プリテンド》」**の線引きは意外に難しい。

数日後、私はレックスにたずねた。

「ウソをつくこととふりをすることは、どこが違うの？」

「ウソは、本当じゃないことを言うことだ」

「ふりをするときは、本当じゃないことを言わないの？」

「言うんだけど、ウソをつくときは、相手をだまそうとして言うのが違う」

「ふりをするときも、相手をだまそうとしていない？　算数のテストのあととか」

レックスは、算数のテストでいい点を取ると、わざと悲しそうな顔で答案用紙を親に見せる。

ばればれだ。

「……あるかも」

レックスはおずおずと言った。ウソとふりの区別は意外と難しいことに気づいたようだ。

ある意味、すべてのウソは、ふりをすることだ。事実ではないのに事実であるかのように振る舞うからだ。つまり、ウソにはふりが含まれている。

だが、それ以外にもレックスの答えには間違いがある。ウソをつくとき、つねに事実に反することを言うとはかぎらないからだ。

子どもが考えた「ゲティア問題」

数日後、レックスは自分でその間違いに気づいたらしく、寝る前にこんなことを言い出した。

「ウソと、前にパパが言ってたゲティア〔338ページ参照〕っていう人のことについて考えたんだけど、いいストーリーを思いついた」

「ぜひ聞かせてほしいな」と私。

「月曜の夜に、パパがぼくにゴミを出したかどうか訊いたとするよ。出していなかったけど、面倒くさかったから、ぼくは『出した』と答える。でも、出していなかったと思ったのは忘れていただけで、本当は出していたんだ。これって、ぼくはウソをついたことになるの?」

「どう思う?」

「出したというのは本当だった」とレックス。「でも、たまたま本当だっただけだ。自分ではウソだと思ってたから、ウソをついたことになると思う」

「パパもそう思う」

そこで気づいたが、その日はゴミ出しをする月曜だった。「ゴミは出したのか?」

「たぶん」と言いながら、彼は笑みを浮かべた(出していた)。


ウソとゲティア問題を結びつけたレックスは鋭い。一見したところ、両者はあまり関係がなさそうに見える。ゲティア問題は、何を知っているのかを問う議論であって、何を言ったかではないからだ。だが、つながりはある。

ゲティア問題は、「あなたは真である何らかの考えを持っていたが、それが真であったのはたまたま運がよかっただけで、真だと考えた根拠は正しくなかった」というものだ。*

* ゲティア問題を簡単に復習しよう。ゲティア問題とは、あなたは正当な理由に基づいてある信念を持っているが、ある行き違いのために、その信念は「知っていた」とは見なされなくなるというものだ。

私は説明のために次のような話をした。あなたは『料理の愉しみ』という本を何年も前に買い、何度も使っている。だからその本が家にあると思っている。ところが、パートナーがその本をだれかに貸してしまっていたので、実際には本は家になかった。ところが、友だちがあなたの誕生日に『料理の愉しみ』をプレゼントしてくれていた。あなたはまだプレゼントを開けていないので、何を贈られたのかは知らない。『料理の愉しみ』が家にあるというあなたの信念は正当であり、真実でもある。しかし、あなたは『料理の愉しみ』が家にあることを知っているとは言えない。「ある」という信念が正しかったのは偶然にすぎない。

レックスが考えたストーリーは、「言ったことは真だったが、それが真であったのはたまたまで、本人はウソだと思っていた」というものだ（ゲティアがこれほど注目される理由の一つは、彼の基本的な設定――結果オーライ、だがそれはたまたま――が哲学のあらゆる領域の議論で有効性を発揮するからだ）。

さらにレックスが鋭いのは、何がウソかを正しく判定したという点だ。ウソをついたつもりが本当だったということはあるが、すべてのウソには何らかの偽りが含まれている。自分を表現する方法に偽りがある。ウソをつくとき、私たちは自分が信じていないことを信じているかのように見せかける[1]。

いつも「正直」でなくてもかまわない

一般的に、そんなことをするのは相手をだますためだ。しかし、すべてのウソが人をだますことを目的にしているわけではない。私はそのことを友だちの**シーナ・シフリン**から学んだ。彼女も法哲学者だ。

数年前、彼女は私にキャンドルピン・ボウリング（細長いピンと小さなボールを使うボウリング）を教えてくれた。ボウリングはシフリンの副業で、メインの仕事は約束、契約、言論の自由、そして……ウソについての研究だ。

ウソをつくのは、ほとんどの場合、人をだますためだ。しかし、私たちはそれ以外の理由でも、自分の思いと違うことを口にする場合がある。そのことをシフリンは、裁判の証人のストーリーを使って説明している。[2]

その証人は、だれも信じないと自分でもわかっているような偽証をした。そもそも、だますつもりもなかった。それなのに、なぜウソをついたのか。たぶん真実を知られることを避けたかったのだろう。本当のことを言ったら、だれかを巻き込むかもしれないし、人びとの怒りに火をつけてしまうかもしれない。だから、だれも信じないようなつくり話をしたというわけだ。

レックスが最初に考えたウソの定義——本当ではないことを、相手をだまそうとして言うこと——は、この裁判の話にも、レックスがあとで思いついたゴミ出しの話にも当てはまらない。しかし、まったく的はずれなわけでもない。

シフリンによれば、ウソとは、正直であることが期待される合理的理由がある状況下で、自分が信じていないことを真実であるかのように述べることである。[3]「正直であることが期待される合理的理由」という部分がすごく重要だ。

私たちはつねに相手に正直さを期待しているわけではない。お笑いのトークショーでは、出演者の話には事実ではないネタも混ざっていることがわかっている。[4]それがお笑いというものだ。小説を読むときも、だれも作者が本当のことだけを書いているとは思っていない。

正直であることが期待されていない状況を、シフリンは「**期待停止文脈**」と呼ぶ。[5]これにはひと言注意が必要だ。いつもウソをついている人はだんだんと正直であることを期待されなくなるが、シフリンが言っているのはそういうことではない。[6]

シフリンが関心を持っているのは、言う側にも言われる側にも、本当のことでなくてもかまわないという、もっともな理由がある状況だ。彼女はそれを「**正当な期待停止文脈**」と呼ぶ。[7]そのような状況下では真実を伝える義務がない、と彼女は言う。つまり、事実と違うことを言ってもウソにはならないということだ。[8]

正当な期待停止文脈というのは案外多い。人と会ったとき、私たちは当たり障りのない社交辞令を口にする。「会えて嬉しい」「万事順調だ」「素敵なヘアスタイルね」。これらは「社会的文脈が要求する」コメントだとシフリンは言う。[9]ざっくり言えば、互いの存在を認め、関係を肯定するために交わす言葉だ。

しかし、「わきまえのある聞き手」は、この種の言葉が「本当だと思ってもらえると期待されていない」ことを知っているとシフリンは指摘する。[10]だから、本当のことを言わなくてもかまわない。散歩の途中で出会った人に、不運続きなのに「万事順調！」と言ったとしても、それはウソではないということだ。

「正当な期待停止文脈」という用語が仰々しければ、「**罪のないウソ**《ホワイト・ライ》」と言ってもよい。どう呼ぶかはともかく、その種のウソはついてもかまわないということには同意できるだろう。

要は「ウソ」にもいろいろあるということで、大切なのは道徳的観点だ。正当な期待停止文脈では、思っているのと違うことを言ってもかまわない。

ここで、私がレックスにした最初の問いに戻ろう——ウソをつくこととふりをすることは、どこが違うのか？

そこで私は、すべてのウソはふりをすることだと言った。しかし、多くのふりは、正当な期待停止文脈で行われる。たとえば、スーパーヒーローや魔法使いのふりをして子どもと遊ぶ親は、正直であることへの期待を一時的に棚上げして、空想の世界で遊んでいる。私が、1年生のときのクラスにデュオブラキウム・スパークセイがいたと言ったのは、ハンクと遊びたかったからだ。

子どもたちは長いあいだ、私のつくり話を楽しんでいた。彼らはいまでも自分たちのつくり話を語るが、その回数は少しずつ減ってきている。子どもの成長にともなって感じるいちばん悲しい部分だ。

なぜウソをついてはいけないのか？

私がウソをついてはいけないと学んだのは3歳のときだった。そのとき兄のマークは7歳だった。

私たちがあまりにも騒ぐので、両親は私たちを家の外に追い出した。マークはそんなことではへこたれず、私に玄関の前で大きな音を立てろと命令した。面白そうだったので、私は言われるがままに叫んだり、歌ったり、ドアを叩いたりした。まもなく母がドアを開けて叱りつけ、

真実

私たちを家に入れた。

　母がかなり腹を立てていたので、私は「マークが叫べと言った」と弁明した。それを否定しようとするマークの言い訳を聞いて、彼が私にだけ騒がせた理由がわかった気がした。

　その後の展開はよく覚えていないが、私たちは別々の部屋で叱られた記憶がある。マークはしばらく自分の話を押し通そうとしたようだが、根負けして、自分が命令したことを認めた。

　どんな罰を受けたかも覚えていないが、マークの罰のほうが厳しかった気がする。その理由は覚えている。彼がウソをついたからだ（母はそれをかなり強い口調で言った）。

　なぜそれが問題なのか、そのときの私にはよくわからなかったが、とにもかくにもウソをついたマークに比べ、私は罪一等を減じられたので、「ウソをついてはいけない」と心に刻んだ。

　しかし、なぜいけないのか？

　親からはっきり説明してもらったことはない。哲学者たちにも、その答えははっきりわかっていない。少なくともわが家の哲学者たちは知らない。


「ウソをつくのは、どうしていけないんだろう？」と夕食のときハンクにたずねた。

「本当のことを言ってないから」

「そうだな」と私。「でも、本当のことを言わなかったら、どうして悪いの？」

「ウソをついてるから」とハンク。

　堂々めぐりだ。

「でも、それのどこがいけないのかな?」

「本当じゃないことを人に信じさせようとしてるから」

少し話が進んだ。そのハンクの説には多くの哲学者が賛同している。彼らは「ウソは人を欺《あざむ》くから悪い」と考えている。

だが、人を欺くことのどこが悪いのだろう?

相手を欺くから悪いのか?

標準的な説明はこうだ。だれかを欺くということは、自分の目的のために相手の心の状態を操作することだ。それは、言葉や行動で世界に自分を表明しようとする相手の能力を歪めることになる。[11] それがよくないというのは、本書の最初のほうで紹介したカント派の考え方と一脈通じるものがある。「人は人として扱うべきであり、自分の目的のために使う手段として扱ってはならない」というあの考え方だ。

私もその主張に異議はない。しかし、それだけでは、ウソがよくないことを説明しきれない。シフリンが述べたように、すべてのウソが人を欺こうとしているとは限らないからだ。

彼女のストーリーに出てくる証人は、裁判官や陪審員をミスリードしようと思って偽証したわけではない。しかし、だからといって偽証してもかまわないことにはならない。意図が何であれ、法廷でウソをついてはいけない。

ウソは人を欺くからよくないという考え方の問題はそれだけではない。ほとんどの人は、ウソはたんに人をミスリードするより悪いことだと考えている。実際、私たちは相手をだまそうとしているときでさえ、ウソをつくのを避けようとすることがある。

その点を論じるとき、哲学者はよくアレクサンドリアの**アタナシウス**の話を持ち出す。[12]

アタナシウスは、迫害や殺害をたくらむ敵に狙われていた。しかし敵はアタナシウスの顔を知らなかったので、本人とは思わずにたずねた。

「アタナシウスはどこにいる?」

彼が「近くにいるはずだ」と答えると、敵はアタナシウスを探すために走り去った。

ウソをつかずに敵をだましたアタナシウスが賢かったことはわかるが、自分を殺そうとしている敵にウソをついたとしても、その何が悪いのだろう? 何日も前に旅立ったとか、もう死んだとか言ってもよかったのではないだろうか?

「気にせず、ウソをつけばいい」と**ジェニファー・ソール**は言う。彼女は言語哲学者で、このアドバイスをそのままタイトルにした論文を書いた。[13] そこで彼女は、次のようなストーリーを使って、ウソより悪質なミスリードがあることを論じている。

デイブとシャーラが初めてセックスをしようとしている。[14] デイブはシャーラにエイズに罹《かか》っていないかとたずねる。シャーラはHIV陽性で、自分でもそれを知っていた。しかし彼女は、自分がまだエイズを発症していないことも知っている。デイブを怖がらせたくなかった彼女は、

「ううん、エイズじゃない」と答えた。それで安心したデイブは無防備なセックスに同意した。

シャーラはウソをついてはいない。本当のことを言っている。しかし彼女はデイブを欺いた。

それもかなり恐ろしい方法で。

もちろん、デイブはもっと注意深く言葉を選んで質問することができた。HIV感染とエイズは同じではないからだ。だが、シャーラはデイブが何を心配しているのかを理解していたし、自分の答えが確実にデイブを欺くこともわかっていた。

「シャーラのごまかしが、ウソを言っているわけではないという一点をもって、真っ赤なウソより少しはましと考えるのはばかげている」とソールは書いている。[15]

ソールの考えでは、ウソが悪いのは人を欺くからであって、どんな方法で欺くかは重要ではない。だれかを欺いたら、その方法にウソが含まれていようがいまいが関係ない。[16]悪質な欺きなら、ウソをついていなくても、それで悪質さが軽減されることはない。

逆に、正当化できる欺きなら──欺いてもかまわないと考えられる理由があるなら──ウソをついても悪くはない。ソールはアタナシウスについてもそう言うだろう。アタナシウスはウソをつかなかったが、ついても全然かまわなかったのだと。

その点は私もソールに同意する。アタナシウスは敵に本当のことを言わなくてもかまわない。しかし、ソールがウソをそれ以外の方法による欺きと同列に論じている点は感心しない。悪質な欺きのために使われたウソが悪いのは間違いないが、シフリンが説明しているように、ウソが悪いのには、それとは関係のない別の理由がある。

ウソは「相互理解」のためのツールを損う

そのことを理解するためには、この本のイントロダクションで論じた「**逆転スペクトル**」まで戻って考える必要がある。

そこでは、他者の心は知りようがないということについて考えた。私たちは他者の心の状態を直接知ることはできないが、知る必要に迫られることは多い。

相手が何を考えているかがわからなければ、一緒に暮らすことはおろか、一緒に仕事をすることもできない。そんな互いの心の不透明さを克服する最高の手段が「話すこと《スピーチ》」だとシフリンは言う。私たちは話すことによって、それなしでは不可能な深い相互理解に到達することができる。

お互いを理解することによって、私たちは互いを思いやり、互いから学び、同じ目的に向かって進むことができる。それができなければ、私たちの生は貧しいものになる。だから私たちは話す内容を真摯に考え、話すことが持つ相互理解を可能にする機能を保てるよう努力する必要がある。

ウソがよくないのは、それを口にする自分の心の状態について事実ではないことを相手に伝えるからだとシフリンは言う。そうすることでウソは、話すことでしか成しえない相互理解の道を閉ざしてしまう。

ウソをつくと話すことに夾雑物《きょうざつぶつ》が入り、それ以後のあらゆるコミュニケーションの信頼性が損なわれる。いたるところでそんな状況が生じたら、私たちは「重要な真実に到達するための信頼できる手段」を失ってしまうとシフリンは言う。[17]

もちろん、このほかにもウソがよくない理由はある。相手への敬意を欠く。信頼を損なう。人をだます。状況次第で、どれもシフリンが挙げた理由より重大かもしれない。

シャーラはデイブをだまして彼を深刻な危険にさらした。それだけで十分ひどいので、ウソが含まれていてもいなくても関係ない。だが、たいていのミスリードはそこまでひどくはない（たとえば、レックスとハンクが「マインクラフト」で遊んだ時間を過少に見せかけるためにする工夫など）。そういう場合は、あからさまなウソを避けることには、正直なコミュニケーションの可能性を閉ざさないという、それなりの意味がある。

人殺しに本当のことを言う必要があるか？

私はハンクとレックスにたずねた。

「こんな状況を思い浮かべてくれるかな。だれかがきみたちの友だちを殺そうとしていて、きみたちはその友だちを屋根裏部屋にかくまっている」

「友だちの名前は？」とハンクが訊いた。

「……ジャックかな」と私は答えた。「ジャックを殺そうとしている男が現れて、ジャックはどこにいるかときみたちにたずねた」

「そいつの名前は？」とハンクが訊いた。

「名前は関係ないと思うけど」と私。

「ボブだ」とレックスが言った。

「よし、ボブにしよう。ボブがきみたちにジャックの居場所をたずねた。さあ、なんて答える？」

「ここにはいない！」とレックスが答えた。

「ウソをつくということだね？」

「それはウソじゃない」

「でも屋根裏にいるんだろ？」

「うん。でも、ここにいないというのは、いま立っているここにはいないという意味だから」

どうやら私は小さなアタナシウスを育ててしまったようだ。そして、それはレックスだけではなかった。

「ハンクはどう思う？」

「さっき家の前の道で見た、と言う」

「それは本当？」

「本当だよ。そのあとでジャックが家にやってきて、屋根裏に上がったんだ」

「なぜ単純にウソをついてしまわないの？　ジャックはもうこの街を出たとか言ったほうが安

全なんじゃない？」
「ウソをつく必要はないと思う」と言ったのはレックスだ。
「安全になるなら、ウソをついてもいいんじゃないか？」
「そうだね」とレックス。「ボブがジャックを殺すのを手伝う必要はないよね」

カントならその考えを、有無を言わず否定しただろう。少なくとも、彼の短いエッセイ「人間愛から嘘をつく権利と称されるものについて」[18]のもっとも一般的な読み方に従えば、拒否すると思われる。

その中でカントは、私が子どもたちに話したケース、つまり人殺しが玄関先で標的の居場所をたずねるというケースを挙げている。そして、そんな場合でさえウソをつくべきではないと言っているようだ。

さすがにばかげているので、だれも賛成しないだろう。筋金入りのカント派でもそうは思わないだろう。じつはカント自身もそうは考えていなかった可能性がある。

このストーリーは、カントと、スイス出身のフランスの政治理論家**バンジャマン・コンスタン**との議論から生まれた。カント研究の第一人者である**アレン・ウッド**は、論争の経緯をたどり、両者の主たる関心は「政治の場で真実を語る義務」にあったとしている。[19]カントが「ウソをついてはいけない」と言ったときに想定していたのは、人殺しではなく、容疑者に関する情報を求める警察官だったというのだ。[20]ウッドによれば、コンスタンはフランス革命の経験から警察も犯罪者と似たようなものだと考えていたため、二人のあいだで議論が分かれたのだと言う。[21]

ウッドは、次のようなケースのほうがカントの考えが明確になると指摘している。あなたは宣誓をして裁判の証人となり、「正直に答えれば友人が有罪になると予測される」質問を受けた。「その友人には殺人の容疑がかけられているが、あなたは友人が無実であることを知っている」というケースだ。[22]

切迫した状況だ。ここでウッドは、「法的手続きそのものが違法だとか、まったくのでたらめだというのでなければ」、あなたは本当のことを言わなければならないと言う。[23] そうしなければ、ウソに基づいて裁判が進むことになり、「審理がでたらめなものになってしまう」からだ。[24]

カントはウッドの考えに賛成するかもしれないが、私は確信を持って賛成はできない。私自身は、状況によってはウソも正当化されることもあるという考えだが、これだけの情報では判断が難しい。

それはさておき、子どもたちに話したケース——人殺しが玄関先で標的の居場所をたずねる——についてはどう考えるべきか？

もちろん、ウソをついてもかまわない。その理由を説明するための道具をシフリンが与えてくれている。つまり、これは**正当な期待停止文脈**だということだ。人殺しの意図はよいものではないから、彼はあなたに正直な回答を期待することはできない。レックスが言ったように、ジャックを殺そうとしているボブの手助けをする必要はない。

それも正しいが、これも正しい?

ドアの前にいる人殺しに、こだわりすぎたかもしれない。だいたい、そんな状況に遭遇する人はそうそういない。カントとコンスタンがこの想定で問題にしていたのも、「政治家や権力者が真実に従う義務」という別の問題だった。[25]

じつは、レックスはその点にも関心がある。

彼は**ドナルド・トランプ**について、「大統領がこんなに何度もウソをつくなんて信じられない」と何度か口にしたことがある。見たことがある人もいると思うが、レックスは、新聞に掲載されるトランプのウソ一覧[26]を見るのが好きだった。

曖昧な言い方で都合の悪い真実を隠す政治家は多いが、トランプが印象的だったのは、真実に対する真っ向からの敵意だった。就任初日から、彼は就任式で雨が降ったとウソをつき、集まった聴衆の数について報道官がウソをつくことを許した。[27]そこから始まって、彼のウソは増える一方だった。任期が終わるころには、あらゆる証拠に反して、大統領選挙そのものが盗まれたと主張し、一部の支持者による国会議事堂襲撃を煽動した。[28]

その暴動から間もないある晩、わが家の夕食の席でこんな会話があった。

「ドナルド・トランプは悪い大統領だ」とレックスは言った。

するとハンクは、「ぼくたちにとっては悪い大統領だ。でも、彼を好きな人たちにとってはいい大統領だ」と言った。

「いや、彼は悪い大統領だ」とレックス。

「ぼくたちにとっては悪いけど、彼を好きな人にはいい大統領なんだ」とハンクは言い張った。

私はハンクにたずねた。「ドナルド・トランプが好きな人は、彼はいい大統領だと思っているけど、それは間違いだと言いたいのかな？」

「そうじゃなくて」と彼はきっぱり言った。「彼らはトランプをいい大統領だと思い、ぼくたちは悪い大統領だと思っている。どっちが正しいとは、だれにも言えないってこと」

「どっちかが正しくないと変じゃないか？」と私はたずねた。「トランプはいい大統領か悪い大統領か、どっちかじゃないの？」

「違う」とハンクは言った。「ぼくたちはぼくたちが正しいと思っているけど、ほかの人も自分たちが正しいと思ってるんだ」

このような考え方を「**相対主義**」という。何が真実かは人によって違うという考え方だ。

それを自分の子どもの口から聞いて、私はショックを受けた。それは私の世界の見方と違うし、そんな見方を子どもたちに話したこともない。

ハンクの相対主義はどこまで進んでいるのだろう？　多くの人が、倫理的な問題や評価をともなう判断（ドナルド・トランプはいい大統領か）について、唯一の正解があるという考え方を疑いはじめている。ハンクもそう考えているのだろうか。それとも、彼の相対主義はもっと深いところまで根を下ろしているのだろうか？

「ハンクとパパが一緒に外出したとするよ。パパは雨が降っていると言い、ハンクは降っていないと言ったとしたら、どっちかが正しいんじゃない？」

「ぼくにとってはぼくが正しい」と彼は言った。「そして、パパにとってはパパが正しい」

「でも、雨は降っているか降っていないかのどっちかだよ。パパやハンクが、降っているか降っていないかを決めるわけじゃない」

「パパには雨が降ってるけど、ぼくには降ってないんだ」

最初、私はハンクがどこまで本気で言っているのかわからなかった。

彼は人をからかうのが好きだ。そう言えば、何年ものあいだ、彼がアルファベットの初歩をマスターしているかどうかわからず、やきもきしたことがある。

ABCの歌を聞かせて、と頼むと、いつもでたらめな順番で歌った。私も同じようなことをしてレックスをからかったことがあるので、ハンクも私をからかっているのだろうと思っていた。でも、あまりにしつこく間違い続けるし、直すのを嫌がるので、ハンクがアルファベットは順番が大切だとわかっているのか、心配になった。

だが幼稚園に入ると、彼がからかっていたことがはっきりした。3歳のころからずっとからかっていたのだ。先生の前では、アルファベットを正しい順番で言えるのはもちろんのこと、私たちが思いもよらない知識も披露しているようだった。

なので、ハンクのちゃめっけには気をつけなくてはならない。何かをたくらんでいるときに見せるかすかな笑みも見逃すことができない。もしかしたらこれは、父親をひっかけるための手の込んだ釣りかもしれない。8歳になった彼が、私がいちばん嫌いそうなツボに狙いを定めてきた可能性がある。

しかし、話し続けて夜が更けるにつれ、ハンクが本気でそう言っていることが明らかになっていった。彼なりに考えたうえで、それぞれにとっての真実というものがある、と考えるに至ったようだった。

審判が決めなくても「真実」は存在する

ハンクはなぜそう考えたのか？　ハンクの考え方の鍵は、彼がレックスに言った言葉の中にある。

「彼らはトランプをいい大統領だと思い、ぼくたちは悪い大統領だと思っている。どっちが正しいとは、だれにも言えないってこと」

この後半を言うとき、ハンクは手の平を顔の前に差し出して、上げたり下げたりした。上と下のあいだに何もないことを示して、真ん中には誰もいない、論争に決着をつけられる中立的な裁定者はいないということを言いたかったのだ。

権利について論じた章（1章）で、ハンクが私から訴訟の話を聞くのが好きなことに触れたが、そのたびに彼はこうたずねる。「裁判官はどんな判決を下したの?」。彼は正しい答えを知りたがっていて、裁判官がその問題に決着をつけてくれると考えている。裏を返せば、裁判官がいなければ、人の数だけ答えの数があると考えていることになる。

私が教えている学生たちのなかにも、これに似た考えの学生が多い。その傾向はとくにスポーツに打ち込んでいた学生に見られる(もちろん、それに限定されるわけではないが)。彼らのこれまでの人生では、いつも審判が、インかアウトか、ボールかストライクか、キャッチ成功かパス・インコンプリートかの判定を下してきた。その判定は最終結論であり、異議は唱えられない。審判が「イン」と言えば「イン」だ。審判は事実を確定する力を持っているように思える。

だが実際はそうではない。それはビデオ判定というものがあることからもわかる。たとえばテニスでは、インかアウトかは、ボールがラインに触れたかラインの外に落ちたかで決まるのであって、審判の判定で決まるのではない。審判は事実に従うのであって、事実を決定するわけではない。[29]

審判がいなくても試合は成立する。実際、テニスではセルフジャッジで試合が行われることがある。ほとんどの場合、もめることはないが、判定が食い違うことはある。見る角度も違うし、自分に有利な判定をしたくもなる。

だから審判が置かれる。だが審判はあくまでも追加的な存在だ。正しい判定を下すこともあるが間違えることもある。真実は審判とは無関係に存在する。

試合が審判の判定に従って進むので、審判が真実を決めているように見えるかもしれない。サッカーの試合で審判がオフサイドと判定したら、実際はどうだったかにかかわらず、オフサイドがあったものとして、試合が進められる。つまり審判は、私たちが「何を真実として、それ以後の競技を進めるか」を決める力を持っている。

しかし、真実は審判が判定を下す前に、審判の判定とは無関係に存在する。審判がいてもいなくても関係がない。中立的な裁定者がいないことと真実が存在しないことは同じではない。

真実は人の数だけ存在するのか?

それでも、客観的な真実があるという考えを疑う人が多い。

ある種のサークルのなかでは、何が真実かは社会が決めるという考え方が幅を利かせている。しかし、人種差別について論じた章(7章)で明らかにしたように、カテゴリーを決めるのは社会だとしても、何がそのカテゴリーに入るかを決めるのは社会ではない。

何を惑星と呼ぶかという基準は社会が決めるが、それが決まったら、冥王星が惑星か惑星でないかは、事実をその基準に照らすことによって決まるということだ。その事実判定を間違えると、惑星でないものを惑星としてしまう。真実でないものが真実になってしまう。

雨についてまで相対主義の立場を取るのはハンクだけかもしれない。物理的な世界に関しては、ほとんどの人は動かぬ真実が存在すると考えている。土砂降りの雨の中で、ハンクが「雨は降っていない」と言い張っても、彼には彼の真実があるという考え方を私は受け入れることはできない。そんなことを言うのは、すねているか、からかっているか、そんなあたりだと私は思うだろう。

しかし評価をともなう判断に関しては、ハンクには多くの同調者がいる。

ドナルド・トランプはいい大統領か？　中絶は過ちか？　ベートーベンはバッハよりすぐれているのか？　この種の問いには正解はないと言う人もいる。「人それぞれ」というわけだ。そのように言う人びとも、真実の存在を完全に否定しているわけではない。彼らが否定しているのは「客観的真実」、主義主張に関係のない万人にとっての真実だ。つまり、彼らは真実を「相対化」することによって、自分たちの真実を維持しようとしているのだ。

中絶は是か非かという問いの答えは一つではない、と彼らは言う。あるのはそれぞれの世界観に基づく相対的な答えだけだ。生殖の自由を重視するフェミニストにとっては、中絶は許される。教会の教えに従うカトリック教徒にとっては、中絶は許されることではない。どちらの世界観が正しいのか？　結論を出すことはできないと彼らは言う。フェミニストにはフェミニストの真実があり、カトリックにはカトリックの真実がある、と考えるのである。

これは、すべての人が別々の陣営に振り分けられるという暗い世界観だ。そのような世界では、衝突があるだけで対話はできない。この考え方に立てば、フェミニストとカトリックは重要な部分で対話ができない。一方が自分の世界観に立った主張を行い、他方も自分の世界観に立った主張を展開する。それぞれの道徳のなかで、両者とも正しいことになる。

相対主義に立てば、どちらかの世界観が他方よりすぐれていると言える規準は存在しない。だから議論する意味はないし、相手を理性で説得することもできない。理性もまた、それぞれの世界観に基づく相対的なものだからである（その世界観では、フェミニストとカトリックは異なる価値観や考慮によって動いており、どんなに議論しても、どちらが正しいとは言えない）。

このような考え方は、哲学の世界より、哲学の外の世界で人気がある。ほとんどの哲学者は、**徹底的相対主義**（あらゆることは相対的だとする考え方）は首尾一貫性を欠くと考えている。[30] なぜなら、「客観的な真実は存在しない」という主張が、すべての人にとって真実である客観的な主張だとすれば、「客観的な真実は存在しない」というそもそもの主張と矛盾するからだ。逆に、それは主観的な主張で、そう考える人にとっての相対的な真実を述べているだけだとすれば、「客観的な真実が存在する」という考え方を否定することができなくなる。

「相対主義」ではジェノサイドを悪と言えない

もう少し控えめな相対主義なら、そんな矛盾は避けられそうだ。道徳における相対主義も理解できなくはない。「客観的な道徳的真実は存在しない」という主張は、それ自体に矛盾はないからだ。問題はその主張が正しいかどうかであり、それは議論によって決めることができる。

その議論は筋の通った観察から出発しなくてはならないが、私たちは道徳に関して激しく対立することがあり、最近はとくにその傾向が目立つ。しかし、遠い国の遠い過去に目を向ければ、その対立はもっと激しかった。

道徳観は、かなりの程度、育った文化やコミュニティによってかたちづくられる。もし別の時代に別の場所で生まれていたら、私たちは道徳上のさまざまな問題について、いまと違う考え方をしているだろう。実際、私たちがもっとも深く確信している道徳的信念のいくつかは、昔はまったく一般的ではなかった。いま私たちは奴隷制度を忌み嫌うが、かつては当然とされていた。

道徳的見解の違いは、激しいだけでなく、歩み寄りが不可能なように思われる。中絶を合法とするか違法とするかについて延々と議論が続いていることを考えると、その思いは深くなる。何十年、いや実際には何百年も論じているのに、いまだに真っ二つの陣営に分かれている。

それについて相対主義者は、おおよそハンクと似たような説明をする。どちらが正しいかを決められる、あいだに立って裁定してくれる存在はない。私たちはそれぞれ独自の道徳観の枠組みを持っていて、どちらかが他方よりすぐれているというわけではない。

しかし、この考え方には代償がともなう。たとえば奴隷制度について、自分がたまたま保持している道徳観に応じて相対的な意見は言えるが、真実に基づいて「それは悪だ」と言うことはできない。

大量虐殺《ジェノサイド》についても同じだ。ナチスに対し、「私たちの考えでは、あなたたちはユダヤ人を殺すべきではないと思う」と言うことはできるが、彼らが私たちの世界観を受け入れなければそれまでで、殺してはいけない理由を説明することができない。彼らには彼らなりの真実があることを認めるしかなくなる。

出発点は一理あるように思えたかもしれないが、相対主義は世界をとんでもない不条理な結論に導いてしまう。

真実に到達するには考え抜くしかない

どうやら私たちは、出発点にした観察から間違った結論を引っ張り出してしまったようだ。ロナルド・ドゥオーキンはそう考えた。[31] 彼はよく、意見が異なるということは結論を出せないという意味ではない、と言った。むしろ、その逆だと考えた。

中絶の是非をめぐって見解の相違があり、激しく対立しているのは、両陣営とも正しい答えがあると考えているからであり、そこに到達することが重要だと考えているからにほかならない。残念ながら合意には到達できないかもしれない。しかし、真実は合意によって生まれるものではないし、合意できないからといって真実が存在しないわけでもない。

確かに、私たちは別の時代や別の場所に生まれていたら、違う考え方をしていたかもしれない。道徳観だけではなく、科学的見解も違っていただろう。昔に生まれていたら、太陽が地球のまわりを回っていると信じていただろうが、いまでは地球が太陽のまわりを回っていることを知っている。かつては天動説を信じていたが、いまは地動説を疑ってはいない。いま私たちは、昔の考え方のどこが間違っていたかを理解し、なぜいまの考え方が正しいのかを説明できる地点に立っている。奴隷制度についても同じだ。

私たちの道徳観は生まれた時代や場所などの偶然に影響されるが、だからといって、その道徳観の正しさを疑う必要がただちに生じるわけではない。ただ、何かを主張するときは謙虚さを忘れてはならないということだ。

自分は間違っているかもしれないと自問することを忘れてはならない。考えが違う人と話さなくてはならない。間違っていたと思えば、潔《いさぎよ》く考えを改めなくてはならない。

だが、どこかに真実があるという考えと、真実の探求は、決して放棄してはならない。

それにしても、真実はどこにあるのだろう？　何が道徳的正しさを決めるのだろう？　それはあらゆる哲学において厄介な問題だ。
ドゥオーキンも言っているが、「宇宙にモロン〔訳せば「脳たりん」〕という特別な粒子があって、そのエネルギーと運動が、人間の行為や制度が道徳的か非道徳的か、あるいは美徳か悪徳かを決定する場《フィールド》を形成している」などと考える者はいない。[32]
モロンによって何が正しい道徳かが決まらないなら、何が決めるのだろう？　そんな大問題についてここで十分な議論はできないが、私がこの問題を考えるときの方向性なら示せる。私の方法はドゥオーキンの方法と似ている。
私の考えでは、道徳的に何が真実かは、私たちがその道徳的主張を行うときにどんな理由を根拠としているかで判定できる。

ドゥオーキンが言うように、だれかに「なぜ中絶はいけないと思うのか」とたずねれば、「それがよくないことは宇宙のタペストリーに織り込み済みだ」などという答えではなく、おそらく何らかの理由が返ってくるだろう。[33] 神が中絶を禁じている、中絶は生命の尊厳を軽んじている、罪のない命を殺すのは間違っている、といった答えが返ってくるかもしれない。

その理由を聞いたうえで、その理由は正しいか、見落としはないか、論理は筋が通っているかを考えるのだ。その問い直しを、その人とともに行えれば理想的だ。つまり、見解の異なる人と一緒に考えるということだ。

そんな会話の最中に懐疑論者が首を突っ込んできて、「そんな議論は無駄だ」「現実を見ていない言葉遊びだ」などと言ったとしよう。そのときは彼に、なぜそう考えるのかとたずねよう。彼が理由を言ったら、その理由は正しいか、見落としている点はないか、とたずねればよい。彼はこの問題について十分考え抜いているだろうか?

どこまでも理性を大切にすべきだ。ドゥオーキンは、「精緻な懐疑論を含むあらゆる主張について、私たちにできることは、自分なりに適切と思う方法で考え抜いたうえで、自分はそれに同意するかどうかを判断することだけだ」と述べている。[34] 精いっぱい考え抜いて、そう考えるしかないと思えば、それを信じるのが最善の選択だということだ。

ハンクの相対主義を論破した夜

ハンクの相対主義は長続きしなかった。ある晩、私が論破したからだ。

私たちは寝る前に、彼の言う「男同士のおしゃべり」をすることがある。たいていはくだらない話だが、たまに真面目な話もする。

その夜、私たちは相対主義の話の続きをした。それまでにも私は、何度かハンクの相対主義を論破しようとして失敗していた。だがそのときは、かなり期待できる隠し技があった。

電気を消し、彼の好きな子守唄を歌い、部屋を出るときに、私はこう言った。

「おやすみ、ハンク。きみはパパが知ってる最高にかわいい6歳の男の子だ」

「6歳じゃない。8歳だよ」

「そうだっけ?」と私。「ハンクにとってはそうかもしれないけど、パパにとっては6歳だけど」

「ぼくは8歳」と彼は言った。わずかに語気が強まっている。

「それはパパにとっては真実じゃない。パパから見たらハンクは6歳だ」

「ぼくは8歳。だれにとっても間違いのない事実もあるんだ」と彼はピシャリと言った。

そう、そのとおりだ、ハンク。

「認識論的バブル」と「エコーチェンバー」

それにしても、何が真実かについて同意することが、なぜこんなに難しいのだろう? C・

ティ・グエンはそのことを考え続けている。彼はかつて「ロサンゼルス・タイムズ」のフード・ライターだった。うらやましい仕事だ。しかしグエンは食べ物から離れ、哲学の道に進んだ。彼は信頼、ゲーム、そしてコミュニティの働きについて書いている。

グエンの考え方の注目すべき点は、「**認識論的《エピステミック》バブル**」と「**エコーチェンバー**」〔反響室〕を区別するところにある。

グエンによれば、認識論的バブルとは、「外からの適切な意見を遮断し、排除する情報ネットワーク」のことだ。[35]

現代人はますますこのようなバブル〔閉鎖空間〕の中で生活するようになっている。現実の地理的空間を見ると、属性の似た人びとが集まって住み、同じような考えの人に囲まれて暮らしている。ネット空間では、ソーシャルメディアのフィードに似たような考えを持つ人びとが集まり、アルゴリズムがユーザーの好みに合わせて何を見せるかを調整している。

それが認識論的バブルで、好ましいものではない。中にいる人びとの見解に反する情報を遮断し、過信に陥らせる。真実からかけ離れた考えであっても、みんながそう考えていると思い込ませる。問題の存在そのものを隠してしまうことさえある。

しかしグエンはこれをさほど気にしていない。バブルは、その中にいる人びとが「見逃していた情報や議論に触れる」だけで簡単に破れるからだ。[36]

グエンはエコーチェンバーのほうを心配している。認識論的バブルと同じように見えるが、重要な違いがある。エコーチェンバーは、「外から入ってくる適切な意見の信頼性を積極的に失墜させようとする社会構造」だ。[37] エコーチェンバーの問題は、情報を遮断することではなく、情報源の信頼性を蝕むところにある。

右派にも左派にもあるエコーチェンバー

グエンは、エコーチェンバーを積極的につくり出した人物として、**ラッシュ・リンボー**の名前を挙げる。リンボーは何十年ものあいだ、人気ラジオ番組のパーソナリティを務め、保守的な意見を語り続けた。それでもリスナーは外部の情報にアクセスできたし、ほかのメディアからも情報を得ていたので、認識論的バブルの中に閉じ込められていたわけではない。

しかし、リンボーはリスナーに、彼と意見を異にする人間を信用するなと吹き込み、よからぬ連中が自分やリスナーに襲いかかってきたという見方を浸透させた。[38] 反対意見の持ち主の誠実さを疑わせ、たんに間違っているのではなく、悪意があると見えるよう仕向けた。

リンボーは亡くなったが、彼がつくり上げた右派のエコーチェンバーはなくなっていない〔リンボーはトランプ大統領から大統領自由勲章を授与された〕。ケーブルニュースやソーシャルメディアが拍車をかけ、右派のエコーチェンバーは劇的に拡大した。リンボーやリンボー的な人物がまき散らした不信感は、国会議事堂襲撃につながった。多くの人が、右派の言説であればどんなウソでも信じる状態になっていたからだ。

左派にもエコーチェンバーは存在する（リンボーほどの影響力はないが）。

ロビン・ディアンジェロは著書『ナイス・レイシズム――なぜリベラルなあなたが差別するのか？』（明石書店）の中で、人種差別的な行動や態度を箇条書きにしている。[39]そのなかには、ブラックフェイス（黒人を模して顔を黒く塗ること）や名前を正しく発音しないことなど、明らかに問題とわかるものもあるが、そうでないものもある。たとえば、職場で神経多様性《ニューロ・ダイバーシティ》（脳や神経の障害や特性を多様な個性とみなす考え方）を推進することが人種差別につながりかねないとしていることには疑問の余地がある[40]（人種的多様性と神経多様性の追求は、雇用枠を奪いあうゼロサム・ゲームとは限らない）。

しかしディアンジェロは、自分がつくったリストに対する疑問は受け付けたくないようだ。このリストに疑問を感じること自体が人種差別的だと言っている。リストの最終項目は、「このリストにある事柄がなぜ問題なのか理解できないこと」とある。[41]この一項目によって、ディアンジェロは自分の見解に対する批判を遮断し、理由も聞かずに反対意見の信用を貶めようとしている。[42]これではエコーチェンバーが形成されてしまう。

エコーチェンバーが減れば政治はよくなるだろう。しかしグエンが指摘するように、エコーチェンバーは政治的なものばかりではない。[43]反ワクチンを唱えるコミュニティもエコーチェンバーの一つだ。何もないところに陰謀を見出し、医師や科学者への信頼を損なうような情報を拡散している。ダイエットやエクササイズ、マルチ商法に関連するエコーチェンバーもある。

エコーチェンバーの見分け方と脱し方

グエンは、あるコミュニティがエコーチェンバーかどうかを見分ける単純な判定基準があると言う。

「コミュニティの信念体系が、その中心的ドグマ〔教義・教理〕を支持しない人びとの信憑性を積極的に毀損しようとするものなら、それはおそらくエコーチェンバーである[44]」

エコーチェンバーは、認識論的バブルよりも復元力があって壊れにくい。外の情報に触れるときも、エコーチェンバーが提供するレンズを通して見ることになるからだ。

だが、抜け出す方法がないわけではない。

グエンは、デカルトの「根本的な懐疑」に似た考えで立ち向かえば、エコーチェンバーから解放されることができると言う。エコーチェンバーで仕入れた信念をいったんすべて捨て、ゼロから再構築してみるということだ。

しかし、グエンはそう言いながらも、デカルト的な方法には難しさがあると言う。疑う余地のない確信という点にこだわりすぎると、再構築の土台をまったく築けなくなるからだ。

そこでグエンが勧めるのは、思考の認識論的オペレーティング・システムの再起動だ[45]。

それは、まず自分の感覚を信頼し、他者を信頼し、他者と対等でオープンな方法で向きあうことから始まる。自ら進んで世界に触れ、多くの情報源を信頼できないと決めつけずに取り込む。最終的には、どの情報源を信頼するか決めなければならないが、オープンマインドで向きあえば信頼に足るものを選びやすくなる、というのが彼の考えだ。

家庭という認識論的バブル

子育てについての私の考え方は、グエンの影響を受けている。

家庭は、少なくとも小さな子どもにとっては、認識論的バブルのようなものだ。幼い子どもは、ほとんどすべての情報を親から得る（おそらく兄や姉からも）。したがって、親は子どもがよい情報を得られるように心しなくてはならない。しかし同時に、親の教えに反する情報源を否定してエコーチェンバーをつくってしまわないよう、注意することも重要だ。つまり、バランスが重要だ。

私は子どもに、世の中には信頼できない人もいることを知ってほしい。そんな人のことを警戒してほしい。私がどのような情報源を信頼しているのかを知ってほしい。そして何より、子どもたち自身に情報源を見極める力をつけてほしい。

前章で私は、質問してくる人を疑うことをレックスに勧めていると話した。その人は本当に何かを理解したいと思っているのだろうか？　主張の根拠を知ろうとしているのだろうか？　自分の考えが間違っているとわかったら、それを表明するだろうか？　うやむやにしてしまうのだろうか？

これらの問いはニュースソースを評価するときにも有効だ。これらにニュースソースを見極めるための問いを付け加えておこう。彼らは訓練を受けたジャーナリストか？　専門家の話を取材しているか？　間違ったら訂正を発表しているか？　読者の怒りを煽ろうとしていないか？　読者に情報を提供しようとしているか？

レックスはすでに親の認識論的バブルから離れている。彼は一人でインターネットの窓から世界をのぞいて歩いている。ハンクもすぐそのあとに続くだろう。私たちは、子どもたちに心を開くことを教え、信頼できるのはだれかを批判的に考えるための物差しを与えてきた。彼らがエコーチェンバーへの耐性を身につけてくれていることを願いたい。

「サンタ」を信じさせるのはウソをつくことか？

家庭が認識論的バブルであるという事実は、子どもに子どもらしいファンタジーを信じ続けさせるための鍵だ。バブルの中で情報を管理しつづけるなら、子どもはいつまでも**サンタクロース**は本当にいると考えるだろう。家の外で、たとえばサンタクロースの正体を知っている友だちや、その存在を疑っている友だちと出会ったときに、ようやくサンタの存在を疑うようになる。

私たちはサンタクロースに特別こだわったわけではないが、サンタを大切にする子どもたちの気持ちは守ってやりたかった。息子たちに友だちのクリスマスを台無しにするようなこともしてほしくなかった。そんなわけで、クリスマスの時期には、サンタをわが家に呼ぶためにレックスが考えた滑稽な作戦を手伝いながら楽しく過ごした。

レックスのサンタ招聘は成功しなかったが、**歯の妖精**〔アメリカで乳歯が抜けるとやって来るとされている妖精〕は訪れた。子どもたちは彼女が大好きで、彼女からの手紙と1ドル硬貨を楽しみにしていた。

私は、歯の妖精は子どもの歯を集めて、いったい何をするんだろうとレックスと話した。レックスは、子どもの歯は妖精の国のお金だと言った。私は、歯が通貨なら、歯を集めるのは金《きん》の採掘みたいなもので、そんな不確かなものに頼って経済を運営しているようでは先進国とは言えないかも、などと感想を言った。

ハンクはというと、最初の乳歯が抜ける前から、歯の妖精の存在を疑っていた。友だちから、本当は歯の妖精なんかいない、親がそのふりをしているだけだと聞いていたからだ（このことからも認識論的バブルは簡単に破られることがわかる）。

もうしばらくハンクに歯の妖精のことを信じさせておきたかったので、私たちはウソをついた。ちょっとしたエコーチェンバーをつくったというわけだ。

「その子はなんでそんなことを言ったのかな？　きっと考えがこんがらがってるんだ。歯の妖精はレックスの歯が抜けたときにもやって来て、ママもパパも会ったけどなあ」

こんな調子で、ハンクが再び疑いはじめるまでに6本の歯を乗りきった。

だが、いま思えば私たちのやり方には問題があったかもしれない。ハンクは明確な質問をしたのに、私たちは本当のことを話さなかったからだ。

そのとき私たちは、期待停止文脈に置かれていたと言えるだろうか？　以前、ごっこ遊びは期待停止文脈だと述べた。それはほとんどの場合、子どもは親がふりをしていることを知っているからだ。だが、私たちは歯の妖精に関して、ふりをしていることをハンクが気づかないように積極的に隠した。つまり私たちの遊びは、ごっこ遊びではなかったことになる。もしかしたら、私たちは不適切なことをしていたのだろうか。

シフリンによれば、「本当のことを言わなくてもよい」という正当な理由があることを全員が知っているか、知らないまでも、当然に推定できる状態にないかぎり、正当な期待停止文脈とは言えない。[46]だとすれば、私たちは本当のことを言うべきだったということになる。

だが私は、この点ではシフリンは間違っていると思う。子どもとの関係にかぎらないが、たとえばだれかに誕生日のサプライズパーティを仕掛けるとき、当人に対し、今日は一人で食事するとか、急用ができたから急いで帰るとか、事実に反することを言うことがある。相手を驚かせたり喜ばせたりするために、そんなことを言って相手に気づかれないようにした経験はだれにでもあるはずだ。

私たちがハンクにしたことはそれと同じだ。ハンクには少なくともしばらくのあいだファンタジーを楽しんでもらいたかった。だから、少なくとも道徳的に重要な意味で、私たちはウソはついていたわけではなかったと思う。

真実

望めば「本当のこと」を知らせてもらえるという安心

ハンクと一緒にファンタジーの世界で遊ぶのは、私の楽しみの一つだ。

いつだったかハンクに、ジョージア大学のフットボールチームのカービー・スマート監督がハンクに次の試合に出場してほしいと言ってきた、と話したことがある。

「ポジションはどこ？」とハンクがたずねた。

「ランニングバックだ」と私。「コーチはハンクが相手の股の下をぐって走り抜けられると考えてるみたいだ」

「味方の背中におぶさることもできるし」とハンク。

「いい考えだ。それならだれもハンクに気づかないかも」

「それかクォーターバックの肩の上に立って、パスを投げることもできる」

「危なそうだな。振り落とされないように気をつけるんだぞ」

そんな調子でしばらく話を続けた。もちろん、ハンクはそれが現実でないことを知っていたはずだ。そのとき彼は6歳で、フットボールの試合もたくさん見ている。

だからハンクがこう言ったとき、私は驚いた。

「それ、本当の話じゃないよね？」

「どう思う？」

「教えて」

「わかってるんだろ？」

「言ってよ」

そう言われたので、私は本当のことを伝えた。

それ以来しばらく、ふりをして遊んだとき、毎回同じようなやりとりをすることになった。ハンクは「それって、ふりをしてるんだよね？」と確認を求めた。私がすぐにそうだと言ってやらないと、彼はイラついて、先刻承知のはずなのに私の口から聞きたがった。

そんなハンクの反応を理解するのを、シフリンが助けてくれた。
正当な期待停止文脈では、本当のことが語られるべきだという期待は中断されているが、その中断を解除して本当のことを言わなくてはならない状態に戻る方法が明確になっている必要がある、とシフリンは指摘している。[47]
たとえば、友だちから、着ている服をどう思うかたずねられたとする。あなたの正直な意見を求めているのかもしれないし、褒めてもらって安心したいのかもしれない。あなたは彼女のことをよく知っているので、彼女の本心はわかっている。安心を求めているなら、それは正当な期待停止文脈だから、本心でなくても「素敵よ」と言って大丈夫だ。
しかし友だちが「本当の感想を聞かせてね。それが知りたいの」と付け加えたら、期待停止状態は終わり、正直に答えるのが正しい対応になる。

シフリンはウソをつくのは悪いことだと考えている。しかし、本当だと請けあったうえでウソをつくのはもっと悪いと考えている。[48]

彼女はそのことを、戦場で使われる白旗を使って説明している。白旗は降伏、停戦、交渉を呼びかける合図だ。白旗を使って降伏のふりをして、奇襲や破壊工作を行うのは戦争犯罪とされる。[49] なぜか？

「どんなに激しく戦っていても、紛争を終わらせるための出口を確保しておき、交渉の可能性を残しておかなければならないからだ」とシフリンは言う。[50]

もちろん、戦争は親子のコミュニケーションなどとは別次元の期待停止文脈だ。しかしシフリンの喩えは、ハンクが本当に求めていたものを私が理解するのに役立った。

ハンクは出口があることを知っておきたかったのだ。彼はふりをするのが好きだが、本当のことを知りたいと思ったときには真実を教えてもらう必要もあった。自分が上げる白旗が有効だと知っている必要があった。

ある晩、ハンクは、歯の妖精について私とジュリーの話に調子を合わせていた。だが、ジュリーに寝かしつけられながら、その日抜けた歯のことを話していたとき、突然真顔になってこうたずねたのだ。

「ぼくが親になるまでに、歯の妖精が本当にいるかどうか教えてくれる？」

「もちろん」とジュリーは答えた。「ハンクがパパになる前に教えてあげるわ」

「わかった」とハンクは言った。「何かしなくちゃいけないことがあるなら、知っておきたいんだ。あわてたくないから」

そう言うと、歯の妖精が本当にいるかどうかをたずねることなく眠りについた。

ハンクは、いつか自分が望めば本当のことを教えてもらえると知っておきたかった。ただ、いまはまだ知る必要はなかった。

Chapter 10

心

赤ちゃんであるとはどういうことか？

「犬の心」の謎

ベイリーはいつも何を考えてるんだろうね？

私たちはよく、そんな話をする。ご記憶かもしれないが、ベイリーというのはわが家の愛犬、ミニゴールデンドゥードルだ。

レックスは彼女の行動を実況中継するのが好きだ。ただし、スポーツキャスターの口ぶりとは違う。キャスターならこんなふうに中継するだろう。

「ベイリーがリスのサミーを追いかけています……捕まえられるか……距離が詰まった……あっ、逃げられました。何度も、あとちょっとのところで逃げられてしまいます」

だが、レックスは自分がベイリーであるかのように話す。

「あ、リスだ。捕まえるぞ。急ごう！　あ、あっちにもいる……逃がすものか……でも疲れた、ちょっと休もうかな」

これが面白いのは、ベイリーがこんな独り言をつぶやくはずがないからだ。ベイリーは私たちの言葉をいくつか聞き分けるが、数は限られている。彼女の内面は人間とは違うはずなので、ベイリーが人間のように考えたり、やる気に燃えたりすると想像するのは楽しい。

彼女の内面が人間と違うことは、行動を見ればわかる。彼女はほかの犬に出会うと、お尻のにおいを嗅いで挨拶する。ウサギのフンを食べる（それで寄生虫をもらったこともある）。なぜかわからないが風船に吠えたりもする。

だが、ベイリーの考えがわかることもある。たとえば、お腹が空いている、おしっこをしたがっている、遊びたがっている、というのはわかる。身体を洗われるのが嫌いなこともわかる。ジュリーと子どもたちのことが大好きだが、私のことはそれほどでもないようだ。なるほど、それなりの判断力もあるようだ。

でも、「ベイリーであるとはどういうことなのか」は、人間である私たちにはほとんどわからない。知覚ということだけ考えても、彼女はわれわれと違う世界を経験しているはずだ。犬は鼻からたくさんの情報を集める。人間が嗅ぎ分けるより、はるかに多くの情報を集める。犬の嗅覚は人間の1万倍から10万倍も鋭いと言われている。[1]

また、犬の脳の中で嗅覚に関係する部位は、人間の脳で同じ働きをする部位の約40倍（脳全体に占める割合での比較）もあるそうだ。犬にはフェロモンを感知するための、人間にはない器官もある。

そんな鋭い嗅覚があったら、どんなことになるだろう。少しは想像できるが、正確なところはわからない。私がベイリーに乗り移って、ベイリーと同じように世界を認識したら、何もかも違うことに驚くだろう。

だが、そうなったとしても、私にはベイリーであるとはどういうことなのかはわからない。わかるためには、犬の知覚だけでなく、考えや願望、その他さまざまなことを知らなければならない。

ハンクにこうたずねたことがある。「もしハンクがベイリーになったら、どうなると思う？」

「かなり違うんじゃない？」

「どう違うの？」

「ルールが全然違う」

話が少しかみあっていない気もしたが、ハンクの考えに興味をそそられた。

「どういうこと？」

「ベイリーは家の外でおしっこするけど、ぼくはしない。ぼくはチョコレートを食べるけど、あいつは食べない」

「ベイリーの世界は、パパやハンクの世界とは違うのかな？」

「だと思う」とハンクは言った。「犬は、人間に見える色の全部は見えないらしいよ」

そのとおり。犬に見えている色は、ほぼ青、黄、灰色だけだ。[2]

「いまベイリーの頭の中はどうなってるんだろうね？」

ベイリーはおもちゃをかじりながら、ぼんやりと私たちを見つめている。

「わからない。たずねてみたら？」

私はベイリーにたずねてみた。彼女は私のほうに顔を向けたが、何も答えてくれなかった。

ベイリーはわが家の重要な一員だが、彼女の心《マインド》は謎めいている。

赤ちゃんであるとはどういうことか？

私とジュリーにとっては、息子たちの心も長いあいだ謎だった。しゃべりはじめると、それ以前よりはわかるようになったが、赤ちゃんのころはベイリー以上にわけがわからなかった。ベイリーは動くから、見ていれば何を考えているのかわかるが、赤ちゃんはただ寝そべって世界を見つめているだけだ。

私の母は、孫たちの心が謎めいていることに、すっかり魅了されていた。孫が生まれたばかりのころ、ふたこと目には、「この子は何を考えてるんだろうねえ」とつぶやいていた。「何度同じことを言ったら気がすむのか、知りたがってるんじゃない？」と私はからかった。

でも、私も母と同じ疑問を感じていた。赤ちゃんや幼児と接していれば、だれもが同じ疑問を持つのではないだろうか。赤ちゃんは熱心に世界を見つめるが、何を考えているのかまったくわからない。

いや、まったくわからないというのは正しくない。心理学者は赤ちゃんの心の働きを研究している。赤ちゃんは話せないから、研究は簡単ではないが、心理学者は赤ちゃんが世界を観察するのと同じくらい熱心に赤ちゃんを観察する。赤ちゃんがどこを見るのか、どのくらい長くじっとしているのかを観察する。少し大きくなったら、遊び道具を与えて認知能力を調べたりもする。

調べる方法には限りがあるが、多くのことが明らかになっている。発達心理学を勉強すれば、赤ちゃんが対象にどう注意を向けるのか、どう記憶するのか、あることの次に何が起こるかをどう予測しているのか、といったことがわかる。

しかし、「赤ちゃんであるとはどういうことか」はわからない。少し成長して、よちよち歩きの幼児になっても、やはりわからない。だれにもわからない。赤ちゃんも幼児も、大人の私たちにとっては犬と同じくらい、いやそれ以上に、よくわからない存在だ。

子どもの心も、基本的には大人と同じで、知的発達の程度が違うだけだと思いがちだが、そうではない。発達心理学の第一人者である**アリソン・ゴプニック**は次のように説明している。

子どもは不完全な大人、これから徐々に完全で複雑になっていく未発達な大人ではない。子どもの心、脳、そして意識の形態は、大人とはまったく異なるが、大人と同じように複雑で力強く、大人とは異なる進化的機能を果たしている。人間の発達は単純で直線的なものではなく、青虫と蝶のあいだで起こる変態に近い。ただし、空を自由に飛ぶ蝶から地べたを這う青虫への変態だ。[3]

「1分前のハンク」はもういない

子どもの心には、大人とは比べものにならない驚くべき能力がある。子どもがいとも簡単に言語を習得するのを見て、自分にもそんな能力が残っていたらいいのに、とうらやましがる大人は多いはずだ。

子どもが大人と違うのはスキルだけではない。子どもの想像力は、大人よりはるかに生き生きとしている。彼らはつねに世界を創造し続ける。大人には遠い昔の話だ。大人には仕事があるので、別の何かになったふりをして楽しむ時間も遊ぶ時間もほとんどない。仕事のせいだけではなく、脳が子どもと違う働き方をするからでもある。

大人は現実の世界に閉じ込められている。別の世界を想像することはできても、子どものようにその世界に入り込んで楽しむことはできない。

息子たちが幼かったころ、さまざまなごっこ遊びをしたが、彼らが大喜びするのを見て私は感動した。自分もこんなふうに喜べたらどんなにいいだろうと思った。楽しめることもあったが、子どもが喜ぶのを見て喜んでいたというのが正直なところだ。たいていすぐに飽きてしまい、そろそろ切り上げて仕事に戻らなくては、と上の空になることが多かった。そんなときは、きまって後ろめたさを感じた。

多くの人が「あのころが懐かしい」と子ども時代を懐かしむ。本当にそう思う。私など、もはや自分の子ども時代ではなく、息子たちがもっと幼かったころを懐かしく思っているほどだ。息子たちにそんな気持ちを打ち明けることもある。

「どうして、ぼくがいなくなったみたいなことを言うの？　ここにいるよ」とハンクが気づかってくれる。

「もちろん、ハンクはここにいるよ」と私。「でも、1分前のハンクはもういなくて、帰ってこないからね」

過ぎ去っていくわが子を懐かしむのと同じように、私は昔の自分のことも懐かしく思い出す。自分の世界で遊んでいた、無邪気な子ども時代の自分にはもう戻れない。あのころの自分はどんなだったか、断片的な記憶をかき集めることしかできない。小さい子どもと一緒に過ごすと、彼らのように世界を見たい、遊びに没頭したい、と思わずにいられない。

その願いは、子どもについてよく知っている科学者たちも同じのようだ。発達心理学のもう一人の権威である**ジョン・フラベル**が、ゴプニックにこう語っている。「幼い子どもの頭の中に5分間でも入り込んで、もう一度2歳児の世界を純粋に体験できるなら、学位や名誉のすべてと交換しても惜しくない」[4]

私はこの言葉に胸を衝《つ》かれる。大人の世界で権威ある科学者が、童心に返って、かつて自分が持っていたものを取り戻したいと願っているのだ。

この言葉は、幼い子どもであるとはどういうことかを大人がいかに知らないかを物語っている。ゴプニックやフラベルを筆頭に、研究者は赤ちゃんの心の動きについて多くのことを発見したが、赤ちゃんの内面はいまも多くの秘密に包まれている。[5] 大人はみんな、かつて赤ちゃんだったのに、赤ちゃんであるのがどんなことなのかを知らない。

「コウモリの実感」をめぐる哲学

ここで私たちは、ベイリーであるというのはどういうことか、赤ちゃんであるというのはどういうことか、という問いと向きあう。この問いは、20世紀の哲学でもっとも有名な論文の一つ、**トーマス・ネーゲル**の「コウモリであるとはどのようなことか」を想起させる。

ネーゲルは驚くほど広い哲学領域をカバーしている。利他主義、客観性、理性の本質、なんと税に関する経済政策についても書いている。しかし、いちばん知られているのは「コウモリであるとはどのようなことか」という問いだ。

コウモリは人間にできないことができるので、この問いには興味をそそられる。コウモリは飛ぶし、音響探知もすることが、ネーゲルの注意を引いた。コウモリは甲高い声で鳴き、その反響音でまわりの環境についての情報を集める。この音響感覚によって、コウモリは「人間が視覚によって行うのと同じように、距離、大きさ、形、動き、質感を、正確に識別することができる」[6]。

コウモリであるとはどのようなことか？ 私たちにはわからない。どうすればわかるかもわからない。そのことをネーゲルはこう書いている。

夕暮れ時や明け方に翼（皮膜）を使って飛びまわって虫を捕まえることを想像しても、目ではなく高周波音の反射によって世界を認識することを想像しても、屋根裏に逆さにぶら下がって一日を過ごす暮らしを想像しても、コウモリであるというのがどういうことかを知ることはできない。[7]

そういうことが全部できたとしても、コウモリのような人間がどういうものかについての洞察は得られても、そこまで止まりだとネーゲルは言う。彼が知りたいのはそういうことではなく、「コウモリにとってコウモリであるとはどういうことか」なのだ。[8] しかし、彼にはそれを知る方法がない。なぜなら、それを知るために使えるものが、人間である自分の心しかないからだ。

その考え方は悲観的すぎると言う哲学者もいる。その理由の一つは、**エコーロケーション**〔反響定位〕ができる人間がいることだ。有名なのは実在のバットマンとして知られる**ダニエル・キッシュ**だろう。[9]

キッシュは生後13カ月で視力を失い、目がまったく見えない。だがすぐに、舌打ちを使って、まるでコウモリのように、その反響から周囲の情報を収集できるようになった。その正確さは自転車に乗って道を走れるほどだ。自分には見える、とさえ言っている。

キッシュの脳をスキャンすると、視覚情報を処理する脳の部位が活性化していることがわかる。[10]彼がエコーロケーションによって普通の人が目で物を見るのと似た体験をしているというのは、ありえない話ではない。

そんなキッシュなら、私たちに、コウモリであるとはどういうことかを教えられるだろうか？

たぶんネーゲルは、できないと言うだろう。[11]エコーロケーションができれば、コウモリであることの一端は理解できるかもしれない。普通の人よりコウモリと共通点が多いので、コウモリであることを知るうえで有利なのは確かだ。

しかし完全に理解できるわけではない。キッシュにわかるのは、コウモリにできることができる人間であるとはどういうことかであって、コウモリ自身の実感はわからない。大人は幼児のすることができるが、幼児であることがどういうことかはわからないのと同じだ。

他者の頭の中には入り込めない

この問題は、私が幼稚園児のころに気づいた問題――母には赤がどう見えているかが自分にはわからない――と同じだ。ネーゲル風に言えば、「赤いものを見ている母であるとはどのようなことか」ということだ。幼稚園児の私は、自分にはそれを知る方法がないことを知った。だから何なのだと思われるかもしれない。世の中にはわからないことが山ほどある。他人に赤がどう見えるかなど、どうでもいいじゃないか。地球以外の星に生命が存在するのかも、常温核融合が可能かも、なぜ人びとがカーダシアン家〔アメリカのセレブ家族〕に関心を持つのかもわからない。世界はわからないことだらけだ。

確かにそのとおり。しかし、それらは探究するためのリソースと資金さえあれば、いつか解明できる可能性がある。だが、母に赤がどう見えているかがわからないということの根底には、それらとは別の、克服できそうもない問題が存在する。どんなに時間とリソースを注ぎ込んでも答えにたどり着くことはできない。

もちろん、母自身は自分に赤がどう見えているかを知っているが、母にたずねてもわかるわけではない。母は自分に赤がどう見えているかを私に伝えることができないからだ。なぜなら、母には自分が感じている赤の赤らしさを表現する言葉がない。そのような体験を哲学用語では、「**表現の不可能性**」とか、「**私秘性**」などと言う。彼女の体験は彼女だけのものであり、私はそ

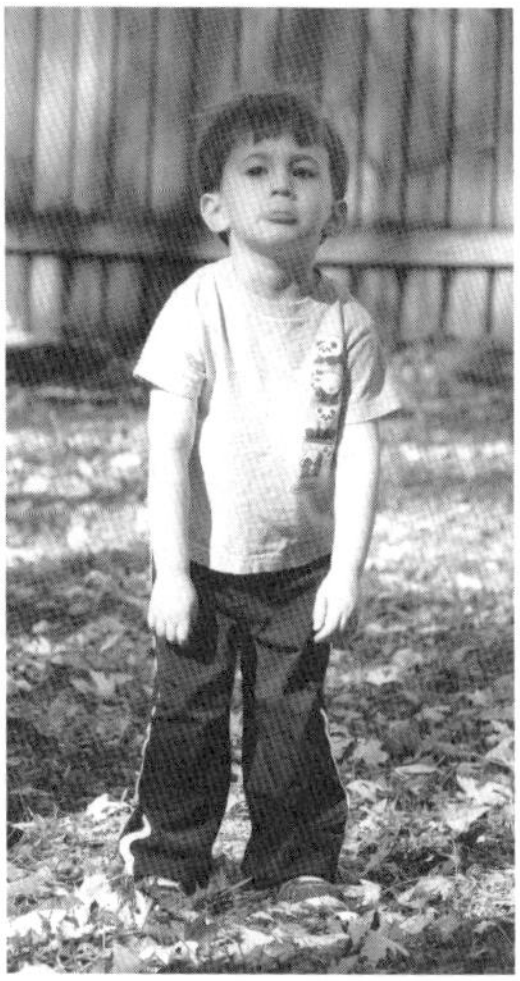

の体験のひとかけらも共有することができない。私たちはそれぞれ自分の方法で世界を見ていて、他人が世界をどう見ているかを知ることができない。他者の頭の中に入り込めないのは偶然ではない。

少し考えれば、そんなことは無理だとわかる。幼児になって世界を体験するには、幼児であると同時に、何らかの方法でいまの自分自身にとどまらなければならない。だが、自分にとどまるなら、幼児になることができない。[12] だから、自分以外のだれかの体験をすることはできない。[13]

とはいえ、その点をあまりにも過大に受けとめるのはよくない。私たちはお互いの心を読むことができるからだ。私にはハンクが喜んでいるのか悲しんでいるのかがわかる。空腹や怒りもわかる。気持ちが表情に出るからだ（写真参照）。

相手の表情を見れば気持ちがわかるのは、自分も似た気持ちになったときに同じような表情をするからだ。顔や行動に表れる精神状態は、かなり正確に見抜くことができる。

もちろん取り違えることもあるし、すべての精神状態が外から見えるかたちで表れるわけでもない。実際、相手の心がわからないということが人間関係のあり方に与える影響は奥が深い。わからないから、プライバシーを保つことができるし、自分の考えを内に秘めておける。相手の考えがわからないから、それを知って驚くこともある。そのほうがいい場合も多いが、そうでないこともある。相手の気持ちがわからないために、相手の痛みに気づかないという場合などだ。

「自分以外の人」には内的世界がないかもしれない?

もちろん、相手の痛みに気づくとか気づかないとかいうのは、相手に痛みがあるという前提があってのことだ。だが、他者には本当に痛みがあるのだろうか?

私たちは何も疑わず、赤ちゃんであるとは、ベイリーであるとは、コウモリであるとはどういうことか、という問いが成り立つと考えている。対象がまったく見知らぬだれかであっても同じだ。つまり、自分だけでなく、生きているものすべてに内的世界があることを当然と考えている。

だが、なぜそう言い切れるのだろう?

自分に意識があることはわかる。つまり、私を私にしている何かがあることは知っている。私はそのことを、ほかのどんなことより身近なこととして知っている。しかし、私はなぜ、あなたにも意識があって、あなたをあなたにしている何かがあると考えているのだろう？

もしかしたら、デカルトの悪魔が私の世界を、「何かを考えたり感じたりしているように見えるけれど、じつは何も経験していない生き物たち」で埋め尽くしているのかもしれないではないか。

あるいは、私はコンピュータ・シミュレーションの主人公で、プログラマーによって心を与えられた唯一の存在かもしれない。私が出会う人びとは、ビデオゲームのキャラクターのような、外見だけの空っぽの存在かもしれない。

あなたはピーチ姫を救うために果てしない冒険を続けるマリオを見て「マリオであるとはどういうことか」などと考えたことはないだろうし、ひたすら同じ物を食べ続けるパックマンについても、そんなことを気にしたことはないだろう。だが、私たちが出会う人びとが、実はそんな存在だという可能性はないのだろうか？

「哲学的なゾンビ」を考える

この問題を考える哲学者は、ゾンビという存在を持ち出す。ただし、ホラー映画に登場するようなゾンビではない。哲学の世界のゾンビは、あなたの脳を食べようとはしないが、まったく別の意味で不気味な存在だ。

哲学的なゾンビとは何か？

それは自分と双子のゾンビを想像するとわかりやすい。そのゾンビは、ただ一点を除いて何から何まで自分と同じだ。身長も体重も年齢も、物理的に見ても粒子（電子やクォーク）に至るまで完全に同一の存在だ。することも自分と同じだ。私のゾンビは私と同じように動き、同じことを、同じタイミングで、同じように話す。この本と一字一句同じ本も書く。彼は何から何まで私と同じ複製だ。

一点だけ違うのは、彼には意識がないということだ。[14]

意識というのは取り違えやすい概念なので、意味を明確にしておくことが重要だ。私たちは、まわりの状況を認識できているとき「意識がある」と言う。起きているとき（眠っているときや昏睡状態のとき以外）、あなたにはこの意味で意識がある。

私のゾンビ・ツインも、少なくともこの意味においては意識がある。起きているとき、彼はまわりで起こっていることを認識し、それに反応することができる――私とまったく同じように。

では、ゾンビは私と何が違うのか？

ゾンビには哲学者が「**現象的意識**」〔質的な内容を持つ主観的体験〕と呼ぶものがない点が違う。彼は行動しても経験しない。

たとえば、タコスを食べれば、私たちは口の中に広がる味を経験するが、ゾンビはそういう経験をしない。バッハを聴いても、風が髪をなでても、私のゾンビ・ツインは何も経験しない。彼はいつも私と同じ行動をするので、何かを経験しているように見えるが、中身は空っぽだ。電卓やコンピュータのように、入力に応じて出力があるだけで、それを経験することはない。ゾンビには内的世界がない。その内面にはただ暗黒の闇があるだけだ。

そこで疑問が生じる。

私は自分が世界を経験しているのを知っているので、自分がゾンビではないことはわかっている。* だが、なぜほかの人もゾンビではないと言えるのか？

私には他人が何を経験しているかがわからないので、内面のある人びとから成る世界と、内面のない人びとから成る世界を区別することができない。つまり、自分以外の全員がゾンビだったとしても、私にはわからない。

これは、知識について考えた8章で扱った**懐疑論的仮説**に似ている。そこでの議論で、この仮説については適切に説明できたと私は思っている。そのような世界の見方を前提にすれば、私は自分以外の全員がゾンビであることを否定できない可能性があるというのは興味深いが、私は「ほかの人びとにも意識がある」という前提に立ち続ける。実際、私はそう信じており、それ

＊もちろん私のゾンビ・ツインも同じことを言うはずだが。

心

には十分な理由もある。

さっきも言ったが、私は自分に意識があることを知っている。自分にだけ意識があって、ほかの人には意識がないかもしれないと考えるためには、自分は超人的に特別な存在だと思わなければならない。

なぜ私だけが、何かを経験できる人間だなどと言えるのか？　私は1976年にアトランタ郊外に生まれた、ただの愚か者だ。世界は自分のために、自分だけが楽しむためにあるという考えは、高校生のころに卒業した。自分以外はゾンビだという可能性はありえなくはないが、想像するのも理解するのも難しい。それに、もしそうならこの本の読者はゾンビということになるので、著者としても、そんな可能性を真面目に考えるべきではないだろう。

要するに、私はだれもゾンビだなどとは思わない。だが、その可能性があるということで「難問」が生じる。他者に意識があるかどうかを見極めるのが難しいという意味ではない。なぜ意識が存在するのか、という問題が難しいのだ。

なぜ私たちには内的世界があるのか？　なぜ、あなたをあなたにしている何かが存在するのか？　なぜ私を私にしている何か、赤ちゃんを赤ちゃんにしている何か、コウモリをコウモリにしている何か、ベイリーをベイリーにしている何かが存在するのか？　なぜ私たちには意識があるのか？　なぜだれもゾンビではないのか？

意識の難問──人はなぜ「実感」できる？

私はそのことをハンク（当時8歳）に、いささか回りくどい方法でたずねたことがある。

「ピアノで真ん中のドを弾《ひ》ける？」

「あたりまえじゃん」と彼は言った。ピアノを習いはじめて数年経っていたので、彼はピアノに歩み寄って鍵盤を叩いた。

「いまのその音だけど、どこからどうやって出てきたの？」と私はたずねた。

ハンクはピアノの仕組みを説明してくれた。鍵盤がハンマーを動かし、ハンマーが弦を叩いて、弦が振動して音が出る。

「そうだね。でも、それがどうして音が聞こえたという感じを引き起こすんだろう？」

「うーん……音波のせいかな？」

「音波って何？」

「波みたいに飛んでくるもの」とハンクはにこにこ顔で答えた。

そこで私は説明した。

「弦が振動すると、空気の分子を動かして、その分子が別の分子を動かして、それがまた別の分子を動かして、それがずーっと続いて耳の中にある空気の分子にぶつかるんだ」

「それが鼓膜にぶつかるのか」とハンク。

「そう。それが耳の神経を刺激して、脳に信号を送る」

「そういうことか」とハンク。

「ここで質問だ。脳がその信号を受け取るところまではわかったけど、なぜそれがいまみたいな音に聞こえるんだろう？」

「わからない」とハンクは肩をすくめた。「専門家じゃないから」

それはそのとおり。だがハンクは、人並みには答えを知っていると言える。というのは、だれも答えを知らないからだ。
そのことをもっとも端的に表現したのは、百年以上前の生物学者、**トーマス・ヘンリー・ハクスリー**だ。彼はこう書いている。「神経組織が刺激されることによって、何らかの意識の状態が生じるというのは驚くべきことだ。アラジンがランプをこすると精霊が現れるというのと同じで、その理由を説明することはできない」[15]
もう少しこの謎を掘り下げてみよう。耳から脳に伝わった信号は、脳の中で異なる仕事をしているいくつかの部位で処理される。ある部位は音の持続時間、強さ、周波数を解読する。別の部位は音がどこで発生したかという、空間的な場所を特定する。さらに別の部位は、その音がサイレンなのか歌なのか、叫びなのか言葉なのか、つまり音の意味を識別する。
科学はこのような仕組みについてすでに多くのことを解明しており、さらに多くのことが明らかになりつつある。

しかし、音が発生して、いま述べたようなことが起こったときに、私たちがなぜ音を経験するのかはわかっていない。つまり、中央ハ〔真ん中のド〕の音を聞くという経験が存在する理由はわかっていない。私たちの内面が静止した沈黙の世界ではない理由を、科学はまだ解明していないのである。

デイヴィッド・チャーマーズ（シミュレーション仮説について考えた8章に登場した）は、これを「**意識の難問**」と呼んでいる。[16] 大文字で難問（Hard Problem）と書くのは、比較的解明しやすいそれ以外の問題（すべて解明されているわけではないが）とは次元が異なるからだ。

簡単な問題としては、脳が情報を処理する方法がある。脳がどのように情報を識別し、ほかの情報と統合し、保持し、高度な使用のために処理するのかといったことは難問ではない。神経科学者はこの種のプロセスを研究しており、この類いの脳の働きはやがて解明されると考えられている。そう考えられる理由はたくさんあり、実際すでに多くのことが解明されている。

難問なのは、脳がそうした情報処理を行うとき、なぜ実感《センセーション》がともなうのかという点だ。

脳の中のシステムは、262ヘルツ〔ドの周波数〕の音波を検出するだけでなく、そのことを脳のほかの部位にも伝えて、その部位でも音波を利用できるようにする。しかし、そうしたことの全体が、なぜ真ん中のドの音を聞いたという実感を私にもたらすのだろう。ドの音にかぎらず、何であれ、なぜ私たちは何かを実感するのだろう？

デカルトの「身心二元論」とは何か？

哲学者は心について長いあいだ考え続けている。

デカルトは心と身体は別のものだと考えた（「**身心二元論**」と呼ばれる）。彼は「肉体のない心」と「心のない肉体」を想像することができたので、二つは別ものに違いないと考えた。[17] そして、心は何かを考えるものであり、身体は空間的な位置を占めるものだと言った。[18] 身心はもちろん相互に関係しあうと考えたが、「どのように関係するのか」は悩ましい問題だった。

彼は、心が身体の中にあるというのは、船乗りが船の中にいるのとは意味が違うと言った。[19] 心は身体と渾然一体となって一つのユニットを形成していると考えたのである。デカルトは、その相互作用は脳の真ん中にある松果体《しょうかたい》という小さな部位で起きていると考えていた。[20] これは現在の解剖学的見地からは、ばかげた考えだ。松果体のおもな機能はメラトニン〔体内時計を調節するホルモン〕の生成だとわかっている。

しかし科学がそのことを発見するずっと前から、哲学者たちはデカルトの考えが間違っていることを知っていた。

デカルトを最初に批判した一人は、彼と手紙のやりとりをしていたボヘミアの王女、**エリーザベト**である。[21] エリーザベトはデカルトに、物質ではない心のようなものが身体のような物質的なものにいかに影響を与えるのか、説明してほしいと迫った。彼女はデカルトにその説明ができるとは思っていなかった。

エリーザベトの指摘を今日の言葉で表現すると、次のようになる。身体は物理的なものであり、私たちの知るかぎりでは、物理的世界の因果は閉じている。つまり、すべての物理的な出来事には物理的な原因がある。[22] よって、物理的存在ではない心が身体に影響を与えるとは考えられない。

この批判は、次のような問いに置き換えることができる。デカルトは松果体の中で何が起こっていると想像していたのだろうか？ 機械の中の幽霊〔心〕はどうやって機械〔身体〕を動かしたのだろうか？[23]

唯物論——心とはつまり脳である

今日、デカルト的な身心二元論を唱える人はほとんどいない。その反対の考え方が支配的だ。すなわち、世界には一種類のもの——おおむね物理学の研究対象——しか存在せず、世界のすべてはそれでできているか、それが組み合わさってできているという考え方だ。

これは一般に「**唯物論**《マテリアリズム》」と呼ばれる。要は、心とは脳のことであり、心の状態（信念、欲求、感覚）とはすなわち脳の状態であるという考え方だ。*

この考え方には多くの利点がある。

機械の中の幽霊を前提にしないので、科学となじみやすい。心について知りたければ脳を研究すればよく、心と脳に多くのつながりがあることもはっきりわかっている。脳がダメージを受けるとしばしば心に影響が出ることや、精神疾患の多くが脳の生物学に根ざしていることの説明もつく。脳がどうやって心の仕事（記憶の保持など）をしているのかについても、科学的な解明が日々進められている。

「メアリーの部屋」――唯物論に対する反論

とはいえ、「心とは脳のことである」という唯物論的な考え方に全員が同意しているわけではない。

その理由を、レックスと**フランク・ジャクソン**という哲学者の助けを借りて考えてみよう。ジャクソンは心の哲学の第一人者であり、今日の哲学界でもっとも影響力のある思考実験のストーリーを考案した人物でもある。[24]

ある晩、私はレックスにその思考実験の話をした。

「メアリーという科学者がいて、白と黒だけの部屋の中に住んでいるとするよ。その部屋には白と黒以外の色がないんだ」

「どうして？」とレックスが訊いた。

「メアリーのことを調べる実験をやってるんだけど、彼女をその部屋に入れた科学者たちは、彼女に白と黒以外の色を見せたくなかったんだ」

「彼女は何を着てるの？」とレックス。

「白と黒だけの服だ。その服で全身が覆われているので、メアリーには自分の肌の色も見えない。部屋には鏡がないから、彼女は自分の顔を見ることもできないんだ」

「なんだか変な実験だね」とレックス。

「そうだな。でも、奇妙なのはそれだけじゃないぞ。メアリーは、色と、人間が色を認識する方法について研究している。これは未来の話だから、科学者たちは、色についてはもちろんのこと、人間が色を見たときに脳の中で何が起こるかについても、全部完全にわかっている。メアリーもそういうことは全部知っている。白と黒だけの本と、白と黒だけでできた白黒のテレビで勉強したからね。ただ彼女は、これまで実際には白と黒以外の色を見たことがないんだ」

「わかった」とレックスは言った。

「ある日、科学者たちは、そろそろメアリーに赤いものを見せるときがきたと考えて、彼女にリンゴを渡した」

レックスは、「へえ、きっとすごいと思っただろうね」と言った。ジャクソンの考えを予想

＊あるいは、「心の状態は脳の状態の関数である」(25)という言い方もある。人間と違う構造を持つ、つくられた物——たとえば脳に当たるCPUがシリコンでできているロボット——が人間と同じ痛みなどのメンタルな状態を持つ余地を残すための定義だ。物質主義の見地からは妥当性があるが、「心の状態とは脳の状態」という把握の仕方のほうがシンプルなので、本文ではそれを採用した。

したかのような感想だ。

「どうしてそう思うの？」

「だって、いままで見たことがなかったんだから、赤ってこんな色なのかと知って驚いたんじゃない？」

「そこなんだ。本当にいままで知らなかったのかな？　さっき言ったけど、メアリーは赤い色を見たときに脳の中で何が起こるかは完全に知っているんだよ」

「でも」とレックスは言った。「彼女は赤がどんなふうに見えるかは知らなかったんじゃないかな。それを知るためには、自分の目でそれを見るしかないもの」*

「三人の母」——唯物論に対する反論

もしレックスが正しければ、唯物論は間違っていることになる。

メアリーは、赤いものを見たときに脳の神経細胞がどう働くかという物理的事実を完全に知っているのに、赤いものを見るという体験がどういうものなのか、実際に見るまで知らなかったことになるからだ。

つまり、物理的ではない事実——たとえば赤いものを見るという体験にともなう実感——が存在するということだ。さらに、脳のすべてを知っていても心について知らないことがあったということは、心には脳の働きだけでは説明できない、別の何かがあるということになる。

レックスは正しいのだろうか？　それを考える前に、唯物論に対する反論をもう二つ紹介しておこう。

第一の反論は私が母に言った、「ママには赤がどんな色に見えているか、ぼくにはわからない」という主張だ。ここで私の母が二人いると想像してみよう。物理的には完全に同じ存在だが、一人は赤を見たときに私が赤を見たときと同じ経験をし、もう一人は赤を見たときに私が青を見たときと同じ経験をする。

どちらの母も存在する可能性があるとすれば――この世界ではあり得なくても、別の世界で可能性があるとすれば――脳の中で起こる物理的現象が母の経験を完全に決定しているわけではないことになるので、唯物論は誤りということになる。

第二の反論として、三人目の母を想像する。物理的には最初の二人と同じだが、三人目はまったく何も経験しない。ゾンビだからだ。この場合も、このような母が存在する可能性がある

＊「メアリーの部屋」と題されたこの思考実験についてひと言。思考実験とはいえ、この設定はさまざまな無理があって、ほぼ不可能だ。メアリーを白と黒の服で完全に包み、自分自身を見えないようにし、さらに目を閉じたときに瞼の裏に感じるぼんやりした中間色も排除しなくてはならない。
それよりも私は、メアリーは人間のセクシュアリティの専門家という設定にしたほうがよいと思う。彼女は性的刺激に対する人間の身体反応について知りうるすべてのことを完全に知っている。ただ、宗教上の理由で、自分ではオーガズムを体験したことがない。ある日、彼女はそれを体験する。そのとき彼女は何か新しいことを学ぶだろうか？
私は学ぶと思う。彼女はオーガズムとは何であるかを学ぶ。自分が研究してきた神経活動を実感して彼女が喜ぶ（あるいは失望する）ことは想像に難くない。

とすれば——この世界ではあり得なくても、別の世界で可能性があるとすれば——唯物論は誤りということになる。理由は第一の反論と同じで、母の脳の中で起こる物理的事実が母の経験を決定しないことになるからだ。

唯物論の要点をつかむ簡単な方法は、「世界を創造するために神はどれほどの仕事をしなければならないか」を問うことだ[26]（これは神が存在すると仮定した場合の問いだが、神の存在については12章で扱う）。唯物論によれば、神の仕事は物理的世界を創造した時点で終わっている。世界に存在するすべてのものがその時点で揃うからだ。唯物論者にとって、心とは脳にほかならない。

それとは対照的に、私たちが検討してきた考え方によれば、物理的な世界のすべてを創造したあとも、神にはしなくてはならないことが残っている。被造物に意識を持たせるかどうかを決めなくてはならないし、それがどんな経験をもたらすかを決めなければならないからだ。

こうした議論（およびこれに類する議論）は、一部の哲学者を身心二元論に連れ戻す[27]。近年、だれよりもデイヴィッド・チャーマーズの議論が二元論への関心を再燃させている。ただし、彼の二元論はデカルト的な二元論とは異なる。

チャーマーズは機械の中に幽霊がいるとは考えない。彼は、心と脳は、物理的なものでも現象的なものでもなく、より深い基本的な現実の二つの異なる様相《アスペクト》だと示唆している。そして、

「情報《インフォメーション》」こそが世界の基本的な構成要素であって、それが物質や心として現れているのではないかと考えている。[28]

実際、チャーマーズは、すべての物質が情報と結びついて何らかの経験をしている可能性があると示唆している。これは「**汎心論**《はんしんろん》」と呼ばれる考え方だ。[29]

そうなると、友人や家族に意識があるかどうかを気にするだけではすまず、バスルームの体重計にも意識があるかどうかを気にしなくてはならなくなる。

「赤いリンゴ」と言って「青いリンゴ」を渡したら？

あなたが気味悪がりすぎるといけないので言っておくと、多くの哲学者が、唯物論に対するこのような反証を却下している。その急先鋒が**ダニエル・デネット**だ。

デネットはヨットをこよなく愛する、アメリカでもっとも著名な哲学者の一人だ。彼は自由意志、宗教、進化論について書いているが、なんと言っても意識に関する研究で知られている。

デネットは、「メアリーの部屋」についてのレックスの考えは間違っていると言うだろう。初めて赤いリンゴを見ても、メアリーはなんら新しいことを知るわけではなく、驚くこともない、というのが彼の考えだ。

デネットはこの思考実験にひねりを加え、科学者がメアリーに偽って、赤いリンゴではなく青いリンゴを与えるという設定を考えた。このときメアリーは、自分は赤いリンゴを見ているはずなのに、脳が青を見たときの状態になっているので、科学者たちが赤と言いながら青を見せていることに気づくはずだとデネットは言う。[30]

なぜメアリーは気づけるのか？　デネットは、メアリーが物理的事実をすべて知り尽くしているなら、青を見たときと赤を見たときの自分の反応の微妙な違い（たとえば気分が違うなど）を識別でき、どの色を見ているのかもわかるはずだと考えた。

私もそこはデネットの言うとおりだと思う。しかし、違いがわかるだけでは、まだレックスが間違っているとは言えない。

問題は、メアリーが自分はいま赤を見ているとわかるかどうかではなく、赤を見るという経験がどんなものかをすでに知っているかどうかだ。しかも、その経験がもたらすことの一部ではなく、すべてを知っていなくてはならない。そうでなければ、初めて赤を見たとき、何かを新しく知ることになるからだ。だが、レックスが言うように、彼女が初めて赤を見る前に、赤の赤らしさを知ることは難しい。

ただしデネットは、そもそも「赤の赤らしさ」と呼ぶべきもの自体が存在しないと論じている。

心の哲学の研究者は、「**クオリア**」（qualia）という概念を持ち出す。それは赤の赤らしさとか、青の青らしさといった経験の質を、意味ありげに示す言葉だ。疲労や空腹や不安といった感覚や、ケガをしたときに感じる痛みもクオリアだ。つまり、クオリアというのは現象的意識のことだ。

ほとんどの哲学者はそんなふうに言うが、デネットは違う。彼はそもそもクオリアの存在を否定している。[31]

デネットは、私たちがクオリアだと思っているものは、たんなる判断や傾向にすぎないと言う。[32] 私たちは何かを赤いと判断し、赤いものを見たときに特定の反応をする傾向があるだけだと言うのだ。赤を見るという経験はそれ以上のものではないし、赤の赤らしさなどというものも存在しない。「表現の不可能性」とか「私秘性」といった考えは間違っていると彼は考えている。

では、色の逆転スペクトルについてデネットはどう考えているだろう？　ナンセンスだと考えている。実際、彼はこれを「哲学におけるもっとも悪性のミーム」と呼んでいる。[33] 自分だけが赤や青を経験するわけではないのだから、色の経験について他者とのあいだで混乱が生じることなどありえないというわけだ。

私たちはみんなゾンビ⁉

実際、デネットはもっと大胆なことを言っている。彼はゾンビの可能性について、著書『解明される意識』（青土社）にこう書いている。「ゾンビの存在は可能か？　可能どころか、実在する。私たちはみなゾンビである」[34]

ずいぶん大胆な説だ。本気で言っているのか、判断が難しい。彼は、あらゆる哲学論文のなかでもっとも奇妙な脚注の一つで、「私たちはみなゾンビである」という一文を全体の文脈から切り取って引用するのは「絶望的なほど知的に不誠実」な行為だと断じている。[35]

正直に言うが、どんな文脈ならこの主張が荒唐無稽でなくなるのか私にはわからない。[36]* 哲学者たちは、デネットの本のタイトルは「解明される意識」ではなく「解消される意識」の間違いではないかと冗談を言っている。

ただし、この本を真剣に読めば、デネットは辛辣だが雄弁なので、もしかしたら彼の説は正しいのかもしれないと思えてくるかもしれない。脳について多くのことも学べる。しかし読み終わるころには、自分は心を失ってしまったのだろうか、最初から心など持っていなかったのだろうかと感じはじめるかもしれない。

デネットの見解を支持する哲学者は多いが、すべての哲学者が納得しているわけではない。チャーマーズは、自分の内面を見ればさまざまな心の状態（実感や感情）があるのに、デネットはそれを否定するか、的外れな方法で表現している、と指摘する。早い話、たとえば赤を見たときの実感は、どう考えても判断とか傾向とかいうものではない、というのがチャーマーズの考えだ。

チャーマーズは、もしかしたらデネットはゾンビではないかと疑っている[37]（両者はとにかく遠慮のない言葉をぶつけあう）。もう少し穏やかに言えば、チャーマーズはデネットについて、ある種の科学的探究をしやすくするために、自分の心を外から観察して考えること（内省ではなく外省）になじんでいったのだろうと示唆している。

知識には内省から得られるものもあって、それは唯物論的な考え方では説明できない、とチャーマーズは主張する。メアリーが脳をどれほど研究したところで、実際に見るまで、赤を見るのがどういうことかはわからないということだ。

こんな調子で両者の論争が続いている。多くの唯物論者はチャーマーズにも、チャーマーズの巧みな議論にも動じない。神経科学者の多くも、チャーマーズのいう「難問」が、自分たちが研究している問題より本当に難しいのだろうかと疑っている。脳内の物理がどのようにして現象的意識をもたらすのかはまだわかっていないが、やがて科学が解明するだろうと考えているのだ。

＊デネットは私たちが随伴現象的クオリアを持っているという考えを否定している。随伴現象とは物質に対して何の因果的作用ももたらさない現象のことだ。もしゾンビの存在が可能なら、ゾンビは意識以外のすべては人間と同じなのだから、意識は随伴現象であって、彼らの意識は世界で起こることに何の影響もおよぼさないということになる。随伴現象説を否定するデネットは正しいのかもしれないが、意識は物理的な過程だけでは説明できないと考える人びとのあいだでも議論がある。
デネットのゾンビ論はあちこちに顔を出す。彼は、クオリアというのは「反応の傾向の総体」にすぎないと示唆した(38)。だがほとんどの人は、赤を見たときにはそのような傾向以上のものがあると考えている。赤には赤らしさがあるということだ。不安も同じだ。傾向という捉え方は問題かもしれないが、感覚も何かと厄介ではある。

心

「見解を持つ」ことには危険がともなう

ここまで意識について論じてきたが、私自身はどう考えているのか？

じつは私には明確な見解はない。

ジュール・コールマンは私の数十年来の友人でありメンターでもある。ロースクール時代には私の先生だったが、私がこれまでに学んだことのなかで、もっとも重要な教訓の一つを教えてくれた。

ある日、廊下で彼を見かけた私は、哲学の質問を持ち出して彼に話しかけた。何について質問したのか覚えていないが、質問にかこつけて自分の考えを伝えようとしたことを覚えている。

「私の見解では……」と言いかけたところで、彼は私の話をさえぎった。

「きみは自分の見解を持つにはまだ若すぎる」とコールマンは言った。「疑問や好奇心やアイデアを持つのはいい。何らかの傾向を持ってもいい。だが、見解はだめだ。きみはまだ見解を持つ準備ができていない」

そのとき、彼は二つのことを言いたかったのだと思う。

第一に、「見解を持つのは危険だ」ということ。なぜなら、それを守ろうとして塹壕《ざんごう》を掘ってしまうことが多いからだ。そうなると、ほかの人の意見を聞くことができなくなる。哲学者コールマンの美徳の一つは、自分の意見を進んで変えられる姿勢だ。*それは、彼が答えよりも問いに重きを置いているからにほかならない。彼の望みはただ理解することであり、そのためならどこへでも――たとえ後戻りでも――ためらうことなく進んで行く。

第二に、「見解は努力して自分のものにする必要がある」ということ。自分の見解を擁護し、その論拠を示し、それに対する反論の間違いを説明できないうちは、自分の見解など持つべきではない。コールマンは私に、見解を持つには若すぎると言ったが、これはたんに年齢の問題ではない（そのとき私は26歳だった）。私がまだ哲学を始めたばかりだと指摘したのだ。

あれから数十年経ったいま、私にはたくさんの見解があるが、なぜその見解に立つのか、ほかの考え方はどこが間違っているのかを言うことができる。しかし、私はすべての問題について見解を持っているわけではない。研究していないことについては見解を持つことはできないからだ。

私にとって心の哲学は、まだ研究していない分野の一つだ。いろいろ疑問があるので、たくさん本を読んでいるが、それで思うことは、優秀な人びとが途方に暮れるほど多くの見解を述べているという事実だ。あれよあれよという間に賛成論と反対論が積み上がり、評価する作業

＊フランク・ジャクソンにも同様の美徳がある。自ら考案した「メアリーの部屋」のストーリーを何十年も守り続けたのちに考えを変え、メアリーは赤を見ても実のところ何も学ばないだろうと述べている(39)。しかし、思考実験を考案した当の本人が考えを変えたにしては、敬意を持って受けとめられていないようで、ストーリーは彼の手を離れ一人歩きして、いまも議論が交わされている。

が追いつかない。何か意見を求められたら、ハンクと同じように、「専門家じゃないから、わからない」と言うしかない。

だからといって、意識というものが世界の中にどう位置づけられるのかを解明しようとする努力をやめるつもりはない。ほかの人が自分よりたくさん本を読み、深く研究し、より多くの可能性を視野に入れて論じているとしても、自分なりに考えることの意味がなくなるわけではない。

自分の頭で考え、洞察を得るというのは、やりがいのあることだ。世界一のピアニストにならなくてもピアノを弾く価値はある。世界一の哲学者でなくても、哲学的に考えることには意義がある。実際、自分より知識豊富な哲学者がいれば、彼らから多くを学べるのだから喜ばしいことだ。

ただし、人の言うことを無批判に受け入れていたら何も学べない。彼らの判断に委ねるのではなく、自分よりすぐれた人の助けを借りて、自分自身で問題を解決していくことが必要だ。

そう考えているので、私は自分の子どもにも偉そうなことを言わない。彼らの疑問について、思うところがあっても、それを押しつけたりはしない。自分の頭で自分の考えをつかみとってほしいと思っている。

物質と意識はどう結びつくのか？

そういうわけで、意識について、私はまだ考えている最中だ。最後まで自信を持って何か言える段階には到達できないかもしれない。しかし、これは私の著書だし、テーマを掲げておきながら何も述べないわけにはいかない。考え方の方向性のようなものを述べておくことにしよう。

この分野で私がいちばん興味を惹かれるのは**ゲイレン・ストローソン**の仕事だ。罰について論じた章（3章）で、彼の父親であるピーター・ストローソンに少し触れた（ストローソン家にかぎらないが、世の中には哲学の家系というものがある）。ゲイレン自身、目を見張るような哲学者であり、自由意志、個人のアイデンティティ、意識の本質などに関する主要な思想家だ。私が彼の研究を好きな理由は、人間がいかに無知であるかを思い出させてくれるからだ。

ストローソンはデネットのゾンビ論に我慢がならない。「これまでになされたもっとも愚かな主張[40]」だとにべもない。その理由は、私たちが世界を経験するという、もっとも明白なことを否定しているからだ。もし、私たちが世界を経験しているという事実と科学が両立しないのなら、却下されるべきは科学のほうだと彼は考えている。

ストローソンはこの二つは両立すると言う。実際、彼は根っからの唯物論者であり、心も含めて世界のすべては物理的なものだと確信している。

なぜそんなことが言えるのか？

ストローソンによれば、問題は物理的なものについての私たちの考え方にある。私たちは、物理的なもの（物質やエネルギーなど）は世界を経験しないという前提から出発し、その物理的なものが特定のパターンで配置された結果としての赤ちゃん、ベイリー、コウモリなどについて、それがなぜ世界を経験できるのだろうと不思議がっている。ストローソンは、この私たちの視点を逆転させたいのだ。

彼はこう考える。

私たちは物理的なものが確かに世界を経験することを知っている。なぜなら物理的存在である自分が世界を経験しているからだ。[41]問題は意識について説明できないことではない、私たちは意識の何たるかも正確に知っている。実際、私たちは自分の意識をほかの何よりもよく知っているではないか。問題は、物理的なもののことが十分に理解できていないために、そこに意識がどう結びつくのかが説明できないことにある。

ストローソンによれば、それを説明するもっとも単純な仮説は、あらゆる物質が世界を経験するというものだ。[42]その主張は私たちを汎心論に連れ戻す。

電子であるとはどういうことなのだろう？　それはストローソンにもわからない。ブーン、ブーンとどこかを回り続けることなのかもしれない。[43]

キッチンのテーブルであるとはどういうことだろう？　たぶんテーブルは何も経験しないし、何も感じないだろう。すべての物質が世界を経験するとしても、そのあらゆる配列や組み合わせが世界を経験するわけではない。テーブルを構成する電子が世界を経験しているとしても、テーブルは独立した別個の主体ではないのかもしれない。
バスルームの体重計はどうだろう？　体重計はあなたの体重を感知するから、テーブルの場合よりは難しい問いかもしれない。だが、自分は体重計に評価されていると心配する必要はない。

汎心論というのは、すべてのものが何かを考えているということではなく、すべてのものが経験することが世界の構造に組み込まれているという考えだ。
それはどこまでも推測の域を出ない考えだ。しかしチャーマーズが強調するように、私たちには理解できていないことがたくさんあるのだから、深く考え続ける必要がある。いまはいろいろな考え方が必要な段階なのだから、さまざまな可能性について考えればいい。[44]
私たちはいつか、意識が世界の中にどう位置づけられるかを理解できるようになるのだろうか？　いつまでたっても無理だと言う哲学者がいる。[45]わが家の愛犬ベイリーは決して相対性理論を理解することはない。それは彼女の認知能力を超えている。同じ意味で、意識はわれわれの認知能力を超えているのかもしれない。もしそうなら残念なことだ。だが、理解できる可能性があるとすれば方法はただ一つ、考え抜くことしかない。

意識の話はやめて、ひと休み

ハンクがまだ小さかったころ——4歳か5歳のころ——風呂に入る用意をするときによくゲ

心

ームをした。

私が服を脱ぐように言い、彼が言われたとおりに服を脱いだらゲームが始まる。私は膝《ひざ》を脱いでみようか、肘《ひじ》を脱いでみようかなどと言う。いま考えていることを脱いで、と言ったこともある。

「お湯で濡らしたくないだろう？」と私は言った。

「ぼくの考えってどこにあるの？」とハンクはたずねた。

「えっ、なくしちゃったのか？」

「ううん」。彼はくすくす笑った。

「じゃあ脱いで」

「脱げないよ。どこにあるのかわからないし」

「ハンク、持ちものにはもっと気をつけて、なくさないようにしなきゃ。ママもパパも、何度も買ってあげられないよ」

「どこにあるかわかった」とハンクは言った。

「どこにあるの？」

「ここじゃなーい」

そう言うと裸で走り去った。

レックスとも同じような会話をした。彼が10歳のときだ。

「ぼくの心はどこにあるのかな？」とレックスが言った。

「どこだと思う？」

「お尻のあたりかな」

「じゃあ、お尻が痛いときは、ものを考えられなくなるの？」

「そうだね、お尻のことを考えちゃうから」


意識について、真面目に話すこともある。最近は、意識はどこまで広がっているのかという話をしている。ロボットやコンピュータに意識はあるのかという話をしたり、何であれ意識があるというのは不思議だね、などと話したりもする。

あるとき、ハクスリーの文章を読んで聞かせた。「神経組織が刺激されることによって、何らかの意識の状態が生じるというのは驚くべきことだ」


しばらくそのことについて話したが、レックスが話を終わらせたがった。

「意識の話はやめて、ちょっとひと休みできる？」

「もちろん」と私は答えた。

「よかった。その話、けっこうぼくの神経組織を刺激するんだ」

Chapter 11

無限

宇宙が無限なら人間の価値は？

「宇宙の端っこ」でパンチをしたらどうなるか？

「今日は学校で何を教わったのかな？」

「何も」

「え？　全然？　ずっと学校にいたのに？」

レックスは私の質問をうるさく感じたようだったが、「何も習わなかった」と言ったあとで、「わかったことが一つあった」と付け加えた。

「何がわかったの？」

「宇宙は無限だってこと」

「ずいぶん難しいことがわかったんだな。宇宙が無限かどうか、科学者たちもはっきりわかっていないらしいけど」と私。「無限だと考えている人もいれば、すごく大きいけど、有限だと考えている人もいるんだ」

「いや、宇宙は無限だよ」とレックス。「解明・宇宙の仕組み」というテレビ番組で仕入れたことが知識のすべてという7歳の子どもにしては、驚くべき確信だ。

「どうしてそう思うの？」

「宇宙船で宇宙のいちばん端っこまで行ったと想像してみてよ。そこでパンチを出す」

彼は顔の前の空気を殴った。

「腕の先は宇宙の端っこを越えて、その先に突き抜けるでしょ？　端っこの先にまだ宇宙があるということだから、宇宙は無限だってこと」

「もし端っこで腕が止まってしまったら？」

「パンチを止める何かが端っこの先にあるということだから、やっぱりそこはまだ宇宙の端じゃないってこと！」

壁を突き抜けても突き抜けなくても宇宙は無限

最初にそう考えたのはレックスではなく、**アルキタス**という古代ギリシャの哲学者だとされている。[1] ただし、それは文字になって残っているかぎりの話で、たぶんもっと昔に、どこかの国の7歳の子どもも同じことを考えたに違いない。

アルキタスはプラトンの友人で、プラトンがシチリア島で窮地に陥ったとき、友人を助けるために船を出している[2]（アルキタスは政治家であり数学者でもあった）。

レックスの主張をアルキタスはこのように表現している。

天の果てに立って、手なり杖《つえ》なりを天の外まで伸ばすことができるだろうか。伸ばせないとしたら、それは矛盾ではないだろうか。伸ばせるとしたら、天の外にあるのは何なのか。天ではない別の場所なのか。[3]

ちょっと待った。話についていけない。よくわからない理屈だ。宇宙の果てで手を伸ばせなかったとして、それのどこに矛盾があるというのか？

レックスはこの疑問に対する答えを持っていた。アルキタスも持っていた。

レックスが言ったように、それ以上先に進めないとしたら、何かによって止められているということだ。それが壁だとしよう。その壁が無限に続いているなら、宇宙は無限ということになる。

　壁が有限で、それを突き破る方法があるなら、少なくとも次の壁にぶつかるまで先に進むことができる。さらに次の障害にぶつかったら、また同じことを繰り返せばいい。結局、宇宙には果てがないということになる。

　ローマの詩人で哲学者の**ルクレティウス**も、アルキタスの数百年後に同じ議論を展開した。彼は、宇宙の果てに向かって槍を投げた場合のことを想像した。槍がどこまでも飛んでいくなら、宇宙には端がないことになる。槍が何かにぶつかって止まってしまったら、端だと思っていた場所の先に何かがあるということなので、そこはまだ宇宙の端ではないことになる。[4] この議論も、さっきと同様、果てしなく続けることができる。つまり、宇宙は無限で果てがないことになる。

　ルクレティウスの考えがわかったところで、科学者の考えも聞いてみよう。**ニュートン**なら申し分ないだろう。どうやら彼もレックスと同意見のようで、「宇宙はあらゆる方向に無限に広がっている」と言っている。「なぜなら、境界の外には必ず空間があるからだ。それを越えた先に何もないような境界は存在しない」[5]

　ニュートンの考えは正しいのだろうか？　境界の先に何もないような空間は想像できないのだろうか？　ニュートンには想像できなかった空間が存在する可能性がないか、ここで少し時間を取って考えてみてほしい。

「退屈」はあなどれない

それを考えてもらっているあいだに、学校教育についてひとこと言っておきたいことがある。宇宙は無限だと気づいたレックスが、その日何を学ぶはずだったのか、私にはわからなかった。その日にかぎらず、レックスは学校で教わったことを何も話してくれない。いつも「退屈だった」としか言わない。

だが、かけ算の九九もマスターしていない子どもがアイザック・ニュートンばりの宇宙観に到達したのだから、退屈もあなどれない。

レックスは、子ども時代の私と同じで、学校にいろいろ不満があるようだ。彼にとって学校は杓子定規すぎる。だが、それは仕方ない面もある。教師は大勢の子どもを一人で見なくてはならないし、決められたカリキュラムもこなさなければならないから、一人ひとりに合わせて教える内容を変えるのは難しい。

その難しさは教科によって異なる。読書の時間なら、図書館の司書は、子どもが自分の興味や能力にふさわしい本を見つけるのを助けることができる。しかし算数だと、カリキュラムを調整するのは難しい。学習の速度は調整できても、最後には決められた内容を全員にマスターさせなくてはならないからだ。教師には、個々の生徒の興味に合わせて、それを深めていくような時間はほとんどないのが現実だ。

私が子どもたちに何に興味があるかをたずねるのは、そのギャップを埋めるためだ。実際、学校で何を習ったかを訊くより、そのほうが有意義な会話につながる。

いちばん大きな数は？

ある日、ハンクが「**無限**」というものに興味があると言った。これは多くの子どもが興味を持つテーマだ。算数を学びはじめると、子どもの頭に自然に思い浮かぶのが、「いちばん大きい数はいくつ？」という疑問だ。

ハンクはそれは「**無限大**」だと考えていた。学校で教わったからではなく、1年生のときに友だちから聞いたのだ。

だが、その友だちは間違っている。無限大はいちばん大きい数ではない。「いちばん大きい数」というのは存在しないからだ。ハンクはそのことを、私との会話を通して夢中になって学んだ。

「すっごく大きな数字を言ってごらん」と私は言った。

「100万」とハンクは言った。

「なるほど。それより大きい数は？」

「100万1」

「もっと大きな数字があるだろう」

「1兆」

「それより大きいのは？」

「1兆1」

そんなやりとりを何回か繰り返すうちに、クァドリリオン〔1000兆〕やクインティリオン〔100京〕という単位も覚えた。私はさらにその先をたずねた。

「じゃあ、グーゴルは？　グーゴルって知ってる？」

「知らない」

「とんでもなく大きな数だよ。1のあとにゼロが100個つくんだ。名前がついているなかでは、これがいちばん大きな数だ」

「全部の数のなかでそれが最大なの？」

「そういうことでもないんだ。その次の数はなんだと思う？」

「1グーゴル1！」とハンクは嬉しそうに言った。

「その次は？」

「1グーゴル2！」

「すごい！　ハンクがパパに新しい数を教えてくれた」

ハンクは誇らしげだ。

そこで私はたずねた。「この調子でどんどん大きな数を言っていったら、いつか、それ以上大きな数はなくなってしまうのかな？　それとも、どこまでいっても、もっと大きい数があるのかな？」

「どこまでいっても必ず一つ増やせるから、どんな数にもそれより大きい数がある」

「じゃあ、いちばん大きい数はあるのかな？」

「ない」

「そのとおり」と私は言った。「無限大というのは、特定の数のことじゃなくて、数がどこまでも永遠に続いているという意味の言葉なんだ。どこまで数えても、これでも最後という数はないんだ」

風船の表面を歩くアリ

レックスに「何に興味があるの？」と訊くと、長いあいだ、きまって「宇宙」という答えが返ってきた。

ここでさっきの宇宙の果ての話に戻ろう。

ニュートンが想像できないと言った、境界の先に何もない空間を、あなたは想像できただろうか？　そんな空間はあり得ないのだろうか？

そんなことはない。ニュートンは間違っている。レックスも間違っている。私たちが知るかぎり、宇宙は確かに無限かもしれないが、だとしてもレックスが持ち出した議論は成り立たない。

その理由を説明しよう。

レックスが自説を話し終えたところで、私は風船を手に取った。

「この風船の表面を見てごらん」と私。「これは有限？　それとも無限？」

「有限だと思うけど」。レックスは探るような口調で答えた。

「この風船を切り開いて、テーブルの上に広げたらどうなる？　無限に広げられるかな？」

「いや」とレックスはこんどは自信ありげに言った。「それは有限だ」

「だよな。風船の表面は有限だ。じゃあ、ふくらませた風船の表面をアリが歩いていると想像してごらん。アリはある方向に向かってどんどん歩き続ける。行き止まりや端っこにぶつかって、もう動けなくなることってあるかな？」

アリが歩きそうな道筋を指でなぞりながらそうたずねると、レックスは「いや、動けなくなることはない」と答えた。

「そのままどんどん進むと……？」

「出発点に戻る」。そう言いながら、レックスは指で風船の表面をなぞった。

「そのとおり！　風船は丸い球だから、アリは元の場所に戻るんだ」

それを確認するために、私たちはさらに数回、アリの進路をなぞった。

私はこう説明した。

「風船の表面は有限だ。でも、アリは端っこにぶつかることなく永遠に歩き続けることができる。だって端っこがないんだから」

「アリは飛び降りることはできないの？」とレックスが訊いた。

「いい質問だ。それはできないということにしておこう。アリが完全にぺしゃんこで平らな生き物だと想像してごらん。アリにとっては風船の表面が宇宙のすべてだから、上にも下にも、そして中にも、ほかの宇宙はない。なので、風船の表面以外、アリはどこにも行くことができないんだ」

レックスは風船を上や下から眺めまわしながら、「わかった」と言った。

「実際の宇宙は三次元で、風船の表面みたいに二次元じゃない」と私は話を続けた。「でも、宇宙についても風船の話と同じことが言えると考えている科学者もいる。宇宙は有限だけど行き止まりになるような端がない、と考えるわけだ」

それを言ったうえで、私はたずねた。

「宇宙がそんなだったら、人間が宇宙船で飛び立って、どんどん進んで行くとどうなると思う？」

「出発点に戻る」

「そのとおり！」

「すごい！」

「でも、覚えておいてほしいのは、本当はどうなのかは、まだわかっていないということだ。宇宙は無限かもしれないし、有限だけど丸く曲がっていて、元に戻ってこられるようになっているのかもしれないんだ」

殴りたくても殴れない

レックスと無限について話しているときに思い出したのだが、私も学校の授業に飽きてくると、退屈しのぎに古代の哲学者が考えたようなことを、あれこれ考えて楽しんでいた。

このときのレックスより少し年上の、高校1年のときにこんなことがあった。ジョーンズ先生の授業が終わったとき、友人のユージーンを見かけたので、その日ずっと考えていたことを話した。

「おい、ユージーン！　殴《なぐ》ってもいいか？」

ユージーンは学校一の大男だった。1年生のとき、高校のフットボールチームはNFLのアトランタ・ファルコンズに頼んで彼の頭が入るヘルメットを提供してもらったほどだ。その後、大学には砲丸投げのスポーツ奨学生として入学した。*

「なんだって？」と彼は訊き返した。

「証明したいことがあるんだ」と私。

「わかった。殴ってみろ。どうせ痛くないから」

彼は彼で、自分の無敵ぶりを証明したかったというわけだ。

私は拳《こぶし》を握ってパンチを出すポーズを取り、そこで止めた。

「殴れない」と私は言った。

「大丈夫、やってみろよ」

「いや、殴れない。というか、無理なんだ」

私は言っていることの意味を説明した。

「きみを殴るには、ぼくは拳を、きみまでの距離の半分まで近づけないといけない」

そう言って、半分あたりまで拳を近づけた。

「さらに、ここからきみまでの距離の半分まで近づけないといけない」

私はまた拳を動かした。

「さらに半分、また半分、また半分……」

そう言いながら、私はそのつど握り拳を少しずつユージーンに近づけていった。

「つまり、きみの体にヒットするまで拳を近づけることはできないんだ。何度半分まで近づけても、まだその先があるからね」

だがそう言ったとき、私の拳はユージーンの胸ぐらに当たっていた。幸い、彼は気立てのいい大男で、数学オタクでもあった。

「あれ、殴っちゃえたね。無理なはずなんだけど……」

二人の話をそばで聞いていたジョーンズ先生が話に加わった。「ゼノンのパラドックスの話

＊ユージーンは地元の手羽先屋で一気に176本たいらげる新記録をつくったこともある。そこでやめたのは、途中で家に電話を入れたら、母親が夕食の準備ができていると言ったからだ。

をだれから教わったんだい？」
「ゼノンってだれですか？」
「調べてみるといい」と先生は言った。*

ゼノンのパラドックス

ゼノンは、アルキタスやプラトンの少し前、ソクラテスと同じころ（紀元前5世紀）の人で、**パルメニデス**と親しかった。パルメニデスといえば、哲学の世界で最高にすばらしいアイデアの一つを提唱した哲学者だ。「世界には永遠不変のただ一つのものしか存在せず、それに反するように見える事象はすべて幻想である」という考え方だ。[6] 哲学者はそれを「**存在の一元論**」と呼んでいる。

ゼノンは存在の一元論を論証する多くのパラドックスを考え出した。いちばん有名なのが、いま論じている「運動」に関するものだ。

私がユージーン相手に行った実演は、ゼノンが最初に提起したパラドックスだ。「**二分法のパラドックス**」と呼ばれるもので、次のように説明することができる。

ある場所から別の場所に移動するためには、まず二つの場所の距離の半分を移動しなければならない。次に、残りの距離の半分を移動する必要がある。さらに残りの半分、さらにその残りの半分……と永遠に続く。

別の言い方もできる。

最初、ユージーンは私の拳からある距離のところにいる。彼を殴るには、まずその1／2の距離を移動し、次に1／4の距離を移動し、次に1／8の距離、さらに1／16の距離、1／32の距離と、延々と移動し続けなければならない。残りの距離はどんどん小さくなっていくが、距離の区分の数は無限にあるので、全区間を移動できるかどうかは怪しくなる。

次のように考えると、このパラドックスはさらにわけがわからなくなる。最初に半分まで進まなくてはならないというのは同じだが、半分まで進むためには、まずその半分（つまり全体の1／4）の距離を進まなくてはならない。1／4進むためには、その前に1／8進まなければならない。1／8進むには1／16進まなければならない。これもやはり延々と続く。

＊ビリー・ジョーンズ先生を簡単に紹介しておきたい。彼は生徒を飽きさせない天才だった。学校ではラテン語、ドイツ語、化学を教えていたが、ほかにも1ダースの科目を教えることができただろう。

知らない人が教室をのぞいたら、彼の授業は混沌としているように見えたにちがいない。すべての生徒がてんでばらばらなことに取り組んでいたから。全員が自分の速度で学んでいた。先生は早く終わった生徒には新しい課題を与えた。その多くは彼が自分で考案した、パズルみたいに楽しい問題だった。化学の宿題を私たちが知らない外国語で出したり、難しい問題を出しておいて、答えを元素記号をつなげて書かせるといった遊び心で楽しませてくれたりした。たとえば、答えがアルキタス(Archytas)なら、アルゴン(Ar)、炭素(C)、水素(H)、イットリウム(Y)、タンタル(Ta)、硫黄(S)という具合だ。

生徒の興味に関心を持ち、生徒が自分の興味に沿った学習プロジェクトを自分で設定できるように手伝ってくれた。ジョーンズ先生の授業は退屈とは無縁だった。生徒はそんなジョーンズ先生が大好きで、ほかのどの先生からより多くを学んだ。私は彼以上の教師を知らないし、彼以上の人物も知らない。

移動しようとする距離がどんなに短くても同じだ。なので、これを突きつめれば1ミリも動けないような気がしてくる。わずかな距離でも、移動するためには無限にある距離の区分を移動しなければならないのに、時間は無限ではない。これをどう考えればいいのか。運動は幻想にすぎない、ということだろうか。

ゼノンはそう言った。だが、多くの人を説得することはできなかった。たとえば、ゼノンの話を聞いた**ディオゲネス**[7]は、立ち上がってスタスタと目的の地点まで歩いてみせた。足で反論したというわけだ。

気の利いた応答だ。しかし、厳密には反論にはなっていない。ゼノンのパラドックスの眼目は、ものごとは見かけどおりではないということなのだから、運動が可能だと言うためには、推論の欠陥を論理的に指摘しなくてはならない。

ユージーン相手に行ったパンチ実験の数日後、私は彼に「この前の謎の答えがわかったよ」と言った。

彼を殴るには、私の拳は有限の距離に区切られた無数の区分を移動しなければならない。区分一つずつの距離は有限でも、区分の数は無限なので、そんなことができる時間はなさそうに思える。

しかし、時間も距離と同じように細かく無数に切り分けることができる。通過しなければならない空間上のすべての点に対応して、それに対応する時間上の点が存在するのである。

図にするとわかりやすいかもしれない。

位置Aから位置Bへ移動するとき、私はそのあいだにある無数の点を通過しなければならない。しかし、時間Aと時間Bのあいだにも無数の時間の点がある。つまり、私には移動に必要な時間があることになる。通過しなければならない空間上の点一つに対して、時間上の点を一つ持っているということだ。

それを思いついたことで私は満足し、ゼノンについてそれ以上考えるのをやめてしまった。その数年後にはアリストテレスも私と同じ考え方でこの矛盾を解決していることも知った[8]。それ以後、私は長いあいだ、自分はゼノンのパラドックスに対する答えを見つけたと思っていた。

だが、これでは謎を完全に解いたことにはならない（アリストテレスもそれは認めている[9]）。問題は、この認識の中で、時間そのものがどのように機能するかが明確ではないことだ。

1秒が経過するためには、まず1／2秒が経過しなければならない。1／2秒が経過するには、その前に1／4秒が過ぎなければならない。そして……もうおわかりだろう。これが延々とどこまでも続くのだから、わずか1秒も無限の時間になってしまう。[10] これでは問題が解決したとは言えない。

数学と物理学による解決

このパラドックスを解くには、近代数学、とくにニュートンと**ライプニッツ**が確立した微分積分学が必要だ。細部については議論があるが、[11] 重要なことは、有限の距離を無限に集めても、無限の距離になるとはかぎらない、ということだ。

実際、いま私たちが論じている数列（1／2、1／4、1／8、1／16……）の和は1にしかならないのである。つまり、小さな距離をどんなにたくさん足し合わせても、有限の時間内に移動できないような距離にはならないということだ。[12]

その一方で、このパラドックスを真に解決するのは数学ではなく物理学だと考える人もいる。ゼノンのパラドックスは、空間は無限に分割できる、つまり空間はどこまでも小さく切り刻むことができるという考えが前提になっているが、そうではなかったらどうなるだろう。量子力学の進歩によって、空間は連続的ではなく粒状の断続的な構造かもしれないということがわかりつつある。つまり、それ以上切り刻めない最小の空間単位があるということだ。

もしそうなら私の拳は、無数にある地点を通過しなくても、ユージーンを打てることになる。有限個の超微小空間を通過すればいいだけであって、殴り返される心配を別にすれば、彼を殴るのは難しいことではなくなる。[13]

「哲学の方法」と「科学の方法」

いま私は、ゼノンのパラドックスを解決するのは、哲学ではなく数学や物理学かもしれないと述べた。この章の最初に持ち出した「宇宙は無限か？」という問いに対する答えも、やはり科学の中にある。

では、私は何のためにこのような問いを哲学の本で論じようとしているのか？

一つには、哲学とほかの学問分野の関係について考えるためだ。

アルキタスが哲学者であり数学者でもあったのは偶然ではない。二つの分野の両方で活躍した思想家は多く、なかにはデカルトやライプニッツのように、大きな文字で書かれるべき名前もある。

それは、哲学者と数学者が、パズルや問題を注意深く考え抜くという点では同じだからだ。一方が得意なら必ず他方も得意とはかぎらないが、両方に秀でた人は確かに存在する。

アリストテレスをはじめ、哲学者はしばしば科学の最先端を行った。実際、科学が哲学とは別物と見なされるようになったのは比較的最近で、科学はその歴史の大半において、「道徳哲学」や「美学」といった哲学の諸分野と並んで「**自然哲学**」と呼ばれていたほどだ。

現在、私たちが科学を哲学とは別のものと考えるおもな理由は、科学が哲学とは違う方法を用いる点にある。科学者は、注意深く考える点では哲学者と同じだが、彼らが世界を調べる方法は観察と実験である。

哲学者もその種の方法を使うことがあるが、それほど頻繁ではない。哲学者がもっとも興味を抱く問題の多くは、実験で解明できるものではないからだ。

どんな実験によっても、正義が何かはわからない。* 愛とは何か、美とは何かもわからない。いつどんなときに罰が正当化されるのか、復讐が正当化されるのかも、実験ではわからない。どんな実験も、人間にはどんな権利があるのかも、知識とは何かも教えてはくれない。それらが実験でわかるようになるかどうかも、実験ではわからない。


この種の問いに答えるためのおもな手段は、注意深く考え、対話を積み重ねることだ。そこがひっかかるのか、哲学が知識の源であるということを疑問視する科学者もいる。[14] 哲学はただのおしゃべりにすぎない、というわけだ。

しかし、哲学が知識の源でないなら科学もまた然り、ということは言っておきたい。究極的には、実験というものはすべて世界を知るための方法である。そして、実験の結果を解釈するためには議論しなくてはならない。

先にも述べたが、科学者も哲学者と同じように注意深く考えなくてはならない。議論をおろそかにしたら、どんなに立派な実験を行ってもいいかげんな結果しか生まれない。科学も哲学と同じで、注意深い思索と対話の上に成り立っているのだ。

要するに、もっとも深い意味において、科学と哲学は同じ営みだ。どちらも、それぞれの課題に適したツールを用いて世界を理解しようと努めている。数学、科学、哲学は、異なる学問分野と考えられているが、すべて同じ幹から伸びた枝なのだ。

哲学者は、自分が取り組んでいる問題について、ほかの学問のほうが問題解決に適していると判断したら、問題をその学問に引き継ぐ。

宇宙の大きさについてのアルキタスの問いで、その引き継ぎが行われた。私たちは科学によって、宇宙の奥深く——そして過ぎ去った時間の奥深く——に目を向けることができ、宇宙の果てにまで考えをめぐらせることができる。運動に関するゼノンのパラドックスも科学で解明された。数学は無限という概念を理解するのに役立ち、科学は宇宙の構造を明らかにしつつある。

しかし、次に見るように、まだ純粋に哲学の領域に属する、無限に関するパズルがある。

＊少なくとも科学者が行うような実験ではわからない、という意味である。哲学者のなかには、アメリカのプラグマティストである**ジョン・デューイ**のように、私たちは倫理的なアイデアを試すことによって実験している、つまり、実行して生活がどう変わるかを見るという実験をしている、と主張する者もいる(15)。

その指摘は多くの点で正しいと思う。少なくともある種の倫理的知識は、学問の中ではなく、学問の外で生まれる可能性が高い。だとしても、そのアイデアを練り直し、新たなアイデアを生み出し、その意味するところを究明するなど、プロの哲学者が果たすべき役割は残されている。

宇宙が無限なら人間の行動はどう変わる？

そんな哲学パズルを一つ挙げよう。

宇宙が無限だとしたら、それは私たちにとってどんな意味があるのだろう？　私たちが取るべき行動に影響があるだろうか？

なにも影響はなさそうに思える。仮に有限であったとしても、宇宙はとてつもなく大きい。観測可能な範囲は930億光年という推定もある。[16] 私たちはその大部分を見ることさえできない。この青い星の外に出られる人もほとんどいない。いまのところ人間が行けそうなもっとも遠い場所は火星だ。宇宙が有限でも無限でも実質的な違いはなさそうだ。

しかし、シミュレーション仮説〔354ページ参照〕を提起したニック・ボストロムは、大きな違いがあると考える。少なくとも、功利主義的な倫理に同意する傾向のある人にとってはそう言えると考えている。

一般的な功利主義は、私たちは宇宙に存在する快の総量から苦の総量を差し引いたバランスを最大化するよう努めるべきだと説く。

なるほどと思わせる考え方だ。あらゆる行動は何らかの結果を招くのだから、私たちはよい結果を追求すべきだ。そして、結果がよいものかどうかのもっとも重要な尺度が、人びとが感じる快と苦に与える影響であることは間違いない。

いや、人びとにおよぶ影響だけではない。快と苦を重視するのなら、人間だけでなく、あらゆるものにおよぶ影響を重視すべきだと思われる。したがって、功利主義の命題は次のように表すことができる。

「宇宙全体で、快から苦を差し引いた快の純増を最大化するように行動せよ」

ボストロムは、宇宙が有限ならこの命題は問題なく成立すると言う。しかし、宇宙が無限なら成り立たない。[17]

なぜか？

もし宇宙が無限なら、観測できない宇宙にも、観測できる宇宙と同じように、恒星や惑星を含むたくさんの銀河系があるはずだ。そのなかには何者かが住んでいる星もあると考えるのが妥当だろう。その何者かは、私たちと似ているかもしれない。私たちとは違うが、何らかの快や苦を感じる存在かもしれない。いずれにせよ、彼らの快と苦は、宇宙の快と苦のバランスに影響をおよぼすことになる。

そういう存在は何人いるのだろう。宇宙が無限なら（そして、観測不可能な宇宙も観測可能な宇宙と似たようなものだとすれば）、そのような存在の数も無限と考えるべきだとボストロムは言う。

人と呼べるような生命が存在する星の割合はごくわずかかもしれないが、宇宙が無限なら、そんな星の数も生命の数も無限にあるはずだ。

そこから困った問題が生まれる。宇宙に無限に人がいるなら、存在する快も苦も無限ということになり、私たちが何をしてもそのバランスは変わらないことになる。

「無限の客室」のあるホテル

どうしてそんなことが言えるのか、数学好きの読者には不要だろうが、そうでない人のために、無限という概念について少しだけ説明しておこう。

私が息子たちと話したときに使ったパズルを、ここでも使わせてもらおう。

あなたはいま、ヒルベルト・ホテル*のフロントで夜間勤務に就いている。ホテルには長い廊下がある。ただ長いのではなく、無限に長い廊下だ。部屋も無限にあって、すべてに連続する番号が付けられている。

だが今夜は満室だ。つまり、無限の部屋に無限の宿泊客。ホテルは大繁盛というわけだ。

ところが、あなたが一息ついたとき、疲れた様子の旅行者がやって来た。彼女は泊まれる部屋はあるかとたずねた。

「あいにく満室です」とあなたは答えるしかない。

「たった一人が泊まれる部屋もないの？」と彼女はたずねる。「外はひどい天気で……」

何とかしてあげたいが、どうしようもない。確かに部屋は無限にあるが、今夜は無限の客で全部埋まっている。無限の廊下をどこまで進んで行っても空いている部屋はない。

だが、彼女が立ち去りかけたとき、彼女を泊めてあげるための、いい考えがひらめいた。ほかの客にほんの少し面倒をかけるだけで実行できる。

どんな方法か、おわかりだろうか？

私がこの問題を出したとき、息子たちは答えがわからなかった。だが、答えを知ってからは、ほかの子を相手に——ときには大人を相手に——このパズルを持ち出しては楽しんでいる。


解決策はシンプルだ。

すべての客に荷物をまとめて隣の部屋に移動してもらうのだ。1号室の客は2号室へ、2号室の客は3号室へ、といった具合に、延々と次の部屋に移動してもらう。

すべての客は移った部屋のベッドで眠ることになるが、1号室は空く。そこに疲れた旅行者を入れることができるというわけだ。

そんなことができるのは、無限大に1を足しても無限大だからだ。

この解決策がすぐれているのは、あとから来る客が何人でも（有限でさえあれば）使える方法だということだ。旅行者が二人やって来たら、全宿泊客に部屋を二つずれてもらえばよい。三人なら三つずつだ。

そんなことができるのも、さっきと同じ理由だ。すなわち、無限大に有限の数を足しても相変わらず無限大だからである[18]（ただし、追加の客が無限にやって来たらこの方法は使えない。無限

＊ 19世紀から20世紀にかけての偉大な数学者、ダフィット・ヒルベルトにちなんだネーミングだ。

に部屋を移動してもらうことはできないからだ)。*

宇宙に功利主義を当てはめる

ボストロムの話に戻ろう。

すでに宇宙に無限の苦痛があるなら、私が何をしたところで苦痛の総量は増えない。私の行為はだれかに苦痛を与えるかもしれないが、その苦痛は有限だ。無限の苦痛に有限の苦痛を加えても……苦痛の総量は無限のままで変わらない。

もちろん、快についても同じことが言える。

つまり無限の宇宙では、私たちは何をすべきかを功利主義によって論じることができない。人を傷つけようが助けようが関係ない。苦痛と快の差は変わらないからだ。私たちの行動はそれにまったく影響を与えることができない。だから私たちは何をするのも自由、どんな恐ろしいことをしてもかまわないことになる。

功利主義が正しければ、そういう結論になる。

この問題はここで論じるには大きすぎるが、これだけは言っておきたい。功利主義は間違っている。ボストロムの議論はそれを示す一例だ。私の考えでは、人は一人ひとりが重要なのであって、快や苦痛の総量を量るための名前のない器ではない。

功利主義は、人間を無数にある部屋に詰め込む頭数として扱う。無限の人間によって快も苦もすでにいっぱいなのだから、快であれ苦であれ、新たに加えたところで何の違いも生じないことになる。

私はむしろ、人をホテルにたどり着いた旅行者のように扱いたい。彼女を泊めても泊めなくても宿泊客の数は無限のままで変わりはないが、彼女が泊まれるかどうかが大事なのだ。

「1千億兆個の星たち」を想像する

だが、ここでさらに考えたいことがある。フロントにたどり着いた女性旅行者を泊めてあげ

＊しかし、新しい客が無限に押し寄せても対応できる方法がある！　全宿泊客に、自分の部屋番号を2倍にした偶数番号の部屋に移動してもらい、空いた奇数番号の部屋に、無限に押しかけてきた追加の客を入れればいいのだ。このことからわかる事実は二つある。第一に、無限に無限を加えてもやはり無限だということ。第二に、すべての偶数の個数は、すべての偶数の個数とすべての奇数の個数の和に等しいということ。これは私がいちばん好きな数学の世界の事実かもしれない。

ヒルベルト・ホテルでは、ほかにもいろいろなことができる。無限の台数の送迎バスを走らせ、それぞれのバスに無限の客を乗せることができるし、有理数（分数で表せる数）一つずつに対応した人数の客をいくらでも泊めることもできる。

しかし、泊められないほど多くの人たちがやって来ることもある。たとえば、実数一つずつに対応した人数の客を全員泊めることはできない。部屋は無限にあるのになぜ泊められないのか？　それは、実数（分数で表せないπのような無理数を含む）も整数も無限だが、無限にも大小があって、実数の集合は数え上げることができない〔非可算無限〕ほど大きいからだ。学校で習ったときにはそれほど感じなかったが、数学は本当に楽しい。

ることは、それほど重要なことなのだろうか？　彼女はそれほど重要な存在なのだろうか？この女性は話の設定上の存在なので、この問いを正しく言い換えるなら、次のようになる。

　私たち一人ひとりは本当に重要なのだろうか？

『こんなおおきなかず、みたことある？』[19]（偕成社）という絵本がある。私はこれを息子たちと一緒に読むのが好きだ。この絵本には大きな数字がたくさん出てくる。

　世界には75億人の人間が住んでいて、1京（10の16乗）匹のアリがいると書かれている。だが、この本の中でいちばん大きな数字は、タイトルにもなっている「1000億兆」で〔原題は『1000億兆個の星たち』〕、1の後ろにゼロが23個つく数字だ。だが科学的にはたぶん一桁間違っている。観察可能な宇宙に限っても1000億兆個の星があると推定されているからだ[20]。1の後ろにゼロが24個、単位の名前を使って言えば1セプティリオン個だ。

　宇宙が無限なら、星の数はもちろん無限で、1の後ろにゼロが何個などと言うことはできない。しかし、とりあえず1セプティリオン個ということにしよう。それでも想像を絶する多さだ。

　私がこの本を子どもたちと一緒に読むのが好きなのは、子どもたちに自分の小ささについて考えてもらいたいからだ。というか、人間の小ささについて考えてほしいからだ。

　たとえ無限でなくても、宇宙は想像を絶するほど大きい。私たち人間はその片隅に場所を占めるだけの取るに足らない存在で、なんら特別な存在ではない。しかも、それほど長く生きるわけでもない。運がよくて80年だ。それに対して宇宙はすでに130億年以上存在しており、この先さらに何千億年も、何兆年も存在し続ける。

私たちはほんの一瞬光を放つのがせいぜいだ。それを考えると、自分がまったく取るに足らない存在に思える。

宇宙から自分を見ると？

宇宙の大きさについてレックスと話しているとき、こうたずねてみた。

「ぼくたちは重要なのかな？」

このとき彼は10歳だった。

「そうは思わない」と彼は言った。

「どうして？」

「だって、ぼくたち以外にも人間はいっぱいいるでしょ。ぼくたちが特別に重要ということはないと思うけど」

私たちは歩きながら話を続けた。しばらくして、私はこうたずねた。

「レックス、顔にパンチしてもいいか？」

「だめだよ」。何を言い出すのかと驚いたような声だ。

「どうして？　重要じゃないんだから、別にいいじゃないか」

「よくない、ぼくにとっては重要だもん」

それから10分ほど、レックスはうまく折り合いがつけられない二つの考えをしゃべり続けた。

一歩引いて、宇宙から自分を見ると、自分が取るに足らないほど小さな存在であることがわかる。自分が生まれていなくても、世界はそれほど変わらない。死んだあとも、たいして変わらないだろう。

人間という種の全体についても同じことが言える。地球上に人間が誕生していなくても、宇宙にはそれほど違いはなかっただろう。いつか人間がすべていなくなっても、やはりそれほど変わりはしないだろう。

宇宙から自分を見下ろせば、私たちがすることなどすべて無駄に見える。何かに成功したとしても、時間が経てば跡形もなく消え去る。

しかし、自分の内側に目を向ければ、どんなに小さなことも重要に思える。

私は重要ではない。しかし、私を取り巻く人やものごとは重要だ。

「どうでもいいこと」なのに「とても重要」

前章に登場したトーマス・ネーゲルを覚えているだろうか？　コウモリであるとはどういうことかを知りたがっている哲学者だ。彼は、私たちは重要ではないが、私たちに起こることは私たちにとって重要である、という二つの考えの並置《へいち》にも関心がある。
ネーゲルによれば、一人の人間の中に相反する二つの考えが同居することが、人生を不条理なものにしている。[21] つまり、私たちが何かを受けとめるときの深刻さと、その実際の重要性が釣り合わないとき、そこに不条理が生じるというのだ。[22]
それで思い出すのが、法学部の学生時代、論文に引用文献を示す際の表記ルールを教わったときの体験だ。ある箇所で、ピリオドを斜体にすべきかどうかが問題になった。どうでもよさそうなことについて、延々と熱い議論が続いた。ピリオドが斜体かどうかなど見分けることも難しいし、だれも気にしない。まさに不条理だ。
ネーゲルは、私たちの人生全体がそんな議論に似ていると考えている。私たちのまわりにはさまざまなものがあり、私たちはそれをさも重大事のように扱う。外見や服装、学歴や職歴、取り組んでいる仕事やプロジェクト、将来の計画などを気にかけるが、それは何のためなのか？
結局、何のためにもならない。なぜなら、すべてのことはいつか終わり、私に何が起ころうと問題ではなくなるからだ。[23]
私たちはみな取るに足らない存在だ。私たちはそのことを知っている。それなのに、さも重大事であるかのようにして人生を生きている。
これが不条理でなくて何だろう。

「大切に扱う」ことで意味を生む

そんな気持ちと闘う人もいる。執着を捨て、世俗のすべてを取るに足らないものとして生きようとする人たちだ。それができれば不条理は軽減されるが、そんなことができる人はほとんどいない（実際、その試み自体がしばしば不条理をもたらす）[24]。

逆に、宇宙は自分のために造られたのだと主張する人もいる。自分は宇宙をつかさどる神にとって重要な存在なのだから、自分は重要だ、というのがその理由だ。

私は神の存在については懐疑的だ（理由は12章で説明する）。しかし、たとえ神が存在するとしても、神が自分のことを気にかけてくれていると考えるのは人間の驕《おご》りだと思う。

神にとって、私たち人間の価値は1京匹のアリとそれほど違わないかもしれないではないか。神の関心事は別のところにあるのかもしれない。私たちは宇宙の中心ではなく、太陽系の中心ですらない。神にとって人間が大切というのなら、神はなぜ、その大切な被造物を宇宙の辺鄙《へんぴ》な片隅に置いたのだろう。なぜ人間以外の被造物のことも気づかうのだろう。人間が重要だというのなら、人間以外のものは何のためにあるのだろう？

反論はわかっている。神には私たちの理解を超える計画がある、神は宇宙《コスモス》にある全被造物を気にとめている、という声が聞こえる。たぶんそうなのだろう。

だが、そのような神の存在を前提とするなら、私はそこから別の教訓を引き出したい。対象を大切に扱うことでそれを価値あるものにするというのが神の方法なら、私たち人間もそうすればよいのだ。

もちろん、私たちは宇宙論的な意味でものごとに意味を持たせることはできない。しかし、私たちにとって意味あるものにすることならできる。そのために私たちがなすべきことは、自分が向き合っている対象を大切に扱うことだけだ。

それはある種の超越的な力だと思う。私たちは世界に自分が存在することの意味を自ら生み出す、と言ってもいいだろう。そんなことができる生き物は、そう多くはない。

「自分は小さい、他者は大きい」と考える勇気

だから、たとえ無意味と思えても、生きていくなかで出会うものを大切にしなければならない。家族、友だち、仲間、他者、プロジェクト、計画といったものを大事にしなくてはならない。そうすることが人生に意味をもたらす。

自分自身のことも大切にすべきだろうか？

そうすべきだと私は答えたい。

そのことについて友人の**サラ・バス**が書いた論文を読んで、いろいろ考えさせられている。バスはミシガン大学の哲学科で教えている同僚だ。息子たちは、クリスマスになるとクッキーをプレゼントしてくれる彼女のことが大好きだ。私が知るかぎり、もっとも洞察力にすぐれ

た道徳哲学者の一人でもある。

このところ彼女は、**道徳的勇気**とは何か、それは培《つちか》えるものなのか、ということを考えている。自分の命を危険にさらし、自分を犠牲にしてまで、抑圧に抵抗したり、人を助けようとしたりする人がいるのはなぜなのかを考えている。

バスも確かな結論は出していない。いろいろな理由が考えられるが、彼女は、そのような人は、自分のことを顧みず他者を大切な存在と見ることによって勇気を得ているのではないかと考えている。[25] 自分のことは遠く宇宙から見るように小さい者と考え、他者のことは近くに寄り添って大きな存在と考えているということだ。

これを実行するのは感情的にも知的にもなかなか難しい。[26] 自分に対する愛や憐憫、恐れがあるからだ。[27] だからこそ、正しい勇気を得るために、自分を取るに足らない存在と見なす必要がある。

自分の身に起こることは重要ではないと考えるだけでは足りない。恐れや自己愛を感じるように、それを感じる必要がある。[28] さもなければ、恐れに押しつぶされて行動できなくなる。

バスが述べている態度を、自己否定と混同してはならない。彼女はすべての人に、自分には生きる価値がないとか、自分は愛や敬意に値しないなどと思わないでほしいと願っている。ただ、道路を渡るときに左右を見る必要があるように、行動するときは自分の小ささと大切さの両方を見る必要がある、と言っているのだ。他者が自分を正しく扱ってくれると期待することも必要だ。[29]

ただ、勇気が必要な瞬間に、恐れと同じくらいはっきりと自分の存在の小ささを感じることができればいいのだ。

そのような生き方は、感情の面だけでなく思考の面でも難しい。自分を重要だと考えないなら、他者のことも重要と考えられなくなるかもしれないからだ。それは危険だ。他者をどうでもいい存在と考えるなら、人を踏みつけにするような人間になってしまう。だから、自分が大事だという感覚は手放しながら、他者を大切にする気持ちは持ち続けなくてはならない。

それは世界を見るうえで筋の通った方法とは言えないかもしれないが、美しい方法、無私の方法、愛の方法だ。愛は必ずしも筋が通っているとはかぎらない。

人生の「不条理」を飲み込む

私は子どもたちに道徳的な勇気を持ってほしいと願っている。

ずいぶん大きな要求だ。そもそも私自身、そんな勇気があるかどうかわからない。実際にそれが必要な状況に遭遇しなければ、本当のところはわからない。

しかし少なくとも、自分のことを重要と考えなくてすむ視点があることは知ってほしい。その視点から世界を見る練習をしてほしい。自分のことや心配事にとらわれるのではなく、それを取るに足らないものと考えることのできる大きな視野を身につけてほしい。

だから、私は子どもたちと宇宙の大きさについて話す。[30]

ある晩、本棚から『こんなおおきなかず、みたことある?』を取り出したのもそのためだ。7歳のハンクがぐずり、なかなか寝ようとしなかった。ついに業を煮やしたジュリーが叱りつけた。私がそばに行って本を読み聞かせようとしたとき、彼は目に涙を浮かべて悲しそうだった。

絵本を最後まで読んだとき、私はレックスにしたのと同じ質問をハンクにもした。

「世界にはいっぱいいろんなものがあるけど、ハンクやレックスや、ママやパパは、ほかのものより特別に大切なのかな?」

「そんなことないと思う」と彼は言った。そして、こちらが促したわけでもないのに、自分からこう付け加えた。「でも、ぼくたちにとっては大切だ」

「本当にそうだな」と私は言った。「ハンクはパパにとってすごく大切だ」

そして私はたずねた。

「宇宙とか星とか銀河について考えるとき、ハンクはどんなことを感じる?」

「悲しくなることはないけど」という答えが返ってきた。私の意図を見透かしたかのような言い方だった。

私は子守唄を歌い、おやすみのキスをして部屋を離れた。

その日はそこまでだったが、子どもたちに二つの視点を伝える努力はもちろんこれからも続ける。

子どもたちには、さまざまな物事に関心を持ち、大切に考える人になってほしいと願っている。それが人生を意味あるものにする方法だと思うからだ。

何かに関心を持ち、それを大切に扱うことは難しくないかもしれないが、自分が大事にしているその何かが——生死を分けるほどのことでさえ——見方によってはそれほど重大ではないと知ることは難しい。

子どもたちがそのことを理解し、それでもなおその何かを大切に扱うなら、人生の不条理の一端に触れることになるだろう。彼らはすでにそれを体験しはじめている。だが、そんな体験をするのは彼らだけではない。私たち人間は、だれもがそんな不条理を抱えているのだ。*

* その事実もまた、見方によっては重大なことではない(31)。

Chapter 12

神

「神さま」はいるの？いないの？

カウボーイハットをかぶった「神さま」

「ザックは神さまのブーツを持ってるんだよ」

「なんだって？」と訊き返しながら、レックス（当時4歳）のほうを見た。

キッチンで夕食の支度をしていたときだったが、レックスはテーブルで、夕食前の最後のスナックを食べていた。当時、このタイミングでのおやつには二つの目的があった。子どもに邪魔されることなく夕食の準備ができるようにすることと、つくった端から子どもが料理を食べてしまわないようにすることだ。

「ザックは神さまのブーツを持っている」と、レックスはまるで天からの啓示のような口調で繰り返した。

私も天からの声のように、「ザックが神のブーツを持っているだと⁉」と言った。

芝居がかった言い回しは、私が得意な子育てのテクニックの一つだ。子どもが話に食いついてきたら、けっこう面白い展開になる。

「そうだよ！　ザックは神さまのブーツを持ってるんだ！」。レックスは少々興奮気味だ。

「どのザックだ？　大きいザック？　小さいザック？　それとも大人になったザックか？」

レックスはザックと名づけたキリンのぬいぐるみをたくさん持っていた。

「小さなザック！」とレックスが得意げに言う。

「それはないだろう。小さなザックが神さまのブーツを持ってるなんて……」

「持ってるんだよ！」

「なに⁉　すごいじゃないか！　でも……神さまのブーツって何？」

「知ってるでしょ」とレックスは当たり前のように言う。

「知らないよ。神さまのブーツって何だい？」

「神さまがついてるブーツだよ」

「ザックのブーツに神さまが⁉」。私は衝撃的な事実を知ったような驚きを込めて叫んだ。

「神さまって重くないの？　ザックは長靴を履いて歩けるの？　学校で動けなくて困ってるん

じゃないか？　助けに行こうか？」

「神さまじゃないよ、パパ！　神さまの絵だよ」

「なんだ、そういうことか」。私は声を和らげた。「神さまって見た目はどんな感じなの？」

「知ってるでしょ」。私と秘密を共有しているような口調でレックスは言った。

「いや、知らないよ」とささやき声で答える。「どんな格好なんだい？」

「カウボーイハットをかぶった男の人だよ」

「カウボーイハットの男って？」

「映画に出てくる人」

話が見えてきた。レックスがそれまでに観た映画は3本しかない。1本目は『おさるのジョージ』。

「黄色い帽子をかぶったおじさんのこと？」

「違う」と彼は笑った。

2本目は『カーズ』。

「メーターのこと？」

「違うよ。メーターはカウボーイハットなんかかぶってないよ」と、まるで子どもを諭すような口ぶりだ。

残るは『トイ・ストーリー』。

「ウッディのこと？」

「そう、ウッディ」

神はスーパーマン？　それともジョージ・ワシントン？

私は小さいころ、神はジョージ・ワシントンに似ているか、そうでなければスーパーマンのような見た目をしていると思い込んでいた。私にとって、神の超能力は彼がクリプトン星の王子であることの証《あかし》だった。神は同時に超優秀で超高齢だったが、その点はジョージ・ワシントンのイメージだった。

レックスがなぜ神はウッディに似ていると考えるようになったのかはわからないが、ウッディが神だなんて気味が悪い。どこにいても、何をしていても、絵に描かれたウッディの目が自分を見ているなどというのは勘弁してほしい。

だが考えてみれば、標準的な神の認識も似たようなものだ。何もかもお見通しの神などというのは、あまり気持ちのよいものではない。

神は「どこかに立っている」わけではない

では、神はどんな姿かたちをしているのだろう？　ジョージ・ワシントン？　ウッディ？　スーパーマン？　主要な一神教によれば、そのいずれでもない。

実際、神学者の四人に三人は、神は空間と時間の中には存在しないと言っている。[*] 空間と時間を創造した神は、その外に立っているというのだ。だが、立つためには空間が必要だし、空間の外も何らかの場所ではある。つまり、神は時空間を超越した存在だということであり、[**] 何にも似ていないということだ。

だけど、ちょっと待ってほしい。人間は神に似せて造られたのではなかったのか？ それに、神はたまに聖書にも登場するのでは？

その点については、ほとんどの神学者は、「人間は神に似せて造られた」という聖書の言葉は比喩的な表現だと解釈している。人間が文字どおり神に似ているわけではない。逆に言えば、神に手や足があるわけではなく、神が太鼓腹を抱えているわけでもない。

「似ている」というのは、人間は神の属性のいくつか（たとえば論理的に考える能力）を持っているという意味だ。神は確かに聖書に登場するが（燃える柴の中からモーセの前に現れた場面など）、人びとが目撃したのは実際の神ではなく、神を象徴する何か、いわばアバターのようなものだということだ。

イエスが登場すると、話はさらに複雑になる。このユダヤ人は、三位一体の神について自分では何も説明していないが、キリスト教の考えでは、神は時空間から完全に自由な存在とされている。

だが、イエスは、ワシントンやウッディやスーパーマンではないとしても、確かに地上に存在する何かに似ていた。それなのに神は空間や時間を超越していて、目に見えるものではないというのだから、なんとも都合のいい話だ。

謎の庭師

アントニー・フリューは無神論の哲学者で、*** 20世紀後半にイギリスのいくつかの大学で教えた。彼は**ジョン・ウィズダム**（見識《ウィズダム》がありそうな名前だ）というケンブリッジ大学の哲学者が考えた話を脚色して、あるたとえ話を展開した。[1]

二人の男が森の中を歩いていると、開けた場所に出た。たくさんの花が咲いていたが、雑草もはびこっていた。

そこで片方の男が言った。「庭師《ガーデナー》が世話をしているに違いない」

それを聞いたもう一人の男は、「庭師なんかいないよ」と言った。

口数の少ない二人だが、「庭師が世話をしている」と言った男を〈庭師いる〉、「庭師なんか

---

* 四人月は歯磨き粉「クレスト」に似ていると考えている。というのはもちろん冗談。歯磨き粉なら「トムズ」が最高だ。だが四人に三人という数字は冗談ではなく創作だ。神と時空の関係について議論があることを強調するために、そう書いてみた。神の性質についてはさまざまな議論があるが、とりわけ非時間的（時間の中に存在しない）か永遠的（時間の中のあらゆる点に存在する）かについては、妥協を許さない論争がある。だが、そのあたりの神学の詳細は本書の目的とは関係ない。

** つまり、残念ながらあなたを天の上から見守ってくれているわけではない。

*** 少なくとも、認知症が原因と見なされている晩年の回心までは無神論者であった。

いない」と言った男を〈庭師いない〉と呼ぶことにしよう。

二人は空き地にテントを張り、しばらく様子を見ることにした。だが、庭師は現れなかった。

それでも〈庭師いる〉は自説を曲げず、「きっと目には見えない庭師なんだ」と言った。

そこで彼らは有刺鉄線のフェンスをつくった。庭師が来たらわかるように、フェンスに電流を通し、猟犬にパトロールさせた。それでも庭師は来なかった。フェンスが揺れることも、感電しただれかの悲鳴が聞こえることも、猟犬が吠えることもなかった。それでも〈庭師いる〉はあきらめなかった。

「庭師は絶対にいる。目には見えず、手で触れることもできず、感電することもなく、匂いもなく、音を立てることもないけれど、愛する庭の世話をするために密かにやって来るんだ」[2]

うんざりした〈庭師いない〉は、こう言い放った。「目に見えず、形もなく、永久にとらえどころのない庭師なんて、想像上の庭師だ。いないのと同じじゃないか」[3]

反論不可能な主張

フリューは、神についてのこんな議論は空疎で無意味だと考えた。

〈庭師いる〉は庭師は存在すると主張し、二人で庭師を見つけようとした。しかし見つけられなかったので、自分の主張に限定条件をつけた。その後、限定条件は増え続け、まったく何も主張していないのと同じ地点まで後退し、反論のしようがない主張となった。

ここで話題を変えて、冷蔵庫にチキンがあるかどうかについて、あなたと私の意見が分かれたとしよう。私は「ある」と言い、あなたは「ない」と言う。どうすればこの論争に決着をつけることができるだろうか。

冷蔵庫の中を見ればいい。見ると、チキンはなかった。あなたは自分が正しかったと言うが、私は譲らない。自分は目に見えるチキンがあるとは言っていない、冷蔵庫の中にあるのは見えないチキンなのだ、と言う。そこであなたは冷蔵庫の中を手探りしたが、チキンに触れることはなかった。あなたは再度自分の勝ちだと言うが、私は断固として譲らない。手で触れることのできるチキンだとは言っていない、無形のチキンなのだと主張する。

そのうち、あなたは私が錯乱していると判断するだろう。あるいはどうしようもなく意固地だと思うだろう。いずれにしても、私が自説を否定する証拠を受け入れるつもりがない以上、冷蔵庫の中にチキンがあるかどうかを議論し続けても埒《らち》はあかない。

昔の人びとは、神はこの世界で、なんらかの役割を果たしていると考えていた。神は世界《ガーデン》の世話をしていた。人びとは神に、雨を降らせてくださいと祈り、止《や》ませてくださいと祈った。いまでも多くの人が祈っている。

しかし今日、神が雨を降らせていると考える人は少ない。現代の私たちは、神を持ち出さなくても雨が降る理由を説明できる。神は私たちが託した役割から身を引いてしまい、見ることも触れることもできなくなり、かつてはあったかもしれない存在の痕跡も見出せなくなってしまった。

そこから、神は、見ることも触れることもできない冷蔵庫の中のチキンと同じで、本当は存在しないのではないかという懸念が生じる。

その懸念は妥当だろうか？

見えず、匂わず、味わえず、触れられないようなチキンは確かにチキンではない。チキンならば空間と時間の中で場所を占めているはずだ。

しかし、神がチキンのような方法で存在しなければならない理由はない。存在にはさまざまな態様がある。

「6」という数は存在しない？

話は変わるが、私は父親としての務めと同じくらい真剣に、叔父としての務めを果たそうとしている。つまり、叔父の立場でも遊び心を忘れないようにしている。そのポリシーにより、以前、甥っ子に対し、「6」という数は存在しないと説得しようとしたことがある。

「ベン、10まで数えられる？」。そのときベンは5歳だった。

「1、2、3、4、5、6、7……」と彼は数えた。

「待った、ストップ！　いま何て言った？」

「7」

「その前」

「6」

「6って何?」

「数だけど」

「違う」

「数だよ!」

「それが違うんだ、ベン。6は数じゃないんだ。10まで数えてみるよ。1、2、3、4、5、7、8、9、10」

彼は納得しなかったが、私がしつこく言い続けると、やがて彼は母親に報告するために走って行った。

「スコットおじさんが、6という数はないって言ってる」

「そうなの? スコットおじさんは算数が得意なんだけどなあ」とベンの母親は言った。私の子どもたちがニコルおばさんと呼ぶその女性は、あらゆる面ですばらしい人だが、自分の息子を煙に巻いている私と調子を合わせてくれるのだから懐が深い。

私はそのあともベンと遊び続け、ついに「6」という数は幼児教育ビジネスが生み出したつくりものだと思い込ませることに成功した。5歳児が陰謀論を受け入れそうになった時点で、さすがにからかうのをやめて本当の話をした——「6」という数は確かに存在する。

ただし、それは時空に縛られるものではない。空間的にも時間的にも場所を占めないので、

「6はどこにあるのか」とか「6はいつあるのか」という問いは意味をなさない。「6」は目に見えるものでもないので、姿や形を知ろうとしても意味がない。

ちょっと待ってくれ、「6」なら知っている、とあなたは思うかもしれない。そう、こんな形をしている。

6

しかし、その「6」という形は数を示す記号にすぎない。アルファベット3文字で書かれた「God」が、聖なる全能の存在を示す記号にすぎないのと同じだ。「6」はこんな記号で表すこともできる。

VI

あるいは、こう書くこともできる。

Six

意味さえ伝われば、どんな記号を使ってもかまわない。しかし、記号は記号であって数そのものではない。

「数」は人間がいなくても存在する？

いったい「6」とは何なのだろう？　「6」はなぜ存在するのか？　数学の哲学者たちはそれについて議論している。

最低限、次のことは言えるかもしれない——ある体系の中で果たす役割があるから「6」は存在する。

それは「5」の次に来る数で、「7」の前に来る数だ。数えきれないほどさまざまな実在するものと関係があり、その関係によって相互に存在を定義しあっている。

なので私は、甥っ子との遊びをほどほどのところで止めなければならなかった。「6」がなければ算数はめちゃくちゃになってしまう。

しかし、ある体系の中で果たす役割のために「6」が存在するという言い方をすると、難しい問題が先送りになってしまう。

その体系は人間が創造したのか？　それとも人間が発見したのか？　人間がそんな体系を創造も発見もしていなかったら、数は存在しなかったのだろうか？

私は、数は人間と無関係に存在するという説を支持したいが、それを論じる立場にはないし、そんなことをしようとしたら難解で退屈、ついていくのが難しい議論になって、読者はこの本を投げ出してしまうかもしれない。

私が言いたいのは次の一点――存在するものすべてが同じ態様で存在するわけではない、ということだ。

チキンは空間と時間の中に存在する。庭師もそうだ。しかし「6」という数は違う。「6」が空間や時間と関係なく存在するなら、神が時空の外に存在してもおかしくない。

「神さまは本当にいるの?」に答える

「神さまは本当にいるの?」

レックスは小さいころ、よくそうたずねた。

レックスは宗教系の学校に通っていたので、神について――少なくともユダヤ人が語る神の物語について――たくさんのことを学んでいた。それを学ばせることが、彼をその学校に通わせた大きな理由だ。子どもたちにはユダヤ人のコミュニティと文化になじんでほしいと願っている。

しかし、神についての物語を多く知るにつれ、彼は「神さまは本当にいるのか」としつこくたずねるようになった。ここまで読んできたあなたは、私が「本当はいない」と答えたと思うかもしれないが、私はそうは言わなかった。

理由は二つ。

まず、確信がないということ(その理由についてはのちほど詳しく述べる)。

次に、このほうが重要なのだが、子どもが「**大きな質問**」をしてきたときは、結論を述べて話を終わらせるのではなく、そこから話をスタートさせることが大切だと考えているからだ。

私は「イエス」とも「ノー」とも言わず、さまざまな考え方があることを伝えた。

「神さまは本当にいて、聖書の物語は書かれているとおりに起こったと考える人もいるし、聖書の物語は、理解できないことを説明するために人間が創作したものだと考える人もいる」

それを教えたうえでたずねる。「レックスはどう思う？」

答えが返ってきたら、それで終わらせるのではなく、その考えを受けとめて、そこから会話を始めるのだ。

レックスが神は実在すると言ったら、どうしてそう思うのか、聖書の中にはつじつまが合わない話があるのを知っているか（たとえば天地創造の話は二つある）、悪を制止できる神がいるならなぜ世の中に多くの悪があるのか、といった質問をする。

逆に、神は実在せず、聖書に書かれていることは物語にすぎないと言ったら、なぜ多くの人が神の存在を真剣に受けとめているのか、世界が存在する理由をどう説明するのか、といったことをたずねる。

会話は子どもの理解力に合わせなくてはならない。レックスと私は、ブランデーを飲みながら暖炉のそばで人生の謎を語りあうわけではない。こうした会話は、ほんの1、2分の短いものがほとんどだ。しかし、それを何度も積み重ねると、びっくりするような展開が生まれる。

4歳児の神学

「神さまって本当にいるの？」

レックスがそうたずねたのは4歳のときだった。ウッディの啓示から、それほど時間は経っていなかった。

それまでにもこの話は何度もしていたので、そのときの私はすぐにたずねた。

「レックスはどう思うの？」

レックスはこう答えた。

「本当は、神さまは見せかけだけど、信じているふりをしたら、本当にいることになる」

私は驚いてしまった。4歳の子どもとは思えない深い考えだ。40歳の大人だったとしても深い考えだ。私はレックスに、どういう意味か説明してほしいと頼んだ。

「本当はいないんだけど、ぼくたちが、神さまはいるというふりをしたら、神さまはいることになるってこと」

「虚構主義」という考え方

哲学の世界では、このような考え方を「**虚構主義**」と呼ぶ。

私が「私はミシガン大学で教えている」と言えば、この世界での事実を述べていることになる。しかし、「ダンブルドアはホグワーツ魔法魔術学校で教えている」と言ったらどうだろう？　この世界での事実として述べているならウソになる。ホグワーツもダンブルドアもこの世界には存在しないので、ダンブルドアがホグワーツで教えることもない。

しかし、両方ともハリー・ポッターが住む架空の世界には存在する。「ダンブルドアはホグワーツ魔法魔術学校で教えている」というのは、その架空の世界の中では事実だ。聞いた人はフィクションだとわかっているので、この世界での事実ではなくても、私が本当のことを言っていると受けとめる。

ダンブルドアはこの世界には存在しないが、虚構の世界には存在することを受け入れる、というのが虚構主義だ。もちろん、それを否定する人はいない。ダンブルドアは明らかに虚構だ。

しかし哲学者のなかには、そこにとどまらず、明らかにフィクションではないと言えるもの以外はすべて虚構と見なすべきだと言う人もいる。その立場から、たとえば道徳も虚構だと考える哲学者もいる。権利もダンブルドアと同じつくり話だと言うのだ。

なんとも残念な考えだ。多くの人が権利を重視し、権利のために闘っているというのに。権利が虚構であるはずがない。権利が本当は存在しない、などという考えは最悪だ。

「落ち込まないで」と、道徳は虚構だと考える哲学者は言う。「権利についてのストーリーはよいストーリーで、よい結果をもたらします。だから、語り続けましょう。虚構の権利のために闘いましょう！」

私はそんなことを言う哲学者ではない。権利は現実のものだと考えている。冷蔵庫の中のチキンと同じように、見ることも触ることもできるほどリアルなものだ。

私は「6」という数も現実のものだと考えているが、それを間違いだと言う哲学者がいる。数はつくりもので、「6」も「7」も「72」も、私たちがつくったさまざまなストーリーの中にしか存在しないと言うのだ。

これもまた残念な考え方だ。割り算の勉強に費やした膨大な時間は無駄だったと言うのか。「いや、その時間は無駄ではありません」と虚構派の哲学者たちは言うだろう。「数に関するストーリーはすばらしいものです。私たちはそれなしでは生きていけません。だから、何があっても数の話をやめないでください。たとえ数が人間による創作であったとしても！」

私はそんなことを言う哲学者でもない。私たちは数学なしには世界を読み解くことができない。物理法則は、エネルギーと質量の関係を示す〈$E=mc^2$〉や、運動方程式として知られる〈F=ma〉などのように、数学の言葉で表現される。

数のなかには、たとえば真空中の光の速度を表す「c」（秒速約30万キロ）のように、宇宙という名の書物にくっきり書き込まれているものもある。これ以上の速度で移動するものは、私たちの周囲はもちろんのこと、どこにも存在しない。

物理学が虚構の上に成立していたり、つくりものの数学が世界のあり方を説明する鍵だったりしたら、異様なことになってしまう。私は数学についても、道徳と同じように、虚構主義者ではない。

神についての虚構主義

しかし告白しなくてはならないが、神についてでは、私はレックスが正しいと思う――「本当は、神さまは見せかけだけど、信じているふりをしたら、本当にいることになる」

つまり、神についてでは私は虚構主義者だ。

私たち一家は最近、所属するシナゴーグを替えた。それまで通っていたシナゴーグでは、礼拝はほとんどヘブライ語で執り行われていたが、私はヘブライ語をあまり話せない。祈禱文は覚えているが、意味はほとんどわからない。だが、シナゴーグで賛美歌を歌い、言葉の響きに身を浸すことが好きだった。

移った先のシナゴーグでも、以前のシナゴーグと同じ歌を歌い、同じ祈りを捧げるが、それ以上に多くの祈りを英語で捧げる。そうなって気づいたのが、私にはそれが耐えがたいということだった。つまり、私は宗教には謎めいていてほしいと思っているのだ。

私は、ユダヤ人が語る物語を信じていない。その物語を英語で聞かされると、自分が信じていないという事実に何度も直面することになる。

信じている「ふり」をする

ユダヤ人のあいだに伝わる古いジョークがある。

日曜学校から帰ってきた子どもに、何を教わったのかと父親がたずねる。

「モーセがエジプトで奴隷になっていたユダヤ人を助け出したことを教わった」

「どうやって助けたんだ？」と父親。

「ユダヤ人は朝早く、パンを焼く時間もないほど早く出発したんだ。紅海に着いたとき、エジプト人が追いかけてきたから、大急ぎで橋を架けて、向こう岸まで渡ったところで橋を爆破したんだって」

「本当にそう教わったのか？」

「そうじゃないけど、教わったとおりに話したら、きっと父さんも信じないと思うよ」

私はまさに、このジョークに出てくる子どもだ。

私は信じていない。モーセが海を割って人びとを救ったという話を聞いても信じなかった。ここで大事なことは、私は信じているふりをしているということだ。これからもそれをやめるつもりはない。なぜなら、ふりをすることで世界がよりよい場所になると考えているからだ。

わが家では、金曜の夜、安息日の蠟燭《ろうそく》に火を灯し、神に祈りを捧げる。忙しい一週間のなかで、穏やかな気持ちで過ごせる貴重な時間だ。家族で心を合わせ、与えられたよきものに感謝する。

一年を通して、私たちは楽しい祝日や厳粛な祝日を祝う。家族や友人と集まり、何代も昔から同胞が歌ってきた歌を歌い、捧げてきた祈りを捧げる。

私たちは人生の節目を宗教的儀式によって祝う。子どもが生まれたときの割礼や命名、子どもも時代に別れを告げるバル・ミツバー〔男子13歳の成人式〕やバット・ミツバー〔女子12歳の成人式〕、新しい家族が船出する結婚式、人生の旅を終えて安らかな眠りにつくための葬儀などだ。

こうした行事を神なしでも意義深く執り行う方法はある。しかし、信仰を持たない多くの人びとは、宗教の代わりになる伝統をつくることができないため、行事に意味を持たせることができない。

それを解決する方法は神を信じることではない。あたかも信じているように行動することである。

信仰は「信念」ではなく「行為」

少なくとも私にとってはそれが解決策だ。私は信仰を持っている人になんら含むところはない。ただ、こう思っているだけだ。正確なところ、信仰とはいったい何なのだろう？　なぜ私は信じないのだろう？

神

ルートヴィヒ・ウィトゲンシュタインは、20世紀でもっとも影響力のある(そして謎めいた)哲学者の一人だ。彼はものすごく短いストーリーをいくつか語っている。そのうちの一つを紹介しよう。

神を信じている人が「私は最後の審判があると信じている」と言い、私が「私にはよくわからない。あるかもしれないけど」と言ったとする。あなたは、二人のあいだには大きな隔たりがあると思うだろう。だが、彼が「上空をドイツの飛行機が飛んでいる」と言い、私が「飛んでいるかもしれない。はっきりとはわからないけど」と言ったら、あなたは二人の見解がかけ離れているとは思わないのではないだろうか。[4]

なぜ、飛行機については二人の考えは近く、最後の審判についてはかけ離れていると感じるのだろう。

飛行機が頭上を飛んでいる可能性について話しているとき、両者は同じ姿勢で世界と向きあおうとしているからだ。二人とも事実を突きとめようとしており、証拠の評価が違うだけで、見解の相違はそれほど大きくない。相手の言うとおりだと思えば、意見を変えることだってあるだろう。

最後の審判の場合は、それとまったく違う点が一つある。

最後の審判を「信じている」と言う人は、証拠を検討した結果、最後の審判はあると言っているわけではない。正直なところ、証拠らしいものはない。その人は証拠があってそう言っているのではなく、信仰を表明しているのだ。

カリフォルニア大学バークレー校の哲学者**ララ・ブチャック**が指摘するように、信仰は信念ではなく行為に属する。[5]

ブチャックが言っていることの意味を理解するために、別のストーリーを考えてみよう。あなたと私には共通の友人がいる。あなたは彼女が何か重要なことについてウソをついているのではないかと疑っている。あなたの疑念を聞いた私が、「きみの心配は理解できるけど、私は彼女を信じる」と言ったとする。

このとき、私はあなたと議論を戦わせているわけではないし、あなたとは証拠の評価が違うと言っているのでもない。

私の発言の意味は、私は彼女がウソをついていないものとして付きあうということだ。たとえ反証があっても彼女に賭けるという意味だ。彼女を信じているから、いまある証拠で十分とするということだ（もし私があなたに、彼女のことをもっと詳しく調べてほしいと頼んだとしたら、それは私が彼女のことを信じていないことの証拠にほかならない）。

神を信じるとは、これと同様の賭けをすることだ。信仰とは、確証や追加の証拠を求めることなく、神が存在するものとして行動することだ。たとえ証拠に弱点があっても、あるいは反証があっても、それでも人生の中心に神を置こうとする姿勢のことだ。

同様に、「最後の審判があると信じている」と言う人は、自分は世界をある特定の方法で見ており、それにふさわしく行動するつもりだという決意を語っているのである。それに対して、「よくわからない」と言う人は、自分にはそんな覚悟はないと言っていることになる。

両者のあいだには大きな隔たりがある。信じていると言った人は信仰による跳躍を果たしたが、わからないと言った人はその隔たりの反対側に立っている。*

「パスカルの賭け」の計算違い

私も信仰の跳躍をすべきだろうか？　神への信仰に至る道は理屈では説明できないから、この問いには答えようがない。

しかし、哲学者のなかにはそう考えない人もいる。

ブレーズ・パスカルは、17世紀フランスの有名な数学者だが、哲学者でもあった。彼は理詰めで信仰に至ることは可能だと考えた。

彼の考えはこうだ。まず最初に、神がいるとする。あなたが「神は存在する」というほうに賭け、神を信じるなら、神はあなたの信仰を喜び、あなたは神から永遠の恩恵を受けることができる。逆に、「神は存在しない」というほうに賭けたら、神は怒る。どうなるかは想像がつくだろう。

次に、神はいないとする。いないのに「神は存在する」というほうに賭け、信じたとしても、たいした実害はない。教会に通うための時間や善行に励んだ努力が無駄になる程度のことだ。しかも、善行は神が不在でも価値がある。教会に行かなかったところで、ゲームで時間を浪費するだけだったかもしれない（パスカルの時代にはテレビゲームはなかったが）。

彼はこう言っている。「勝てばすべてを得られる。負けても失うものはない。ためらわず、神の存在に賭けるがよい」[6]

この論法は「パスカルの賭け」と呼ばれているが、「ハンクの賭け」と呼ぶこともできる。ハンクが7歳のとき私は、神は本当にいるのだろうか、とたずねた。しばらくそのことについて話をしていると、ハンクがこの話はもうやめようと言い出した。

「もうこの話はしたくない」

「どうして？」

「こんな話、神さまはバカにされていると感じるんじゃないかな――神さまがいればだけど」

＊興味深いのは、神の存在を事実として知っているなら、それを信仰とは呼ばないということだ。信仰と言えるのは、間違っているかもしれないというリスクがある場合だけだ。たとえば、私は「タイガー・ウッズがゴルファーだと信じている」とは言わない。私は彼がゴルファーだと知っているので、これは信仰とは関係のない発言だ。だが、「ウッズは次のマスターズで優勝する」というのは信仰による発言である。同様に、神が存在すると確信している人でも、少しでも疑う気持ちがあること――たとえば「神は自分を見守ってくれている」――については、信仰を持つことができる。キリスト教の新約聖書に書かれているとおりだ。「信仰は、望んでいることを保証し、目に見えないものを確信させるものです」（「ヘブル人への手紙」11章1節）

神

私は笑って、パスカルについて少し話して聞かせた。

「ハンクの考えはパスカルと同じだ。パスカルは、もしかしたら神さまは本当にいるかもしれないから、神さまを怒らせないために信じるべきだ、と言ったんだ」

「ぼくは、ずっとそう思ってた」とハンクは言った。「だからその話をしたくないんだ」

哲学者はパスカルの賭けの有効性についてあれこれ議論しているが、[7]私はここでそれに決着をつけようとしているのではない。

私が言いたいのは、そんな自分本位の理由で神にコミットしても、来世で、その功績を手放しで認められることはないだろうということだ。[8]つまり、ハンクもパスカルも、賭けに勝ったときの報酬を大きく見積もり過ぎている可能性がある。

「神さまは見せかけ」ならどうなる?

信仰は理屈で説明できないと思うが、私は自分がなぜ信仰を持てないのか、なぜ信仰に踏みきる気になれないのかを説明することならできる。

すでに述べたように、信仰を持つ人は人生の中心に神を置いている。ある意味、それは私が選んだ生きる姿勢とは正反対だ。

私は問い続ける人間であり、疑う人間だ。世界と、世界の中での自分の位置を理解したいと思っている。安易に解決策を受け入れず、謎と向き合って生きていきたいと思っている。したがって、私にとって信仰は、自分を改造しなければ不可能な約束《コミットメント》を迫ってくるものなのだ。

しかし多くの人は、その約束をして信仰を選び取る。すでに述べたが、人が信仰を持つことに対して私にはなんら含むところはない。実際、私は多くの信仰者がもたらすよい行いを称賛している。宗教から生まれる芸術や活動によって、世界はよりよい場所になっている。

それは理由がないことではない。信仰は多くの人にとって、目的、方向性、深い動機づけの源だ。ユダヤ教徒にとっての信仰の目的は「**世界の修復**《ティックーン・オーラム》」である。ユダヤ教にかぎらず、多くの宗教と信仰者は同様の目的を共有している。そのような人びとの行動によって、世界は間違いなく良くなっている。

しかし、信仰からは憎しみも生まれる。それも理由のないことではない。だが、「神さまは見せかけ」――レックスの考えの前半――という立場の人なら、神の名においてだれかを憎むことはないだろう。* 私は私の物語を話すことができ、あなたもあなたの物語を話すことができる。だが、それが信仰になってしまうと、互いに相容れないものになり、語りあうことができなくなる。

もちろん、異なる信仰を持つ人を憎むことなく自らの信仰を持つことはできるし、実際に多

＊もちろん、そう考える人でも、別の理由で他者を憎むかもしれない。私が言いたいのは、宗教は数ある憎しみの源の一つだということだ。憎しみの源なら、だれもが知っているように、ナショナリズム、人種差別、性差別など、多くのものがある。これらの信念体系には、すべて宗教と共通点がある。それは、自分はある排他的集団の一員であると考える人に優越意識を与えるということだ。宗教が生み出す憎しみの根底にはそれがあると思う。

くの人がそうしている。それでも、宗教に由来する憎しみが多くの戦争や紛争の原因になっているのは確かなので、レックスのような考え方がもっと広く共有されることが望ましいと思う。選ばなくてはならないなら、私は神については虚構主義の立場を選ぶ。信仰の対象は別のところに求めたい。お互いを信じ、世界を修復するために動員できる私たちの集団的能力を信じたいと思う。

世界を修復するために力を合わせることができれば、神も喜んでくれるだろう。もし神が存在するならだが。これを「スコットの賭け」と呼ぶことができる。「パスカルの賭け」より筋のいい賭けではないだろうか。

自分の「疑い」を言う義務がある

ある晩、私はレックス（当時9歳）に、神さまについて二人で話したときのことを本に書いている、と報告した。すると、彼は心配げに私のほうを見て、「人によってはゆかいだと思うかもしれないよ」と言った。

ゆかい？……「不快」と言いたかったのだと気づいて、私は思わずニヤリとしてしまった。いまでは聞けなくなったレックス一流の言い間違いだ。できるだけ長く、そんな時間をこの子と共有したかったので、私はあえて訂正しなかった。

それはさておき、ここはレックスの言うとおりだ。全能の神を想像の産物だというような考え方には、多くの人が眉をひそめるに違いない。

しかし、そのときレックスにも話したが、哲学者は人に嫌われても自分の考えを表明しないわけにはいかない。それが哲学者の仕事だ。

さらに私には、自分の考えだけでなく、自分の疑いも伝える義務がある。

世界には私たちが理解できていないことが多くある。私たちは意識とは何か、それはなぜ存在するのか、どんなふうに広がっているのかを知らない。もっと根本的なこととして、なぜ世界が存在するのか、なぜ万物が物理法則に従って動いているのか、なぜそのような法則が存在するのかもわかっていない。

こうした問いに対し、多くの人が持ち出す答えが「神」だ。

ほとんどの宗教は世界の創造の物語から始まる。どれも事実ではない。しかし、たとえ事実であったとしても謎は解けない。謎が別の場所に移るだけだ。神が存在し、神が私たちが知る世界を創造したのだとしても、なぜ神が存在するのか、という疑問は残る。

奇妙な「存在論的証明」

もしかしたら、神は存在しなければならない、ということなのかもしれない。そう考える哲学者たちもいる。

11世紀、**聖アンセルムス**は神の存在を証明することができたと言った。[9]

その証明は奇妙な考えから出発する。まずアンセルムスは、私たちはどんな存在よりもっと偉大な存在を想像することができる、と指摘する。平たく言えば、私たちはどんなにすごいものよりもっとすごいものを想像できる、ということだ。

アンセルムスは、もっとも偉大な存在として神を思い浮かべた。だが、現実に存在するものは思考の中にしか存在しないものより偉大である。神はもっとも偉大な存在である。したがって神は現実に存在する。どうだ、恐れ入ったか！（論理学者ならここで「QED」*と記す）。

アンセルムスの議論を聞いて、煙《けむ》に巻かれたと感じるのはあなただけではない。彼の議論は、インクが乾く間もなくガウニロという修道士に一笑に付された。[10] ガウニロは次のように論じた。自分は、どんな島よりもっとすばらしい島を想像することができる。しかし、そんな島がもし実在するなら、それは想像上の島より偉大だ。ゆえに、アンセルムスの論理が正しいなら、ハネムーンに最適なこの島はどこかに必ず存在するということになる。

哲学者はアンセルムスの議論に「**存在論的証明**」という意味ありげな名前をつけているが、レックスはその考え方はばかげていると言う。「思い浮かべることができるという理由で、それが実在のものになるわけじゃないもの」。これは、ほとんどの哲学者がアンセルムスの議論に下す診断とほぼ同じだ。

長年にわたって、彼の議論を改善する試みが続けられているが、[11] 私はアンセルムスの議論だけに基づいて神を信じている人を一人も知らない（アンセルムスの議論によって神を信じている人は、ガウニロの偉大な島も買うべきだ）。

「別の物理法則」はありえなかったのか?

結局のところ、神を持ち出しても、世界がなぜ存在するのかを説明することはできないと私は思う。もう一度言うが、それは謎を別の場所に移すだけだ。だとしたら、ほかにどんな方法で世界を説明できるのだろう。世界が存在する理由を説明する別の何かが存在するのだろうか。

かつて**アインシュタイン**は、「世界を創造するとき、神にはほかの選択肢がなかったのだろうか」と問うた。[12] ここでの「神」は物理法則のメタファーであって、彼の問いは神学的なものではない。彼は、この世界とは異なる物理法則が成り立つ可能性はなかったのか、と問うているのだ。[13]

現在の物理法則が、存在しうる唯一のものだと示すことが、世界がいまのようであるのはなぜかについての、唯一納得できる説明になるのではないかと私は思う。だが、それがわかっても、そもそもなぜ世界が存在するのかはわからないかもしれない。

なぜ世界は物理法則に従っているのだろう。なぜ無法則ではないのか。おそらく、これが最

＊ QEDは *quod erat demonstrandum*《クオド・エラート・デモンストランダム》の略。「実証されるべきことは以上」という意味だ。証明が成功裏に完了したことのしるしとして使われる。

大の疑問だ。[14]

もしかしたら、世界の存在は何をもってしても説明できないのかもしれない。世界はただ、かく在るのであって、その理由は知りえないのかもしれない。あるいは、そんな考えは間違いで、やはり神こそが存在の謎を解く鍵なのかもしれない。

私は、自分にはできない約束を求められるから、神は存在しない、と主張しているのではない。

私は疑っている。そして、その疑いを疑っているのだ。それは哲学者にとってもっとも大事な資質だ。私が子どもたちに身につけさせ、育もうとしているのもこの資質だ。

「悪の問題」——世界に悪がある理由

「神さまは本当にいると思う?」

この本を書き終えかけたころ、レックスにたずねた。そのとき彼は11歳だった。

「思わない」。口調にためらいはなかった。

「どうして?」

「神さまがいるなら、こんなにたくさんの人を死なせるはずがない」

パンデミックが始まっており、このときすでに250万人以上が亡くなっていた。

「どうしてそう思うの?」

「神さまはぼくたち人間のことを気にかけてくれているんだよね」と彼は言った。「もし神さまがいて、感染を止める力があるなら、ほったらかしにはしないと思う」

これは「**悪の問題**」と呼ばれている問題だ。この言葉は知らなくても、神について考えたことがある人ならだれもが抱く疑問だろう。

この問題をもっともわかりやすく指摘したのが、道徳についても神についても懐疑論を貫いた**J・L・マッキー**だ。「問題をもっとも単純化して言えばこうなる。神が全能で、完全な善であるなら、なぜ世界に悪が存在するのか」[15]。この世に悪が存在することによって、全能かつ完全に善なる神を信じることは合理性を失う、とマッキーは考えた。*

この矛盾は、神が全能であり、かつ完全に善である、という考えを捨てれば解決する。[16] つまり、どちらか一方の性質を否定すれば、神は悪を止める能力がないか、悪を気にしないかのいずれかになり、悪の存在に説明がつく。

しかし、多くの信仰者の主張どおり神が全能かつ善であるなら、悪の存在は解けない難問となって立ちはだかる。要するに、レックスの疑問もこの点にある。全能かつ善なる神は、それを止めることができるのに、なぜ人びとが苦しむことを許しているのか、という疑問だ。

＊合理でなくなることを厳密に示すためには、自分の発言にはいくつかの追加が必要だとマッキーは述べている。「追加すべき原理は、善は悪と対立する、善は悪を可能なかぎりつねに排除しようとする、全能者にできないことはない、というものだ」(17)

この問いに対し、人びとは多くの答えを提示してきたが、そのほとんどが論理性に欠ける。たとえば、善は悪を必要とする、と言う人がいる。悪がなければ善も存在できないということだが、よくわからない理屈だ。そんなことを言ったら、悪を必要としない善を創造できない神は全能ではないことになる。[18] それに、善が悪を必要とするとしても、ほんの少しの悪でいいではないか。この世界にあるすべての悪が本当に必要なのか。

世界には先週火曜日に私を襲った座骨神経痛が必要なのだろうか？　これほどつらい痛みを軽減できないとは、いったいどんな神なのだ？　理学療法士のトニーは神でも何でもないが、私の痛みを取り除いてくれた。

いや、トニーのようなヒーローが登場することこそが、世界に悪が存在することを神が許している理由だ、と考える人もいる。つまり、神にとっては、人間の快や苦そのものが重要なのではなく、それによって呼び起こされる人間の美徳、すなわち同情心や慈悲、英雄的行為（私の腰痛を治してくれたトニーの技はこれに含まれる）が重要だというのだ。[19] だが快や苦は、悪意、恨み、冷酷さも呼び起こす。[20] しかも、善と悪のどちらが勝ちつつあるかは明確ではなく、悪が幅を利かせているように見えるときもある。

「決まり文句」で片付けてはならない

神を支持する人びとは、「悪は神のせいではない」と言う。神は私たちが自由意志を持つことを望んでいる、それが神の求める善だ。そのためには、神は世界を支配《コントロール》することを放棄しなくてはならない。悪は人間が誤った選択をした結果だ。つまり人間の責任であって神の責任ではない、と言うのである。

これは歴史的に見て、レックスの疑問に対するもっとも影響力のある答えだ。しかし私はこの説明にも賛成できない。その理由をマッキーが説明してくれている。「神が、善であれ悪であれ自由に選ぶ人間を造ったというのなら、なぜつねに善を自由に選ぶ人間を造れなかったのか？[21]」

つねに善を選ぶように造られていたら自由とは言えない、というのは反論にならない。マッキーは、人間の選択をすべてコントロールする神をイメージしてこう言っているのではないからだ。彼が言っているのは、神は人間が何を選ぶかを予見できるはずだということだ。神は、そうしたければ、つねに善だけを選択する人間を造ることができたはずではないかと言っているのだ。

それは神でも不可能だと考える人もいる。本書の冒頭で述べた、ハンクの昼食時のエピソードを覚えておられるだろうか〔14ページ参照〕。ハンクは、何を食べるかを自分が決める前に、母親が自分の選択を予測してハンバーガーを用意していたことに腹を立てた。それと同じで、神が予知してしまったら、それは自由意志に基づく行動ではなくなってしまうというわけだ。

だが、私はそうは思わない。あのとき、私たちはハンクがハンバーガーを選ぶことを知っていたが、ハンクはあくまでも自分の自由意志で選んだ。神は私たちより上手に、行動を予測しながらも自由意志で行動させることができる。全能の神は全知でもあるのだから、ハンクのランチ選択だけでなく、すべての人間のすべての行動についてそれができるはずだ。それは神にもできないと言うのは、神を全能どころか不能扱いすることに等しい。

私は「悪の問題」は信仰にとって深刻な障害だと思う。陳腐な決まり文句の説明で納得している人には我慢できない。

ライプニッツは、私たちは考えうる最高の世界に住んでいると主張した[22]。もっとよい世界があるなら、神はその世界を創造していたはずだから、この世界以上にすばらしい世界はないというわけだ——たとえ座骨神経痛や奴隷制度があったとしても。

私に言わせれば、それは愚かな考え方だ（**ヴォルテール**もそう考えた[23]）。そうすることができたのであれば神はもっとよい世界を創造したはずだという仮定だけで、この世界はすばらしいと受け入れ、現に存在する多くの苦しみに対する神の責任を不問に付すことはできない。

私は「悪の問題」には、もっと筋の通った説得力のある答えが必要だと思う。

全体としてではなく、「一つずつ」の悪を考える

マリリン・マッコード・アダムスはそれを考えようとした。

彼女は哲学者であり、米国聖公会《エピスコパル》の司祭でもあった。オックスフォード大学で神学の欽定教

授を務めた最初の女性だ。1978年にはキリスト教哲学者協会の設立に尽力し、のちにそれを率いた。

ここまでの書き方で、私は哲学と信仰のあいだに対立があるかのような印象を与えたかもしれないが、アダムスの存在はその逆のことを雄弁に物語っている。歴史的に見て、哲学者の多くは深い信仰心を持っていたし、それは現在も変わらない。

アダムスは、世界全体を一つの大きなかたまりとして見ていたら、「悪の問題」は説明できないと考えた。なぜ悪が私たちを襲うのかという問いについて、神には、人間全体についてではなく一人ずつの生に即して答えてもらわなくてはならない、と彼女は考えた。[24]

そして、心痛む多くの悪を列挙した。拷問、レイプ、飢餓、児童虐待、大量虐殺《ジェノサイド》……そのほか、すべてを挙げるにはあまりに悲惨なことの数々だ。[25] 彼女は、そうした悪は世界がどんなに良い場所であったとしてもおそらく存在し、私たちがどうあがいてもその理由は知りえないだろうと言う。

だが彼女は、神が人びとの苦痛を「世界を完全な場所にするための手段」として容認する、という考えを嫌った。[26]

「愛するわが子をあやまって轢《ひ》いてしまったトラック運転手は、わが子の死について、『神が、善と悪のバランスを保つための代償として受け入れた』などという考えに慰めを見出すことができるでしょうか？[27]」。できるはずがないとアダムスは考える。彼女の目には、だれかの命が悪によって奪われるのを許すような神は「善でも愛でもない」と映る。[28]

神

では、現に多くの命が悪の犠牲になっていることを、どう説明すればいいのだろう。アダムスは神抜きにそれを説明できるとは考えなかった。「悪の問題」に適切な答えを出せるのは、宗教に基づく考え方、つまり信仰の跳躍を果たすことによってのみ得られる考え方だと示唆した。[29]

神との親密な関係は私たちを包み込み、どんなにつらい人生も生きるに値するものにしてくれる、と彼女は言う。[30] どんな苦しみや痛みも、神の愛の前では力を失う。

さらに、神は私たちの人生を襲う悪を、それ以外のものも含む全体に組み込むことによって打ち負かし、苦難に価値をもたらすのかもしれない、とも論じている[31]（彼女はその考えを説明するために、部分を切り取ると醜く見える絵の一部も、全体としての絵の美しさに貢献しているという喩《たと》えを使っている[32]）。

おぞましい悪が何らかの価値に貢献するなどということがあるのだろうか。アダムスは考え抜いた末に、「私たちが体験する恐ろしい体験」は、私たちが「受難の死を通して悪と対峙したキリスト」に「自らを重ねあわせるため」にあるのかもしれないと言った。[33] あるいは、神が私たちの苦しみに報いてくれることによって、苦しみの意義が変わるのかもしれないとも言っている。[34]

確かな答えはアダムスにもわからなかったが、それを思い悩むことはなかった。「知恵も、心も、霊も未熟な私たちには理解できない理由がある」ことを受け入れるべきだと言っている。[35]

2歳の子どもは、母親が自分に痛い手術を受けさせる理由が理解できないかもしれない、と彼女は説明する。それでもその子は、痛みをともなう経験のなかで、「理屈ではわからなくても、つきっきりで看病してもらう体験によって」母の愛を確信することができる。[36]

全知全能の神と「交渉」する

神の存在を感じている人や、やがて感じられる時が来ると信じている人は、アダムスの考え方に納得することができるだろう。信仰によって宗教上の教義を擁護することに問題はないと思う。

しかし正直なところ、私には、アダムスの考え方は願望に基づいているように思える。楽観的すぎるし、正当化できないものを正当化しようとしている。

そう感じるのは、私が神の善を当然と考えない伝統のなかで育ったからかもしれない。実際、最初のユダヤ人であるアブラハムは、ソドムとゴモラの街を滅ぼそうとする神の計画を阻止すべく、神に議論を挑んでいる。[37]

「あなたは正しい者も悪い者と一緒に、街ごと滅ぼしてしまうのですか?」とアブラハムは神にたずねた。「正しい者が五〇人いても滅ぼすのですか?」

神は、義人が五〇人いるなら滅ぼさないと答えた。

「四五人ならどうですか?」とアブラハム。「五人足りないからといって滅ぼされるのですか?」

神

「いや」と神は答えた。「四五人でもかまわない」
「四〇人なら？」
「いいだろう」
「三〇人では？」
「よしとしよう」

アブラハムは神に食いさがり、人数を一〇人まで減らした。

神はアブラハムの気持ちを慮《おもんぱか》ったのだろうか。しかし残念ながら一〇人の義人は見つからなかったので、神は街と街にあるすべてのものを破壊した。* 神が本当に全知なら、アブラハムと話す前からそうなることはわかっていたはずだ。

注目してほしいのは、アブラハムは神の計画をよいものとは思っていなかったということだ。それゆえ計画をよりよいものにすべく神と交渉し、神の譲歩を引き出そうとしている。

私は死後に神と会えるとは思っていない。だがもし会えたら、アブラハムにならって神に主張するつもりだ。世界には多くの苦しみがある。私たち一人ひとりにも多くの苦しみがある。それはなぜなのですか、と。

もし神が存在するなら、私はその理由を聞きたい。私たちには、苦しんでいる人びと、苦しみのうちに死んでいった人びとのためにも、その答えを知る義務があると思う。

より深く考えて寡黙になる

11歳のレックスが神さまはいないと思うと言ったとき、私は、もっと小さかったころはどう考えていたか覚えているか、とたずねた。

レックスが覚えていないと答えたので、彼が言った言葉を教えた。

「本当は、神さまはいないけど、信じているふりをしたら、本当にいることになる、と言ったんだ」

「賢そうに聞こえるね」とレックス。

「パパもそう思った。いまもそう考えてる?」

「たぶん」

しばらくその話を続けた。私は虚構主義について話し、わずか4歳のレックスが、それと似た哲学的思考をしていたことを話した。そして、もう一度たずねた。

＊アダムスは神が殺した人びとについてどう考えていたのだろう。彼らは善なる神からあまりにも遠く隔たってしまったために罰せられたのだろうか。クリスチャンのなかにも、彼らの死を自業自得のひと言で片づけてしまう人がいる。しかしアダムスは、だれかが神に罰せられるかもしれない世界は、人間全体の失敗であり、愛なる神とも矛盾すると考えていた。彼女は、悪に苦しめられた人びとだけでなく、人びとを苦しめた悪しき者のことも大切な存在として扱った。

「いまでも、あのときの考えは正しかったと思う？」

「よくわからない。複雑だからね。どう考えたらいいのかわからない」

「それも賢そうに聞こえるな」と私は言った。

子ども時代はあっという間に過ぎ去る。そのころ考えたことも過ぎ去っていく。幼いレックスは正しかったと思う。だが、いまの寡黙さも立派なものだ。

彼はしっかり考えようとしている。これからもそうあり続けてほしい。

最後に

哲学者の育て方

板を何枚替えたら、同じ船ではなくなるのか？

一日の授業が終わり、レックスと友だちのジェームズは、帰宅するために持ち物を鞄の中にまとめていた。

「このロッカーが、確かにこのロッカーなのは、どうしてだと思う？」とレックスがたずねた。

「どういう意味？」とジェームズがたずね返した。

「扉を新しいのと交換しても、このロッカーはやっぱりこのロッカーのままかな？」

「そうだと思うけど」とジェームズ。「扉が替わるだけなら」

「じゃあ、扉も含めてボックスごと交換したら？　それでも同じロッカーかな？」

「わからない」とジェームズ。「妙なことを考えるんだな」

「場所は変わらないけど、使われている材料は完全に別の物になるよね」とレックス。

「それだと違うロッカーになると思う」とジェームズは答えた。

「そうかなあ……ぼくのロッカーであることには変わりがないけど」


レックスは家に着くと、ジェームズと話した内容を教えてくれた。

「ジェームズと**テセウスの船**の話をしたよ！」と彼は言った。「船じゃなくてロッカーだけど。扉を取り替えても同じロッカーのままなのかって」

テセウスの船というのは、大昔からあるアイデンティティに関する哲学パズルだ。レックスは、ミステリー・ファンタジーの『パーシー・ジャクソン』シリーズでその話を読んだらしい。いつか私に教えてやろうと楽しみにしていたようだが、私がすでに知っていたことに驚いていた。このパズルは哲学の世界でもっとも有名なパズルの一つだ。

私が知っているほうの古典的な話は次のようなものだ。

テセウスを乗せてクレタ島から帰還した船は、アテネの港に係留された。しかし、年月の経過とともに厚板が腐りはじめた。腐った板はその都度新しい板に交換され、とうとう船全体が新しいものに変わってしまった。

プルタルコスによると、そのとき港に停泊していた船はテセウスの船なのか、それとも新しい別の船なのか、哲学者たちの意見は分かれたという。[1]

別の船だと考える人は、こう自問してほしい。どの時点でテセウスの船でなくなったのか？　最初の板を交換したときか？　さすがにそれは違う気がする。古い車のボディパネルを取り替えたとき、新車に替えたとは言わない。屋根を葺《ふ》き替えても新しい家になるわけではない。物は多少の変化には耐えられる。

しかし、耐えられるのはどの程度までだろう？

最後の厚板を交換するまではテセウスの船なのだろうか？　それとも途中のどこかで別の船になるのだろうか？　半分以上が交換されたときというのもおかしな話だ。50％まで変わったあとの次の一枚が、残りの50％の違いを一気にもたらすことになってしまう。板は何百枚も何千枚もあるのに、どうしてたった一枚の板が、船のアイデンティティを決定するなどと言えるのか。

半分交換されたあとの一枚では違いが生じないというのなら、どの板にも違いをもたらすような影響力はないのかもしれない。もしかしたら、重要なのは厚板が組み合わされているパターンであって、板そのものではないのかもしれない。その場合は、板が全部交換されたとしても、港に停泊している船はやはりテセウスの船ということになる。

しかし、安易にその結論に飛びついてはいけない。

われらが古き友人であるトマス・ホッブズは、この古いパズルに新しい要素を追加した。[2]　板が取り外されるたびに、古い板がこっそりどこかに保管されるという話を付け加えたのだ（板が交換されたのは腐ったからではなく、汚れがひどくなったからなのだろう）。すべての板の交換が終わったとき、やる気満々の造船業者が古い板を使って再び元のものとまったく同じ船を組み立てたらどうなるだろう。

それは文句なくテセウスの船だ！　同じ部品が同じように配置されているのだから（車を分解して、ガレージの反対側で組み立て直しても、同じ車だというのと同じだ）。組み立て直した船がテセウスの船なら、港に泊まっている船は何なのか？　それもテセウスの船というなら、テセウスの船が2隻になってしまう。

今日の私は「先週の私」と同じか？

このパズルに答えはあるのだろうか？

私は多くの答えがあると思う。アイデンティティに関する問いの答えは、アイデンティティの何を問うているのかによって違ってくるのだと思う。

かつてテセウスが甲板の上を歩き、手で触った船に触れたいのなら、すべての板が取り替えられた船はテセウスの船とは言えない。だが、何年も保存され補修されながら伝統を引き継いできた船を眺めたいということなら、港にあるのはテセウスの船だ。

アテネに旅行してこの船を見てきたあなたが、友だちから「テセウスの船は見たの？」と訊かれて、「見てきた。本当のテセウスの船じゃないけどね」と答えたとしても、何も矛盾はない。アイデンティティに関する異なる考え方を表明しているだけだ。

このパズルに答えるのが難しいのは、その船がテセウスの船かどうかを問う理由が明確ではないからだ。それを問題にする理由がわからなければ、それがテセウスの船かどうかの判断はできない。

これまで見てきた多くのパズルと同様、テセウスの船のパラドックスも、一見、それほど重要なことではなさそうに思える。しかし、アイデンティティについての問いはさまざまな問題にからんでくる。

たとえば、レオナルド・ダ・ヴィンチの絵には絶大な価値がある。仮に修復士がダ・ヴィンチの絵から絵の具を削り取ったり、塗り足したりしたら、それでもその絵はダ・ヴィンチの絵なのだろうか？　もしそう言えないとしたら、モナリザなどは、これまでに何度も修復されているのだから、もはやダ・ヴィンチの絵とは言えないことになる。

それはおかしいと言うなら、すべて完全にダ・ヴィンチが描いたままの状態でなくてもダ・ヴィンチの絵だと言うことができそうだ。ならば、どこまで修復の手が加えられると、ダ・ヴィンチの絵ではなくなるのだろう。その答えには何百万ドルものお金がかかっているかもしれない。[3]

この問いは、個人の存在についての問いに置き換えることもできる。

今日の私は先週の私と同じか？　同じだとするなら、その根拠は何か？　今日の私と去年の私となら、答えはどうなる？　高校のダンスパーティの写真に写っている私となら？

私の細胞はゆっくり交換され続けている。そのことが私をいつか別人にするのだろうか？それとも、体はそっくり別物になっても私は私のままなのだろうか？　それとも、体のパーツも配置も違ってしまっても、同じ体を持つ同じ人物ということだろうか。

これもまた、なぜそれを問うのかによって答えは違ってくる。

私には、いまの自分はイントロダクションに出てくる子ども時代の私——母親に赤がどう見えているかを猛烈に気にした5歳児——と同じ人間だという感覚がある。その一方で、イントロダクションを書いていたときの自分とはすでに別人のような感覚もある。あれ以来、あまりにも多くのことが起こったからだ（パンデミックの影響はなかなかのものだ）。

このパズルはここまでにしておこう。あなた自身で答えを考えてほしい。あるいは、あなたにとってのジェームズと会話しながら答えを見つけてほしい。哲学者には対話の相手が必要だ。複数いれば理想的だ。

「考える人」を育てる

子どもたちは長いあいだ私のものだった。でも、レックスが友だちと哲学の話を始めたとき、彼がかっこよく見えた。タイムアウトが大好きだったよちよち歩きの子が、いまでは小学2年生のソクラテスだ。将来、ソクラテスよりよい結果が彼を待っていることを願うばかりだ（ソクラテスは、人騒がせな質問を繰り返してアテネの若者を堕落させたという罪で処刑された）。

私とジュリーが哲学者を育てようとしてきたことは明らかだ。しかも二人。あなたも哲学者を育てるべきだろうか――という問いは適切ではない。親が育てるまでもなく、すべての子どもは哲学者だからだ。問題は、親がその哲学者をサポートするか、無視するか、押しつぶすかだ。

ここまで読んでくれたあなたなら同意してくれると思うが、親は子どもの中にある哲学する心をサポートすべきだ。

なぜか？

この本の最初で、レックスが哲学について教えてくれたことを思い出してほしい。

哲学は考える技術だ。それは、親であればわが子に習得させたい技術だ。プロの哲学者を育てるためではない。目標は、明晰にして思慮深く考える人間を育てることだ。自分の頭で考える人間を育てることだ。他者が何を考えているかに心を配り、その人とともに考えようとする人を育てることだ。つまり、「考える人」を育てることだ。

「対等な相手」として会話をする

どうすれば、考える人を育てることができるのだろう。

いちばん簡単な方法は子どもと話をすることだ。子どもに質問し、返ってきた答えについて質問する。質問は複雑である必要はないし、哲学など知らなくても大丈夫だ。実際、いくつか定型の質問を用意しておけば、ほとんどの場面で対応できる。

●きみはどう思うの?
●なぜそう思うの?
●もしきみが間違っているとしたら、それはどうしてだと思う?
●それはどういう意味?
●○○って何?

目的は、子どもに考えを話させ、反対方向からも考えさせることだ。だから、ほとんど子どもに話をさせるようにしよう。子どもが言葉に詰まったら、そのときはためらわず助け船を出そう。

何よりも大事なことは、対等な相手として会話をすることだ。賛成できない意見であっても、ばかげた考えだと思っても、子どもの言うことを真剣に受けとめることだ。こう考えなさいと言いたくなる気持ちを抑えて、子どもと一緒になって考えを積み上げていくことだ。[4]

真剣に話を聞き、自分の考えを伝える

哲学的な会話をするにはどうしたらいいのだろう？　本書の巻末に、糸口になる知識や情報を得るのに役立つ本、ポッドキャスト、ウェブサイトなどのリソースを挙げておいた。

ほとんどの絵本には哲学的な問いが含まれている。これまで、そんなことに気づいていなかったかもしれないが、気にすることはない。私だって同じようなものだ。何も考えず、ただストーリーを楽しむことがあってもいいし、夢中で最後まで読んでしまうこともあるだろう。でも、話せるときには話をしよう。楽しいから。

会話を始めるのに、本当は本やそのほかのものは必要ない。子どもの不満や好奇心に耳を傾けるだけで、哲学的な問いは次から次へと飛び出してくる。

子どもが「ずるい」と言ったら、「ずるい」とは何か、その反対は何かと問いかける。あるいは、だれかがずるいことをしたらどうしたらいいのか、あるいは、ずるいことをして得をしたことがあるか、といった質問をすることもできるだろう。

質問するとき、あらかじめ答えを用意しておく必要はない。ただ、その会話が子どもと自分をどこに導いてくれるのかを見守ればいいのだ。

子どもが心を乱しているときは、深い話をするのは難しいが、私の経験では、哲学は子どもを落ち着かせるのに役立つ。

ハンクが自分にはレックスに対する権利がないと知って泣きじゃくったことを覚えているだろうか〔54ページ参照〕。私は彼にやさしく話しかけ、彼の気持ちと真剣に向きあった。そのうち彼はわれを取り戻し、落ち着いて話ができるようになった。

もちろん、いつもうまくいくとはかぎらない。ときには、ただ抱きしめてやるのがいちばんということもあるし、一人にしておいてやるのがいいこともある。しかし、親が真剣に話を聞けば、子どもは心を落ち着かせるものだ。

好奇心も哲学に役立つ。子どもの驚きや疑問を無駄にしてはならない。子どもの疑問について、親である自分が答えを知っているかどうかを心配する必要もない。しばらくその疑問について話しあい、それから一緒に調べればいい。科学の世界ならだれでもやっていることだが、あらゆる疑問にこのような態度で臨んでほしい。

私は小さいころ、あらゆることについて「何が一番か」を知りたがった。私がそれをたずねると、父は即座に答えたものだ。

「全部の音楽のなかで最高の曲は何？」
「ラプソディ・イン・ブルー」
「全部のテレビ番組のなかで最高の番組は？」
「ローン・レンジャー」

個人的趣味に走った回答がいかにも父らしいが、そんな答え方をするたびに、彼はわが子と会話を楽しむ貴重な機会をつかみそこねていたことになる。

「全部の音楽のなかで最高の曲は何?」

もしレックスやハンクがそうたずねたら、私はまず「いい質問だね」と言うだろう。そして、「いい音楽って、どんな音楽のこと?」とたずねるだろう。

そうすれば美学についての会話を始めることができる。美学のことなど知らなくても会話はできる。私だってよくわかっていない。ただ、子どもが何を言うかを聞き、それについて自分の考えを話せばいいのだ。

何より大切なのは、大人には奇妙に思える質問にも、しっかり寄り添うことだ。

もしあなたの子どもが、「自分はずっと夢を見ているのかもしれない」と言い出しても、笑ったり否定したりしてはならない。なぜ今日、明日、明後日と、新しい日がめぐってくるのかを子どもが知りたがったら、まず子どもが考えている答えを聞いてやることだ。

子どもが、あなたが想像もしていなかった質問をしてきたら、あわてずに立ち止まり、一緒に世界の不思議を味わえばいいのだ。

昨日より今日、少しでも深く理解する

私がハンクの相対主義を撤回させようとした夜のことを覚えているだろうか? 寝る前にハンクの言う「男同士のおしゃべり」をしたとき、本当は8歳のハンクに、きみは6歳だと言っ

た、あの晩の会話だ〔397ページ参照〕。

その直前にどんなやりとりがあったか、ここで書いておこう。

真実について議論していたとき、ハンクは私がなぜそんなに気にするのかをたずねた。

「パパが哲学者だからさ」と私は答えた。「哲学者はすべてを理解したいと思うものなんだ。とくに真実をね」

「パパはあんまりいい哲学者じゃない」とハンクは言った。

「どうして？」

「パパの議論には説得力がない」

思わず噴き出してしまったが、よし、それならハンクの相対主義をやっつけてやろうと思った。レックスと初めてエアホッケーで遊んだとき、レックスは私にコツを教えようとしたことがあったが、そのときに似た気分だった。

おいハンク、パパが自分の仕事のことをわかっていないとでも思っているのか。このシュート、止められるものなら止めてみろ。

ということで、あの晩、私はハンクを論破したのだが、そのことを少し後悔している。哲学の目的は、人を説得することではないからだ。少なくとも私の哲学の目的ではない。

20世紀の偉大な政治哲学者の一人、**ロバート・ノージック**は、「**強制する哲学**」と呼ばれるスタイルについて述べている。この種の哲学の実践者が追い求めているのは、「相手の脳の中に響きわたり、結論を拒否する者を抹殺してしまうほど強力な議論」だ。[5]

もちろん、そんな議論ができる人はいない。しかし、哲学の世界では自らの知性で他者を説き伏せようとする野心が横行しており、ハンクが示唆したような尺度で成功を測ろうとする人が多い。あなたの議論にはどれほど説得力があるか？　あなたは何人に自説を受け入れさせたか？

だが、私が追い求めているのは、昨日より今日、今日よりも明日、ものごとを少しでも深く理解するということだ。

哲学が取り組むべきさまざまな問題に、私が答えを出すことができたらすばらしいと思う。その答えによって明るい見通しを得てくれる人がいるなら、もっとすばらしい。

しかし、私は哲学を**バートランド・ラッセル**と同じように考えている。「哲学は、私たちが望むようには多くの疑問に答えてくれないかもしれない。だが、少なくとも世界に対する関心を高めるような問いを発する力があり、ありふれた日々の生活の中にも不思議と驚きが潜んでいることを教えてくれる」[6]

子どもはそんな不思議と驚きの中に生きている——教育がそれを圧《お》しつぶしてしまうまでは。あなたの子どもがいつまでもその感覚を忘れずにいられるよう助けてあげてほしい。あなた自身も、同じ不思議と驚きを発見することを、心から願っている。

謝辞

「次は何を書くの？」

最後の原稿を編集者に渡したとき、レックスがたずねた。

「謝辞といって、親切にしてくれた人にお礼の文章を書くんだ」と私は答えた。

「ぼくやハンクも本に出てくるから、ぼくたちもしゃじを書いてもらえるの？」

もちろんだとも。


だれよりもまず、レックスとハンクに心からの感謝を。二人が自分たちの話――人に知られたくないこともあったはずだが本当の話――を書いてもいいと言ってくれたおかげで、この本が可能になった。自分の考えを私とシェアしてくれて、私がそれを読者とシェアすることを認めてくれた。二人がいなければ、この本が生まれることはなかった。

二人への感謝はそれだけではない。レックスとハンクは私を笑顔にさせてくれ、笑わせてくれ、考えさせてくれる。哲学の面でもそれ以外の面でも、私は彼らから大いに刺激を受けている。この本では彼らの魅力の一部しか表すことができなかった。きみたちはこの本が伝える以上の存在だ。

レックスはだれよりもやさしく親切だ。賢いだけでなく知恵がある。そして面白い。私ももっと成長して、彼のような人になりたいと思う。

ハンクは明るい声でよく笑う。ほほ笑んだ顔は天下一品だ。頭の回転が速く、心根がやさしい。いつも何かをたくらんでいるが、どれも（ほぼ）よいことばかりだ。彼には、いまある美徳をいつまでも持ち続けてほしい。すべての大人が自分の中に小さなハンクを持ち続けるべきだと思う。

妻のジュリーとは、キャンプに向かうバスの中で出会った。彼女が16歳、私が17歳のときだ。彼女はかわいくて親切だった。夕食の時間に彼女を探し出すためにがんばったことは、私の人生で最良の決断だった。

ジュリーは私にはもったいないほどの最高の親友であり、最高のパートナーだ。言葉では言い表せないほど愛している。この本では脇役だが、彼女を知るすべての人にとっては――とくに彼女と一緒に暮らせる幸運な私たちにとっては――大スターだ。彼女の励ましがなければ、この本を書きはじめることもできなかったし、彼女のサポートがなければ書き終えることもできなかった。それはこの本にかぎらず、私が行うすべてのことに当てはまる。

子どもたちが幼かったころ、ジュリーと私は夜のルーティン――彼らを風呂に入れることと寝かしつけることの二つの役割――を日替わりで行っていた。私に終身在職権の話が舞い込んだとき、そのサイクルが崩れた。私が準備資料の作成に追われているあいだ、ジュリーがほぼ毎晩、両方の仕事を引き受けてくれた。しばらくして私がローテーションに復帰すると、レックスは不機嫌になった。

私が風呂当番に復帰した最初の夜、「パパは来なくていい。自分の部屋で仕事してて！」とレックスが叫んだ。ジュリーのほうがよかったのだ。そうだろうとも。私がレックスでも、同じことをもっと強く思っただろう。

数年後、彼の願いが叶った。私は夜遅くまで仕事に追われるようになり、疲れて不機嫌になることが増えた。だがジュリーと子どもたちは、そんな私を我慢してくれただけでなく、その時期を乗り越えた私を喜んで迎えてくれた。彼らのような家族を持てたことは本当に幸せだ。

子どものことと哲学について書いたらどうかと最初に提案してくれたのはアーロン・ジェームズだ。彼が種をまいてくれなければ、この本は生まれなかった。

数年後、そのアイデアを数十年来の友人であるスコット・シャピロに話すと、気に入ってくれた。嬉しいことに彼は本のことをアリソン・マッキーンに話してくれて、彼女も気に入ってくれた。彼女は本を世に送り出す方法を熟知している。アリソンはすばらしい友人で、私は彼女以上のエージェントを知らない。アリソンをはじめとするパーク・アンド・ファインの全員が、私とこの本のすばらしい擁護者だ。

ギニー・スミス・ヤンスとはビデオチャットで知りあった。スカイプでたちまち意気投合した。彼女はこの本のことを即座に理解し、数えきれないほどの方法で改良してくれた。キャロライン・シドニーも然り。彼らからの適切な質問のおかげで多くの間違いを未然に防ぐことができた。ペンギン・プレスのチームはみんなすばらしい。

この本は、自宅で執筆しているとき以外は、ミシガン湖畔で執筆することが多かった。そこにデイヴィッド・ウールマンとバージニア・マーフィーが所有する家がある。レックスが幼いころ、この家を「ハウスビーチ」と呼んでいて、その呼び名が定着した。ハウスビーチが与えてくれた一人になれる時間、そして最高の友人であるデイヴィッドとバージニアのサポートがなければ、この本を完成させることはできなかっただろう。

アンジェラ・サンは執筆に必要な調査を助け、的確な助言を与えてくれた。彼女がいなければ脱稿までに2倍は時間がかかっただろうし、ここまでの仕上がりにもならなかっただろう。

哲学の問題をこれほどたくさん扱う本を書くことは、私にとって大きな挑戦だった。多くの友人や哲学者の助けなしには完成させることはできなかっただろう。

ドン・ヘルツォグは原稿をすみずみまで読んでくれた。意見が分かれることもあったが、彼の影響はこの本の奥深くにまでおよんでいる。彼は最高の同僚、よき友人だ。

クリス・エサートも原稿を全部読んでくれた。励ましが必要な箇所では励まし、自制が必要な箇所では手綱を引き締めてくれた。彼の的確な判断には感謝の言葉しかない。

原稿の相当な部分を読んでコメントをくれたり、話し相手になってくれた多くの人に感謝する。ケイト・アンドリアス、ニック・バグリー、デイブ・ベーカー、ゴードン・ベロット、サラ・バス、マーリー・コーエン、ニコ・コーネル、ロビン・デンブロフ、ダニエル・フライヤー、ミーガン・ファーマン、フィオナ・ファーナリ、ダニエル・ハルバースタム、ジェリー・ハーショヴィッツ、ジュリー・カプラン、エレン・カッツ、カイル・ローグ、アリソン・マッキーン、ゲイブ・メンドロー、ウィリアム・イアン・ミラー、サラ・モス、バージニア・マーフィー、クリスティナ・オルソン、アーロン・オルヴァー、スティーブ・シャヤウス、スコット・シャピロ、ニコス・スタヴロプロス、エリック・スワンソン、ローラ・タバレス、ウィル・トーマス、スコット・ワイナー、そしてエコウ・ヤンカ。この本は、彼らの——そして私がきっと忘れているだれかの——貢献によって、よりよいものになった。

アーロン・オルヴァーとスコット・ワイナーには、すばらしい友情に加え、私の不安を和らげ、適切な助言を与えてくれたことに感謝する。

私は哲学者の家系の人間ではない。しかし、私のことを心から気にかけてくれる家族に恵まれた。子どもだからといって話を聞いてくれない家族ではなく、中身のある会話があった。両親は私が議論を挑むことを歓迎してくれた。兄は年下の私を同輩のように扱ってくれた。

私が哲学に興味を持ったことに家族は戸惑ったと思うが、私が哲学者であり続けているのは、間違いなく家族のおかげだ。すべての子どもが、これほどの幸運に浴すことができれば、どんなにすばらしいことだろう。

訳者あとがき

これは哲学の本です。哲学といえば難解で、途中で投げ出した本が書棚にあるという人も多いのではないでしょうか。

でも安心してください。本書はそんな難解さとは無縁です。法哲学者である父が、好奇心のかたまりのような二人の息子——レックスとハンク——との会話を糸口として、日常生活に潜む哲学的な問題に切り込んでいくという楽しい本です。ハーショヴィッツ家が舞台のストーリーには、妻のジュリー（ソーシャルワーカー）と愛犬ベイリー（ミニゴールデンドゥードル）も登場します。

哲学は考える技術であり、子どもはすべてすぐれた哲学者だ、と著者は言います。大人は現実の世界に閉じ込められているけれど、子どもは世界を創造し続ける、とも言っています。子どもを前面に押し立てて哲学を論じる著者の意図がそこにあります。

あらゆるものに哲学があると考える著者が本書で扱う哲学の領域は、法哲学を筆頭に政治哲学、道徳哲学、言語哲学、心の哲学、数理哲学、スポーツ哲学、キリスト教哲学と多岐にわたります。宇宙科学、数学、物理学、生物学、脳神経科学、発達心理学なども登場しますが、それらの核心を直感的に理解するレックスとハンクの柔軟な思考には脱帽です。

子どものすぐれた資質を称賛し、じゃまをせず自由に開花させようと呼びかける著者ですが、その一方で、幼い子どもは動物のようなもので、自分第一の意地悪な性質があることも知っています。その観点から、親の責任は、子どもを、間違ったことをしたら怒られる能力と責任のある大人に育てることだ、と指摘しています。子育ての本ではありませんが、その面でも、ひと味もふた味も違う発想が随所で展開されていて教えられます。教育熱心な親でも子どもに考える習慣を身につけさせるような関わり方をしない、「それが子育てのテーマだと考えていないからだ」という指摘には、はっとさせられました。

考える人を育てるためのいちばん簡単な方法は子どもと話をすることだ、と著者は言います。子どもに質問し、返ってきた答えについて質問する。質問は複雑である必要はないし、哲学など知らなくてもかまわない。ただ対等な相手として会話をすることで、子どもと一緒に大人も自然に哲学をすることができる、と言っています。それが本書のスタイルに込められた著者のもう一つの意図です。

ここで自分を棚に上げて言うのですが、子育て以前に、大人自身が考える習慣――哲学が要求する深さで考える習慣――を身につけていない可能性があります。

日本では、高校までの学校教育に「哲学」という科目はありません。社会科のなかで扱われる「倫理」が近いのかもしれませんが、かつて私が受けた授業では、歴史的哲学者の思考の足跡をたどることが中心で、人名や用語を覚えるのに忙しかった記憶があります。

哲学でもっとも大切な「考える」という面は希薄でした。哲学が「万学の祖」と言われ、他の学問や知識領域の基礎となる思考法を提供していることを考えると、これは根が深い問題かもしれません。

もしかしたら、今日の世界に存在するさまざまな問題や分断も、考え抜くことを怠った結果なのかもしれません。

本書は、人種差別、性差別、同性婚、妊娠中絶、犯罪と刑罰、歴史的罪の克服、賠償、国家権力と人権、企業の罪、雇用者による被雇用者支配、報道の真実、気候変動、ジェンダーとスポーツなど、さまざまな問題を哲学の視点から論じています。事例はアメリカのものですが、すべて日本にも存在する問題です。

そうした問題を克服する方法は、考え抜くことだと著者は言います。どこかに必ず真実があることを信じ、後戻りしてでも真実に向かって進み続けることです。哲学はそのためにある。相手を打ち負かすためではなく、自分と違う考えに耳を傾け、自分が間違っていたと思えばそれを認めるのが哲学である、というのが著者のゆるぎない姿勢です。

著者のスコット・ハーショヴィッツ（Scott Hershovitz）はミシガン大学の法学および哲学の教授、同大学の「法と倫理プログラム」ディレクター、ケンブリッジ大学出版局発行の「法理論」（*Legal Theory*）の共同編集人です。大学で職を得る前には、ルース・ベイダー・ギンズバーグ最高裁判事の法務書記官、司法省民事部上訴担当官の法務顧問も務めていました。

本書が最初の著書ですが、この邦訳書とほぼ同時に、2冊目の著書*Law is a Moral Practice*（Harvard University Press）（直訳すれば「法は道徳的実践である」）が出版される予定です。法の根底にある哲学的問題を論じるものですが、「興味深いエピソードやストーリーが多く盛り込まれている」（内容紹介文より）そうなので、意外にとっつきやすい内容かもしれません。

大学で心理学を履修しそこねて哲学の道に進んだそうですが、最初の授業で、大切だと思うものは何かとたずねられて「正しい行為」と答えています。哲学者になったのは偶然かもしれませんが、法哲学者になったのは偶然ではなさそうです。いまだに偏見と差別の対象になることがあるユダヤ人としての経験も、著者の思考と価値観に影響を与えていると思われます。

原書は*Nasty, Brutish, and Short: Adventures in Philosophy with Kids*（2022, Penguin Press）。タイトルを訳せば「意地悪で、残酷で、短い――子どもと楽しむ哲学の冒険」となります。風変わりなタイトルは、政府が存在しない「自然状態」の社会は「万人の万人に対する闘争」の状態に陥り、人びとの生は「孤独で、貧しく、意地悪で、残酷で、短い」ものになると言ったトマス・ホッブズの言葉から取られています。
著者は、子どものいる家庭の状態はこのようなもの、子どもはときに意地悪で残酷になることもあるとユーモラスに指摘しています（その点を考慮するなら、書名の最後の「短い」は「チビ」と訳すべきかもしれません）。

しかし、自然状態を脱したはずの社会における生が、相変わらず「孤独で、貧しく、意地悪で、残酷で、短い」ことへの懸念は真剣です。権利、復讐、罰、権威、言葉、男女、差別、知識、真実、心、無限、神という章立てとそれぞれの内容に、書名に込められた著者の問題意識を感じます。

意義深い本の翻訳の機会を与えてくださり、あちこちに待ち受けていた翻訳の難所で助けてくださった編集担当の三浦岳さんに心から感謝します。

2023年11月

御立英史

ている.

University of Washington Center for Philosophy for Children (https://www.plato-philosophy.org/). これも哲学について子どもと話すためのすばらしいリソースだ. 絵本を使った教材, 教師用指導プラン, 学校で哲学教育を始めるためのアドバイスが掲載されている. これを提供しているワシントン大学「子どものための哲学センター」は, 教師や親を対象としたワークショップも開催している.

Wi-Phi (www.wi-phi.com). 哲学のトピックを説明する短い動画がたくさんあるサイト. レックスと私はこれを一緒に見るのが好きだ.

ポッドキャスト

Hi-Phi Nation (https://hiphination.org). 哲学をテーマにした, 大人向けのストーリー仕立てのポッドキャスト.

Philosophy Bites (https://nigelwarburton.typepad.com/philosophy_bites/). 一流の哲学者へのショートインタビューを集めたサイト.

Pickle (www.wnycstudios.org/podcasts/pickle). 米国のラジオ局WNYCが配信している哲学に関する子ども向けポッドキャスト. オーストラリアの同系列番組, *Short & Curly* (www.abc.net.au/radio/programs/shortandcurly/) には, さらに多くのエピソードがある.

Smash Boom Best (www.smashboom.org). 議論をすることが目的のポッドキャスト. ふざけ気味だし, 哲学ともちょっと違うが, ハンクはこれが大好きだ.

Press, 2017.

子ども向けの本

●絵本

Armitage, Duane, and Maureen McQuerry. Big Ideas for Little Philosophers series, New York: G. P. Putnam's Sons, 2020（シリーズには *Truth with Socrates* や *Equality with Simone de Beauvoir* など複数のタイトルが含まれる）.

●宇宙について

Fishman, Seth, and Isabel Greemberg. *A Hundred Billion Trillion Stars*. New York: HarperCollins, 2017.（セス・フィッシュマン作，イザベル・グリーンバーグ絵『こんなおおきなかず、みたことある？——100,000,000,000,000,000,000,000のほし』竹内薫訳，偕成社，2020年）

●ルールとそれを破ってもいい場合について

Knudsen, Michelle, and Kevin Hawkes. *Library Lion*. Somerville, MA: Candlewick Press, 2006.（ミシェル・ヌードセン作，ケビン・ホークス絵『としょかんライオン』福本友美子訳，岩崎書店，2007年）

●無限について

Ekeland, Ivar. *The Cat in Numberland*. Chicago: Cricket Books, 2006.

●哲学パズル（ティーンエイジャー向け）

Martin, Robert M. *There Are Two Errors in the the Title of This Book: A Sourcebook of Philosophical Puzzles, Problems, and Paradoxes*. Peterborough, ON, Canada: Broadview Press, 2011.

●子どもに読ませたい重要な本

Watterson, Bill. *The Complete Calvin and Hobbes*. Kansas City, MO: Andrews McMeel, 2012.（ビル・ワターソン『カルビンとホッブス』〈1・2〉柳沢由実子訳，集英社，1993年）カルビンとホッブスは，子どものころの私の哲学的思考を大いに刺激してくれた．いま，レックスの思考を刺激している．もちろん楽しませてくれてもいる．大人にとっても，子どもにとっても，哲学への入り口としてこれ以上の本はないだろう．

ウェブサイト

Teaching Children Philosophy (www.prindleinstitute.org/teaching-children-philosophy). 哲学について子どもと話したいなら，このサイトには最高の材料がふんだんにある．だれもが読んだことのあるような人気の絵本について，それぞれの絵本が提起する哲学的トピックの説明があり，読みながら子どもに話しかけられる質問が挙げられ

Answer Tells Us about Right and Wrong. Princeton, NJ: Princeton University Press, 2014.（デイヴィッド・エドモンズ『太った男を殺しますか?——「トロリー問題」が教えてくれること』鬼澤忍訳，太田出版，2015 年）

●罰について

Murphy, Jeffrie G., and Jean Hampton, *Forgiveness and Mercy*. New York: Cambridge University Press, 1988.

●知識について

Nagel, Jennifer. *Knowledge: A Very Short Introduction*. Oxford: Oxford University Press, 2014.

●意識について

Dennett, Daniel C. *Consciousness Explained*. Boston: Little, Brown and Company, 1991.（ダニエル・C・デネット『解明される意識』山口泰司訳，青土社，1998 年）

Godfrey-Smith, Peter. *Other Minds: The Octopus, the Sea and the Deep Origins of Consciousness*. New York: Farrar, Straus and Giroux, 2016.

Goff, Philip. *Galileo's Error: Foundations for a New Science of Consciousness*. New York: Pantheon, 2019.

Koch, Christof. *Consciousness: Confessions of a Romantic Reductionist*. Cambridge, MA: MIT Press, 2012.（クリストフ・コッホ『意識をめぐる冒険』土谷尚嗣・小畑史哉訳，岩波書店，2014 年）

●哲学の歴史について

Warburton, Nigel. *A Little History of Philosophy*. New Haven, CT: Yale University Press, 2011.（ナイジェル・ウォーバートン『若い読者のための哲学史』月沢李歌子訳，すばる舎，2018 年）

●もっと哲学を楽しむために

Edmonds, David, and John Eidinow. *Wittgenstein's Poker: The Story of a Ten-Minute Argument Between Two Great Philosophers*. New York: Ecco, 2001.（デヴィッド・エドモンズ，ジョン・エーディナウ『ポパーとウィトゲンシュタインとのあいだで交わされた世上名高い 10 分間の大激論の謎』二木麻里訳，ちくま学芸文庫，2016 年）

Holt, Jim. *Why Does the World Exist?: An Existential Detective Story*. New York: W. W. Norton & Company, 2012.（ジム・ホルト『世界はなぜ「ある」のか?——実存をめぐる科学・哲学的探索』寺町朋子訳，早川書房，2013 年）

James, Aaron. *Assholes: A Theory*. New York: Doubleday, 2012.

James, Aaron. *Surfing with Sartre: An Aquatic Inquiry into a Life of Meaning*. New York: Doubleday, 2017.

Setiya, Kieran. *Midlife: A Philosophical Guide*. Princeton, NJ: Princeton University

付　録

もっと考えたい人のための本と情報源

大人向けの本

●子どもと子育てについて

Gopnik, Alison. *The Philosophical Baby: What Children's Minds Tell Us About Truth, Love, and the Meaning of Life*. New York: Farrar, Straus and Giroux, 2009.（アリソン・ゴプニック『哲学する赤ちゃん』青木玲訳，亜紀書房，2010年）

Kazez, Jean. *The Philosophical Parent: Asking the Hard Questions About Having and Raising Children*. New York: Oxford University Press, 2017.

Lone, Jana Mohr. *The Philosophical Child*. London: Rowman & Littlefield, 2012.

Lone, Jana Mohr. *Seen and Not Heard: Why Children's Voices Matter*. London: Rowman & Little field, 2021.

Matthews, Gareth B. *Dialogues with Children*. Cambridge, MA: Harvard University Press, 1984.（ガレス・B・マシューズ『続・子どもは小さな哲学者』鈴木晶訳，思索社，1987年）

Matthews, Gareth B. *Philosophy and the Young Child*. Cambridge, MA: Harvard University Press, 1980.（ガレス・B・マシューズ『子どもは小さな哲学者』鈴木晶訳，思索社，1983年）

Matthews, Gareth B. *The Philosophy of Childhood*. Cambridge, MA: Harvard University Press, 1994.（ガレス・B・マシューズ『哲学と子ども——子どもとの対話から』倉光修・梨木香歩訳，新曜社，1997年）

Wartenberg, Thomas E. *A Sneetch Is a Sneetch and Other Philosophical Discoveries: Finding Wisdom in Children's Literature*. West Sussex, UK: Wiley-Blackwell, 2013.

Wartenberg, Thomas E. *Big Ideas for Little Kids: Teaching Philosophy through Children's Literature*. Plymouth, UK: Rowman & Littlefield Education, 2009.

●トロッコ問題について

Edmonds, David. *Would You Kill the Fat Man?: The Trolley Problem and What Your*

(25) Adams, "Horrendous Evils," 300.
(26) Adams, "Horrendous Evils," 303.
(27) Adams, "Horrendous Evils," 302.
(28) Adams, "Horrendous Evils," 302.
(29) Adams, "Horrendous Evils," 309–10.
(30) Adams, "Horrendous Evils," 307.
(31) Adams, "Horrendous Evils," 307–9.
(32) アダムスはこの喩えをロデリック・ミルトン・チザム（Roderick Milton Chisholm）のものとしている. Adams, "Horrendous Evils," 299.
(33) Adams, "Horrendous Evils," 307.
(34) アダムスはこの考えをノリッジのジュリアン（Julian of Norwich）のものとしている. Adams, "Horrendous Evils," 305. ノリッジのジュリアン〔イングランドの神学者〕は英語で本を書いた最初の女性として知られている（1300 年代後半）. ジュリアンについて詳しくは次を参照のこと. "Julian of Norwich," *British Library*, www.bl.uk/people/julian-of-norwich.
(35) Adams, "Horrendous Evils," 305.
(36) Adams, "Horrendous Evils," 305–6.
(37)『旧約聖書』「創世記」18 章にある神とアブラハムの対話を編集して引用.

最後に　哲学者の育て方

(1) Plutarch, *Plutarch's Lives*, vol. 1, trans. Bernadotte Perrin (London: William Heinemann, 1914), 49.（プルターク『プルターク英雄伝』〈第 1 巻〉河野与一訳，岩波文庫，1952 年）
(2) Thomas Hobbes, *The English Works of Thomas Hobbes*, vol. 1, ed. William Molesworth (London: John Bohn, 1839), 136–37.
(3) アイデンティティと芸術の関係についてマイケル・ルイスが楽しい話をしている. Michael Lewis, "The Hand of Leonardo," *Against the Rules* (podcast), https://www.pushkin.fm/?s=The+Hand+of+Leonardo.
(4) 哲学について子どもと話すさいのアドバイスや，子どもに投げかけるのに適した質問については，Jana Mohr Lone, *The Philosophical Child* (London: Rowman & Littlefield, 2012), 21–39 を参照されたい.
(5) Robert Nozick, *Philosophical Explanations* (Cambridge, MA: Belknap Press, 1981), 4.（ロバート・ノージック『考えることを考える』〈上・下巻〉坂本百大ほか訳，青土社，1997 年）
(6) Bertrand Russell, *The Problems of Philosophy* (New York: Oxford University Press, 1998), 6.（バートランド・ラッセル『哲学入門』高村夏輝訳，ちくま学芸文庫，2005 年）

(9) Anselm, *Proslogion*, trans. David Burr, in "Anselm on God's Existence," *Internet History Sourcebooks Project*, January 20, 2021, https://sourcebooks.fordham.edu/source/anselm.asp.

(10) ガウニロの反応については次を参照のこと．Gaunilo, "How Someone Writing on Behalf of the Fool Might Reply to All This," trans. David Burr, in "Anselm on God's Existence." アンセルムスの議論の分析については次を参照のこと．Kenneth Einar Himma, "Anselm: Ontological Arguments for God's Existence," *Internet Encyclopedia of Philosophy*, https://iep.utm.edu/ont-arg.

(11) Graham Oppy, "Ontological Arguments," *Stanford Encyclopedia of Philosophy* (Spring 2020 edition), ed. Edward N. Zalta でその全容を通覧することができる．https://plato.stanford.edu/archives/spr2020/entries/ontological-arguments.

(12) アインシュタインの助手を務めた数学者エルンスト・シュトラウスが引用した発言．Ernst Straus, "Memoir" in *Einstein: A Centenary Volume*, ed. A. P. French (Cambridge, MA: Harvard University Press, 1979), 31–32.

(13) アインシュタインの問いについては以下を参照のこと．Dennis Overbye, "Did God Have a Choice?" *New York Times Magazine*, April 18, 1999, 434, https://archive.nytimes.com/www.nytimes.com/library/magazine/millennium/m1/overbye.html?source=post_page.

(14) 考えられるさまざまな答えを追究していて，楽しく読むことができる．Jim Holt, *Why Does the World Exist?: An Existential Detective Story* (New York: W. W. Norton, 2012).（ジム・ホルト『世界はなぜ「ある」のか？——実存をめぐる科学・哲学的探索』寺町朋子訳，早川書房，2013 年）

(15) J. L. Mackie, "Evil and Omnipotence," *Mind* 64, no. 254 (1955): 200.

(16) Mackie, "Evil and Omnipotence," 201–2.

(17) Mackie, "Evil and Omnipotence," 201.

(18) Mackie, "Evil and Omnipotence," 203.

(19) Mackie, "Evil and Omnipotence," 206 を参照．

(20) Mackie, "Evil and Omnipotence," 207 を参照．

(21) Mackie, "Evil and Omnipotence," 209.

(22)「悪の問題」についてのライプニッツの考えの概説は次を参照．Michael J. Murray and Sean Greenberg, "Leibniz on the Problem of Evil," *Stanford Encyclopedia of Philosophy* (Winter 2016 edition), ed. Edward N. Zalta, https://plato.stanford.edu/archives/win2016/entries/leibniz-evil.

(23) ヴォルテールは私たちは考えうる最高の世界に住んでいるという見方を皮肉を込めて論じた．Voltaire, *Candide and Other Stories*, trans. Roger Pearson (New York: Alfred A. Knopf, 1992).（ヴォルテール『カンディード』斉藤悦則訳，光文社古典新訳文庫，2015 年）

(24) Marilyn McCord Adams, "Horrendous Evils and the Goodness of God," *Proceedings of the Aristotelian Society, Supplementary Volumes* 63 (1989): 302–4.

Confronted the Author When She Woke Up on November 9, 2016," *Journal of Applied Philosophy* 37, no. 1 (2020): 26.
(26) Buss, "Some Musings," 21–23.
(27) Buss, "Some Musings," 17.
(28) Buss, "Some Musings," 21.
(29) Buss, "Some Musings," 18.
(30) ネーゲルが指摘するように，宇宙の大きさは，それだけで私たち人間を取るに足らない存在だと考える理由にはならない．しかし宇宙の大きさを考えることは，私たちが自分の外に出て，自分がいかに取るに足らない存在であるかを理解するのに役立つ．Nagel, "The Absurd," 717, 725.
(31) ネーゲルは私たちの不条理はたいして重要ではないという見解も述べている．Nagel, "The Absurd," 727.

Chapter12　神——「神さま」はいるの？　いないの？

(1) オリジナルのストーリーは以下で発表されている．John Wisdom, "Gods," *Proceedings of the Aristotelean Society* 45 (1944–1945): 185–206. フリューの脚色は以下で発表されている．Antony Flew, "Theology and Falsification," in *New Essays in Philosophical Theology*, ed. Antony Flew and Alasdair MacIntyre (New York: Macmillan, 1955), 96–98.
(2) Flew, "Theology and Falsification," 96–98.
(3) Flew, "Theology and Falsification," 96–98.
(4) "Suppose someone were a believer": Ludwig Wittgenstein, *Lectures and Conversations on Aesthetics, Psychology, and Religious Belief*, ed. Cyril Barrett (Berkeley: University of California Press, 1966), 53.（L・ウィトゲンシュタイン『講義集』〈ウィトゲンシュタイン全集 10〉藤本隆志訳，大修館書店，1977 年）
(5) Lara Buchak, "Can It Be Rational to Have Faith?" in *Probability in the Philosophy of Religion*, ed. Jake Chandler and Victoria S. Harrison (Oxford: Oxford University Press, 2012), 225–27.
(6) Blaise Pascal, *Thoughts, Letters, and Minor Works* (New York: P. F. Collier & Son, 1910), 85–87.（ブレーズ・パスカル『パンセ』前田陽一・由木康訳，中公文庫，2018 年）
(7) そうした議論の概観は Alan Hájek, "Pascal's Wager," *Stanford Encyclopedia of Philosophy* (Summer 2018 edition), ed. Edward N. Zaltaを参照のこと．https://plato.stanford.edu/archives/sum2018/entries/pascal-wager.
(8) ウィリアム・ジェームズも賭けに対して同様の懸念を表明している．William James, *The Will to Believe and Other Essays in Popular Philosophy* (New York: Longmans, Green, 1897), 5.（W・ジェイムズ『信ずる意志』〈W・ジェイムズ著作集 2〉福鎌達夫訳，日本教文社，2015 年）

Dowden, "Zeno's Paradoxes," *Internet Encyclopedia of Philosophy*, https://iep.utm.edu/zeno-par.
(12) Carlo Rovelliがこの点を明確に論じている．Carlo Rovelli, *Reality Is Not What It Seems: The Journey to Quantum Gravity*, trans. Simon Carnell and Erica Segre (New York: Riverhead Books, 2017), 26–28.（カルロ・ロヴェッリ『すごい物理学講義』竹内薫監訳，栗原俊秀訳，河出書房新社，2017年）
(13) それについての議論はRovelli, *Reality Is Not What It Seems*, 169–71を参照．（ロヴェッリ『すごい物理学講義』）
(14) Neil deGrasse Tysonはおそらくもっとも有名な哲学否定の急先鋒だが，同様の主張をする学者は多い．次を参照のこと．George Dvorsky, "Neil deGrasse Tyson Slammed for Dismissing Philosophy as 'Useless,' " *Gizmodo*, May 12, 2014, https://io9.gizmodo.com/neil-degrasse-tyson-slammed-for-dismissing-philosophy-a-1575178224.
(15) デューイの道徳哲学の概説は以下を参照されたい．Elizabeth Anderson, "Dewey's Moral Philosophy," *Stanford Encyclopedia of Philosophy* (Winter 2019 edition), ed. Edward N. Zalta, https://plato.stanford.edu/archives/win2019/entries/dewey-moral.
(16) Chris Baraniuk, "It Took Centuries, but We Now Know the Size of the Universe," BBC Earth, June 13, 2016, www.bbc.com/earth/story/20160610-it-took-centuries-but-we-now-know-the-size-of-the-universe.
(17) Nick Bostrom, "Infinite Ethics," *Analysis and Metaphysics* 10 (2011): 9–59.
(18) 次の動画がヒルベルト・ホテルについてわかりやすく解説している．World Science Festival, "Steven Strogatz and Hilbert's Infinite Hotel," YouTube video, 9:20, January 7, 2015, www.youtube.com/watch?v=wE9fl6tUWhc.
(19) Seth Fishman, *A Hundred Billion Trillion Stars* (New York: HarperCollins, 2017).（セス・フィッシュマン『こんなおおきなかず、みたことある？』竹内薫訳，偕成社，2020年）
(20) "How Many Stars Are There in the Universe?" European Space Agency, www.esa.int/Science_Exploration/Space_Science/Herschel/How_many_stars_are_there_in_the_Universe.
(21) Thomas Nagel, "The Absurd," *Journal of Philosophy* 68, no. 20 (1971): 719およびThomas Nagel, "Birth, Death, and the Meaning of Life," in *The View from Nowhere* (New York: Oxford University Press, 1986), 208–32.（トマス・ネーゲル『どこでもないところからの眺め』中村昇ほか訳，春秋社，2009年）
(22) Nagel, "The Absurd," 718.
(23) Nagel, "Birth, Death, and the Meaning of Life," 215.（ネーゲル『どこでもないところからの眺め』）
(24) Nagel, "The Absurd," 725–26.
(25) Sarah Buss, "Some Musings about the Limits of an Ethics That Can Be Applied—A Response to a Question about Courage and Convictions That

(1) レックスと同じことをアルキタスのほうが先に論じていたことを教えてくれたゴードン・ブロ（Gordon Belot）に感謝する．

(2) Carl Huffman, "Archytas," *Stanford Encyclopedia of Philosophy* (Winter 2020 edition), ed. Edward N. Zalta, https://plato.stanford.edu/archives/win2020/entries/archytas.

(3) エウデモスが記録したアルキタスの議論からの抜粋．Carl A. Huffman, *Archytas of Tarentum: Pythagorean, Philosopher and Mathematician King* (Cambridge: Cambridge University Press, 2005), 541.

(4) Lucretius, *De Rerum Natura*, I. 968–979. 議論についてはDavid J. Furley, "The Greek Theory of the Infinite Universe," *Journal of the History of Ideas* 42, no. 4 (1981): 578を参照．

(5) Isaac Newton, *Unpublished Scientific Papers of Isaac Newton: A Selection from the Portsmouth Collection in the University Library, Cambridge*, ed. and trans. A. Rupert Hall and Marie Boas Hall (Cambridge: Cambridge University Press, 1962), 133.

(6) パルメニデスの思想の概要は, John Palmer, "Parmenides," *Stanford Encyclopedia of Philosophy* (Winter 2020 edition), ed. Edward N. Zaltaを参照．https://plato.stanford.edu/archives/win2020/entries/parmenides.

(7) Simplicius, *On Aristotle Physics 6*, trans. David Konstan (London: Bloomsbury, 1989), 114, s. 1012.20.

(8) 「ゼノンの議論は，有限の時間内に存在するものが無限のものを通過したり1対1の対応をしたりすることは不可能である，という間違った前提に基づいている．距離であれ時間であれ，一般に連続的なものを『無限』であるというときには，どこまでも分割できるという意味での無限〔分割の無限〕と，どこまでも広がるという意味での無限〔量の無限〕という，二通りの意味がある．有限な時間に存在するものは，量において無限なものを通過することはできないが，分割において無限なものを通過することはできる．なぜなら有限の時間もまた，無限に分割できるからである．分割に関して無限である時間が，分割に関して無限であるものを通過するのであれば，なにも不条理なことはない」. Aristotle, *Physics*, trans. R. P. Hardie and R. K. Gaye (Cambridge, MA: MIT, n.d.), Book 6.2.（アリストテレス『新版　アリストテレス全集』「第4巻・自然学」岩波書店，2017年）

(9) Aristotle, *Physics*, Book 8.8 参照．（アリストテレス『新版　アリストテレス全集』）

(10) ここを含むゼノンのパラドックスについての議論全般において，以下に大いに助けられた．Nick Huggett, "Zeno's Paradoxes," *Stanford Encyclopedia of Philosophy* (Winter 2019 edition), ed. Edward N. Zalta, https://plato.stanford.edu/archives/win2019/entries/paradox-zeno.

(11) 標準的な解決策とそれに代わる考え方については以下を参照のこと．Bradley

考実験を発表した．Frank Jackson, “Epiphenomenal Qualia,” *Philosophical Quarterly* 32, no. 127 (1982): 130.

(25) 心に対する機能主義的アプローチの概要については次を参照のこと．Janet Levin, “Functionalism,” *Stanford Encyclopedia of Philosophy* (Fall 2018 edition), ed. Edward N. Zalta, https://plato.stanford.edu/archives/fall2018/entries/functionalism.

(26) クリプキはこの問題をこのような枠組みでとらえている. Saul A. Kripke, *Naming and Necessity* (Cambridge, MA: Harvard University Press, 1980), 153–54.（ソール・A・クリプキ『名指しと必然性――様相の形而上学と心身問題』八木沢敬・野家啓一訳，産業図書，1985 年）

(27) チャーマーズはそのような議論を詳述し，さらにいくつかをつけ加えている. Chalmers, *Conscious Mind*, 94–106.（チャーマーズ『意識する心』）

(28) Chalmers, *Conscious Mind*, 276–308.（チャーマーズ『意識する心』）

(29) Chalmers, *Conscious Mind*, 293–99.（チャーマーズ『意識する心』）

(30) Daniel C. Dennett, *Consciousness Explained* (Boston: Little, Brown and Company, 1991), 398–401.（デネット『解明される意識』）

(31) Daniel C. Dennett, “Quining Qualia,” in *Consciousness in Contemporary Science*, ed. A. J. Marcel and E. Bisiach (Oxford: Oxford University Press, 1988), 42–77 参照.

(32) Dennett, *Consciousness Explained*, 398.（デネット『解明される意識』）

(33) Dennett, *Consciousness Explained*, 389.（デネット『解明される意識』）

(34) Dennett, *Consciousness Explained*, 406.（デネット『解明される意識』）

(35) Dennett, *Consciousness Explained*, 406, n. 6.（デネット『解明される意識』）

(36) クオリアが随伴現象かどうかについて，詳しくは Chalmers, *Conscious Mind*, 150–60 を参照のこと．（チャーマーズ『意識する心』）

(37) Chalmers, *Conscious Mind*, 189–91.（チャーマーズ『意識する心』）

(38) Dennett, *Consciousness Explained*, 398.（デネット『解明される意識』）

(39) Frank Jackson, “Mind and Illusion,” *Royal Institute of Philosophy Supplement* 53 (2003): 251–71 を参照.

(40) Galen Strawson, *Things That Bother Me: Death, Freedom, the Self, Etc.* (New York: New York Review Books, 2018), 130–53.

(41) Strawson, *Things That Bother Me*, 154–76.

(42) Strawson, *Things That Bother Me*, 173.

(43) ストローソンはロバート・ライトによるインタビューで自身の見解を述べている．Robert Wright, “What Is It Like to Be an Electron? An Interview with Galen Strawson,” *Nonzero*, June 28, 2020, https://nonzero.org/post/electron-strawson.

(44) Chalmers, *Conscious Mind*, 277.（チャーマーズ『意識する心』）

(45) たとえば次を参照．Colin McGinn, “Can We Solve the Mind- Body Problem?” *Mind* 98, no. 391 (1989): 349–66.

(11) Nagel, "What Is It Like to Be a Bat?," 442, n. 8.

(12) アルフレッド・エイヤーはそのことを次のように述べている.「他者が何を考え，何を感じているかを本当に知るためには，他者と同じ経験を共有しなければならない．そのためには他者と同じ経験をしなくてはならず，そのためには私はその人にならなければならない．そしてそのためには，私は私自身であり続けながら，その人になるという，矛盾したことを実現しなくてはならなくなる」. A. J. Ayer, "One's Knowledge of Other Minds," *Theoria* 19, no. 1–2 (1953): 5.

(13) Ayer, "One's Knowledge of Other Minds," 6.

(14) 哲学的ゾンビについてはデイヴィッド・J・チャーマーズの議論をなぞっている. David J. Chalmers, *The Conscious Mind: In Search of a Fundamental Theory* (New York: Oxford University Press, 1996), 94.（デイヴィッド・J・チャーマーズ『意識する心——脳と精神の根本理論を求めて』林一訳，白揚社，2001 年）

(15) "How it is": Thomas H. Huxley and William Jay Youmans, *The Elements of Physiology and Hygiene* (New York: D. Appleton, 1868), 178.

(16) the Hard Problem of consciousness: David J. Chalmers, *The Character of Consciousness* (New York: Oxford University Press, 2010), 1–28.（デイヴィッド・J・チャーマーズ『意識の諸相』〈上・下巻〉太田紘史ほか訳，春秋社，2016年）

(17) René Descartes, *Meditations on First Philosophy with Selections from the Objections and Replies*, rev. ed., trans. John Cottingham (Cambridge: Cambridge University Press, 1996), 50–62.（ルネ・デカルト『省察』山田弘明訳，ちくま学芸文庫，2006 年）

(18) デカルトは次のように書いている.「私がある物を別の物と区別して明確に理解できるという事実は，少なくとも神はそれらを分けられることを示しているのであって，それらが別物であることを私に確信させるのに十分だ」. *Meditations on First Philosophy*, 54.（デカルト『省察』）

(19) Descartes, *Meditations on First Philosophy*, 56.（デカルト『省察』）

(20) Gert-Jan Lokhorst, "Descartes and the Pineal Gland," *Stanford Encyclopedia of Philosophy* (Fall 2020 edition), ed. Edward N. Zalta 参照. https://plato.stanford.edu/archives/fall2020/entries/pineal-gland.

(21) エリーザベトの哲学への貢献とデカルトとの往復書簡の概要については次を参照のこと. Lisa Shapiro, "Elisabeth, Princess of Bohemia," *Stanford Encyclopedia of Philosophy* (Winter 2014 edition), ed. Edward N. Zalta, https://plato.stanford.edu/archives/win2014/entries/elisabeth-bohemia.

(22) 量子力学はこの点を複雑にするかもしれないが，非物理的な精神が物理的な肉体に働きかける余地をもたらすことによってではない．次を参照のこと. Chalmers, *Conscious Mind*, 156–58.（チャーマーズ『意識する心』）

(23) 機械の中の幽霊というメタファーはGilbert Ryle, *The Concept of Mind* (New York: Barnes & Noble, 1950), 15–16より.（ギルバート・ライル『心の概念』坂本百大・井上治子・服部裕幸訳，みすず書房，1987 年）

(24) フランク・ジャクソンは次の論文で初めて「メアリーの部屋」(Mary's Room) の思

(44) Nguyen, "Escape the Echo Chamber."
(45) Nguyen, "Escape the Echo Chamber."
(46) シフリンは，Shiffrin, *Speech Matters*, 16で，正当な期待停止文脈では「真実性の規範的推定が中断される．なぜなら，これらの文脈は，その推定が中断されることによって達成が決まる他の価値ある目的を果たし，中断の事実と正当化は公的にアクセス可能であるから」と説明している．しかしその後，私たちが中断されたコンテクストの中にいるかどうかについての曖昧さは，「芸術，遊び，プライバシー，対人的な自己探求」に貢献することができると認めているので（p.43)，最初の引用が示唆するよりも，公的アクセス性の要件について柔軟に考えているのかもしれない．
(47) Shiffrin, *Speech Matters*, 42.
(48) Shiffrin, *Speech Matters*, 42–43.
(49) Shiffrin, *Speech Matters*, 24–25.
(50) Shiffrin, *Speech Matters*, 24–25.

Chapter10 心 —— 赤ちゃんであるとはどういうことか？

(1) Peter Tyson, "Dogs' Dazzling Sense of Smell," PBS, October 4, 2012, www.pbs.org/wgbh/nova/article/dogs-sense-of-smell.
(2) Stanley Coren, "Can Dogs See Colors?" *Psychology Today*, October 20, 2008, www.psychologytoday.com/us/blog/canine-corner/200810/can-dogs-see-colors.
(3) Alison Gopnik, *The Philosophical Baby: What Children's Minds Tell Us About Truth, Love, and the Meaning of Life* (New York: Farrar, Straus and Giroux, 2009), 9–10.（アリソン・ゴプニック『哲学する赤ちゃん』青木玲訳，亜紀書房，2010年）
(4) Gopnik, *The Philosophical Baby*, 106.（ゴプニック『哲学する赤ちゃん』）
(5) 赤ちゃんであるとはどういうことかについての研究の裏づけのある推測はGopnik, *The Philosophical Baby*, 125–32を参照のこと．（ゴプニック『哲学する赤ちゃん』）
(6) Thomas Nagel, "What Is It Like to Be a Bat?" *Philosophical Review* 83, no. 4 (1974): 438.
(7) Nagel, "What Is It Like to Be a Bat?," 439.
(8) Nagel, "What Is It Like to Be a Bat?," 439.
(9) Tania Lombrozo, "Be Like a Bat? Sound Can Show You the Way," NPR, January 28, 2013, www.npr.org/sections/13.7/2013/01/28/170355712/be-like-a-bat-sound-can-show-you-the-way.
(10) ダニエル・キッシュが次の番組で自身について語っている．Alix Spiegel and Lulu Miller, "How to Become Batman," *Invisibilia* (podcast), produced by NPR, January 23, 2015, www.npr.org/programs/invisibilia/378577902/how-to-become-batman.

Matthew Rosenberg, and Michael S. Schmidt, "77 Days: Trump's Campaign to Subvert the Election," *New York Times*, January 31, 2021, www.nytimes.com/2021/01/31/us/trump-election-lie.html.

(29) H. L. A. Hart, *The Concept of Law* (Oxford: Clarendon Press, 1961), 141–47 参照.（H・L・A・ハート『法の概念』長谷部恭男訳，ちくま学芸文庫，2014年）

(30) Paul Boghossian, *Fear of Knowledge: Against Relativism and Constructivism* (Oxford: Clarendon Press, 2006), 52–54（ポール・ボゴシアン『知への恐れ――相対主義と構築主義に抗して』飯泉佑介・斎藤幸平・山名諒訳，堀之内出版，2021 年）を参照されたい．ボゴシアンはグローバルな相対主義が本文で示された議論を克服するかもしれないと考えているが，人々がどのような見解を受け入れるかについて非相対的な事実を必要とするため，首尾一貫性を欠くと考えている (pp. 54–56).

(31) Ronald Dworkin, "Objectivity and Truth: You'd Better Believe It," *Philosophy and Public Affairs* 25, no. 2 (1996): 87–139 参照.

(32) Dworkin, "Objectivity and Truth," 104.

(33) Dworkin, "Objectivity and Truth," 105.

(34) Dworkin, "Objectivity and Truth," 118.

(35) C. Thi Nguyen, "Escape the Echo Chamber," *Aeon*, April 9, 2018, https://aeon.co/essays/why-its-as-hard-to-escape-an-echo-chamber-as-it-is-to-flee-a-cult.

(36) Nguyen, "Escape the Echo Chamber."

(37) Nguyen, "Escape the Echo Chamber."

(38) リンボーがつくり上げたエコーチェンバーの深い分析については次を参照のこと．Kathleen Hall Jamieson and Joseph N. Cappella, *Echo Chamber: Rush Limbaugh and the Conservative Media Establishment* (New York: Oxford University Press, 2008).

(39) Robin DiAngelo, *Nice Racism: How Progressive White People Perpetuate Racial Harm* (Boston: Beacon Press, 2021), 45–47.（ロビン・ディアンジェロ『ナイス・レイシズム――なぜリベラルなあなたが差別するのか?』甘糟智子訳，明石書店，2022 年）

(40) DiAngelo, *Nice Racism*, 46.（ディアンジェロ『ナイス・レイシズム』）

(41) DiAngelo, *Nice Racism*, 47.（ディアンジェロ『ナイス・レイシズム』）

(42) ディアンジェロは，アイザック・チョティナーによるインタビューの中で，このリストの意味するところを少し後退させ，彼女の考え方の中心部分を受け入れる人びとのあいだでも善意による見解の相違が生じる可能性を認めた．Isaac Chotiner, "Robin DiAngelo Wants White Progressives to Look Inward," *New Yorker*, July 14, 2021, www.newyorker.com/news/q-and-a/robin-diangelo-wants-white-progressives-to-look-inward.

(43) Nguyen, "Escape the Echo Chamber."

(8) Shiffrin, *Speech Matters*, 18.
(9) Shiffrin, *Speech Matters*, 33.
(10) Shiffrin, *Speech Matters*, 33.
(11) Shiffrin, *Speech Matters*, 22.
(12) たとえば以下を参照のこと．Alasdair MacIntyre, "Truthfulness, Lies, and Moral Philosophers: What Can We Learn from Mill and Kant?" (Tanner Lectures on Human Values, Princeton University, April 6 and 7, 1994), 336, https://tannerlectures.utah.edu/_documents/a-to-z/m/macintyre_1994.pdf.
(13) Jennifer Saul, "Just Go Ahead and Lie," *Analysis* 72, no. 1 (2012), 3–9.
(14) Jennifer Mather Saul, *Lying, Misleading, and What Is Said: An Exploration in Philosophy of Language and in Ethics* (Oxford: Oxford University Press, 2012), 72.（ジェニファー・M・ソール『言葉はいかに人を欺くか――嘘、ミスリード、犬笛を読み解く』小野純一訳，慶應義塾大学出版会，2021 年）
(15) Saul, *Lying, Misleading, and What Is Said*, 72.（ソール『言葉はいかに人を欺くか』）
(16) ソールは法廷での嘘のような例外を認めている. Saul, *Lying, Misleading, and What Is Said*, 99.（ソール『言葉はいかに人を欺くか』）
(17) Shiffrin, *Speech Matters*, 23.
(18) Immanuel Kant, "On a Supposed Right to Tell Lies from Benevolent Motives," in *Kant's Critique of Practical Reason and Other Works on the Theory of Ethics*, trans. Thomas Kingsmill Abbott (London: Longmans, Green, 1879), 431–36.
(19) Allen W. Wood, *Kantian Ethics* (New York: Cambridge University Press, 2008), 245.
(20) Wood, *Kantian Ethics*, 244–48.
(21) Wood, *Kantian Ethics*, 249.
(22) Wood, *Kantian Ethics*, 249.
(23) Wood, *Kantian Ethics*, 249.
(24) Wood, *Kantian Ethics*, 249.
(25) Wood, *Kantian Ethics*, 249.
(26) たとえば以下を参照のこと．David Leonhardt and Stuart A. Thompson, "Trump's Lies," *New York Times*, December 14, 2017, www.nytimes.com/interactive/2017/06/23/opinion/trumps-lies.html および Daniel Dale, "The 15 Most Notable Lies of Donald Trump's Presidency," CNN, January 16, 2021, www.cnn.com/2021/01/16/politics/fact-check-dale-top-15-donald-trump-lies/index.html.
(27) Dale, "The 15 Most Notable Lies" および Nicholas Fandos, "White House Pushes 'Alternative Facts.' Here Are the Real Ones," *New York Times*, January 22, 2017, www.nytimes.com/2017/01/22/us/politics/president-trump-inauguration-crowd-white-house.html.
(28) Jim Rutenberg, Jo Becker, Eric Lipton, Maggie Haberman, Jonathan Martin,

(35) Rich McCormick, "Odds Are We're Living in a Simulation, Says Elon Musk," *The Verge*, June 2, 2016, www.theverge.com/2016/6/2/11837874/elon-musk-says-odds-living-in-simulation.

(36) ボストロムの議論は以下を参照のこと．Nick Bostrom, "Are You Living in a Computer Simulation?" *Philosophical Quarterly* 53, no. 211 (2003): 243–55. これを含め，シミュレーション仮説を検証する多数の論考が次に収録されている．https://www.simulation-argument.com.

(37) ボストロムが提示した代替案を多少単純化している．オリジナルは以下を参照のこと．Bostrom, "Are You Living in a Computer Simulation?"

(38) 次の論文がこのような懸念を提起している．James Pryor, "What's So Bad about Living in the Matrix?" in *Philosophers Explore the Matrix*, ed. Christopher Grau (New York: Oxford University Press, 2005), 40–61.

(39) David J. Chalmers, "The Matrix as Metaphysics," in *The Character of Consciousness* (New York: Oxford University Press, 2010), 455–78.（デイヴィッド・J・チャーマーズ『意識の諸相』〈上・下巻〉太田紘史ほか訳，春秋社，2016年）

(40) チャーマーズがその混乱を説明している．Chalmers, "Matrix as Metaphysics," 471–72.（チャーマーズ『意識の諸相』）

Chapter9 真実――ついていいウソと悪いウソはあるか？

(1) Seana Valentine Shiffrin, *Speech Matters: On Lying, Morality, and the Law* (Princeton, NJ: Princeton University Press, 2014), 12–14 参照．

(2) Shiffrin, *Speech Matters*, 13–14. シフリンはこのケースの出典を Thomas L. Carson, "Lying, Deception, and Related Concepts," in *The Philosophy of Deception*, ed. Clancy Martin (New York: Oxford University Press, 2009), 159–61 としている．

(3) ここではシフリンの説明を単純化した．ウソについてのシフリンによる完全な説明は以下のとおり（Shiffrin, *Speech Matters*, 12).

　ある命題 P について A が B に対して行う意図的な主張である．

　かつ，A は P を信じていない．

　かつ，A は自分が P を信じていないことを認識している．

　かつ，A が B に P を提示する方法が，B が P を A の信念の正確な表明と受けとめ，取り扱うであろうことを意図している．

(4) Shiffrin, *Speech Matters*, 16 を参照のこと．

(5) Shiffrin, *Speech Matters*, 16–19.

(6) シフリンは文脈が認識論的に停止していると言うだろう．しかし，だからといって真実を語る義務がなくなるわけではない．Shiffrin, *Speech Matters*, 16 を参照のこと．

(7) Shiffrin, *Speech Matters*, 16.

(21) G. C. Stine, "Skepticism, Relevant Alternatives, and Deductive Closure," *Philosophical Studies* 29, no. 4 (1976): 249–61.
(22) スタインは知識の基準が変化するという考えを早くに提唱し，影響力があったが，彼女が最初ではなく，最後でもない．この考え方の全容を概観したものとして次を参照のこと．Patrick Rysiew, "Epistemic Contextualism," *Stanford Encyclopedia of Philosophy* (Spring 2021 edition), ed. Edward N. Zalta, https://plato.stanford.edu/archives/spr2021/entries/contextualism-epistemology.
(23) Stine, "Skepticism, Relevant Alternatives, and Deductive Closure," 252.
(24) Amy Isackson, "Working to Save the Painted 'Zonkeys' of Tijuana," NPR, August 8, 2013, www.npr.org/2013/08/08/209969843/working-to-save-the-painted-zonkeys-of-tijuana.
(25) Stine, "Skepticism, Relevant Alternatives, and Deductive Closure," 256–57.
(26) Stine, "Skepticism, Relevant Alternatives, and Deductive Closure," 254.
(27) N. Ángel Pinillos, "Knowledge, Ignorance and Climate Change," *New York Times*, November 26, 2018, www.nytimes.com/2018/11/26/opinion/skepticism-philosophy-climate-change.html.
(28) 以下を参照のこと．Emily Lodish, "Here's Everything You Wanted to Know about Zonkeys, the Great Zebra-Donkey Hybrids," *The World*, April 30, 2014, www.pri.org/stories/2014-04-30/heres-everything-you-wanted-know-about-zonkeys-great-zebra-donkey-hybrids.
(29) 数ある証拠を概観したものとしては次を参照されたい．Renee Cho, "How We Know Today's Climate Change Is Not Natural," *State of the Planet, Columbia Climate School*, April 4, 2017, https://blogs.ei.columbia.edu/2017/04/04/how-we-know-climate-change-is-not-natural.
(30) "On Energy, Election Commission, & Education, Sununu Casts Himself as More Pragmatist Than Politician," New Hampshire Public Radio, July 10, 2017, www.nhpr.org/post/energy-election-commission-education-sununu-casts-himself-more-pragmatist-politician.
(31) David Roberts, "Exxon Researched Climate Science. Understood It. And Misled the Public," *Vox*, August 23, 2017, www.vox.com/energy-and-environment/2017/8/23/16188422/exxon-climate-change.
(32) Phoebe Keane, "How the Oil Industry Made Us Doubt Climate Change," BBC News, September 20, 2020, www.bbc.com/news/stories-53640382.
(33) Pinillos, "Knowledge, Ignorance and Climate Change."
(34) ウィトゲンシュタインは次のように述べている．「つまり，私たちの問いや疑いは，疑う余地のない命題が存在するという事実に支えられており，そのような命題を中心にして展開しているのである」．Ludwig Wittgenstein, *On Certainty*, ed. G. E. M. Anscombe and G. H. von Wright, trans. Denis Paul and G. E. M. Anscombe (New York: Harper & Row, 1972), 44.（L・ウィトゲンシュタイン『確実性の問題・断片』〈ウィトゲンシュタイン全集 9〉黒田亘・菅豊彦訳，大修館書店，1975 年）

Philosophy of the Future, trans. Helen Zimmern (New York: Macmillan, 1907), 22–25（フリードリッヒ・ニーチェ『善悪の彼岸・道徳の系譜』〈ニーチェ全集11〉信太正三訳，ちくま学芸文庫，1993年）を参照．デカルトの立場を擁護する議論については Christopher Peacocke, "Descartes Defended," *Proceedings of the Aristotelian Society, Supplementary Volumes* 86 (2012): 109–25を参照のこと．

（8）従来からの知識の分析の概要とその問題点については以下を参照されたい．Jonathan Jenkins Ichikawa and Matthias Steup, "The Analysis of Knowledge," *Stanford Encyclopedia of Philosophy* (Summer 2018 edition), ed. Edward N. Zalta, https://plato.stanford.edu/archives/sum2018/entries/knowledge-analysis.

（9）David Edmonds, "A Truth Should Suffice," *Times Higher Education*, January 24, 2013, www.timeshighereducation.com/a-truth-should-suffice/2001095.article.

（10）Edmund L. Gettier, "Is Justified True Belief Knowledge?" *Analysis* 23, no. 6 (1963): 121–23.

（11）考えられる解決策とその問題の概要については Ichikawa and Steup, "Analysis of Knowledge" を参照のこと．

（12）Linda Zagzebski, "The Inescapability of Gettier Problems," *Philosophical Quarterly* 44, no. 174 (1994): 69.

（13）Zagzebski, "Inescapability of Gettier Problems," 67–68.

（14）Timothy Williamsonがその指摘を行っている．Timothy Williamson, *Knowledge and Its Limits* (New York: Oxford University Press, 2000).

（15）Edmonds, "A Truth Should Suffice" に引用された Gettier の発言．

（16）Georges B. J. Dreyfus, *Recognizing Reality: Dharmakirti's Philosophy and Its Tibetan Interpretations* (Albany, NY: SUNY Press, 1997), 292 にこのストーリーが紹介されている．私はこのストーリー（および脚注に記した後日談）を Ichikawa "The Analysis of Knowledge" で知った．

（17）ペテロは次のような話を設定している．「あなたの隣でプラトンが走っている．あなたはそれを知ってはいるが，その人物をソクラテスと勘違いしており，ソクラテスが走っているものと思い込んでいる．実際にはソクラテスはローマで走っていたのだが，あなたはそのことを知らない」

（18）Christia Mercer, "Descartes' Debt to Teresa of Ávila, or Why We Should Work on Women in the History of Philosophy," *Philosophical Studies* 174, no. 10 (2017): 2539–55.

（19）たとえば以下を参照のこと．*The Philosopher Queens: The Lives and Legacies of Philosophy's Unsung Women*, ed. Rebecca Buxton and Lisa Whiting (London: Unbound, 2020).（レベッカ・バクストン，リサ・ホワイティング編『哲学の女王たち――もうひとつの思想史入門』向井和美訳，晶文社，2021年）

（20）"Notes and News," *Journal of Philosophy* 75, no. 2 (1978): 114.

Semitism and Racism, Jews of Color Feel 'Stuck in the Middle,' " NorthJersey.com, August 27, 2020, www.northjersey.com/story/news/local/2020/08/27/jewish-people-of-color-grapple-with-bigotry-two-fronts/5444526002.

(68) Norwood and Brackman, "Going to Bat," 133–34.

(69) Ami Eden, "Remembering Jackie Robinson's Fight with Black Nationalists over Anti-Semitism," *Jewish Telegraphic Agency*, April 15, 2013, www.jta.org/2013/04/15/culture/remembering-jackie-robinsons-fight-with-black-nationalists-over-anti-semitism.

(70) Jackie Robinson, *I Never Had It Made* (New York: G. P. Putnam's Sons, 1972), 159.（ジャッキー・ロビンソン『黒人初の大リーガー――ジャッキー・ロビンソン自伝』宮川毅訳，ベースボール・マガジン社，1997 年）

(71) ハンク・グリーンバーグは自身の自伝にこう書いている．「ジャッキーはどんな選手より酷い目にあった．私はたまたま野球界では数少ないユダヤ人だったが，白人だったし，一部の人が思っているような角もなかった．だが，私は自分をジャッキー・ロビンソンと同じように感じ，彼に特別な感情を抱いた．人びとが彼を扱うのと同じように私を扱ったからだ．私は彼ほどひどく扱われなかったが，いつもユダ公とかユダヤ野郎とか言われた」．Greenberg, *Story of My Life*, 183.

(72) James Baldwin, "Negroes Are Anti-Semitic Because They're Anti-White," *New York Times*, April 9, 1967, https://movies2.nytimes.com/books/98/03/29/specials/baldwin-antisem.html.

Chapter8　知識――この世界は本当に現実か？

(1) Zhuangzi, *The Complete Works of Zhuangzi*, trans. Burton Watson (New York: Columbia University Press, 2013), 18.（『荘子』〈第一冊・内篇〉「胡蝶の夢」金谷治訳，岩波文庫，1971 年）

(2) René Descartes, *Meditations on First Philosophy: With Selections from the Objections and Replies*, 2nd ed., ed. and trans. John Cottingham (Cambridge: Cambridge University Press, 2017), 15.（ルネ・デカルト『省察』山田弘明訳，ちくま学芸文庫，2006 年）

(3) Descartes, *Meditations on First Philosophy*, 16.（デカルト『省察』）

(4) Descartes, *Meditations on First Philosophy*, 17.（デカルト『省察』）

(5) Descartes, *Meditations on First Philosophy*, 19.（デカルト『省察』）

(6) Descartes, *Meditations on First Philosophy*, 21.（デカルト『省察』）

(7) だれもがそう思っているわけではない．ニーチェは，デカルトが確実に言えるのは，思考が存在しているということだけで，思考している「私」が存在しているということではないと主張した．私はこの点についてはデカルトの推論は正しいと思いたい．ニーチェの疑問については Friedrich Nietzsche, *Beyond Good and Evil: Prelude to a*

(50) Wilkerson, *Caste*, 16.（ウィルカーソン『カースト』）

(51) Frederick Douglass, "The Meaning of July Fourth for the Negro," *Frederick Douglass: Selected Speeches and Writings*, ed. Philip S. Foner (Chicago: Lawrence Hill Books, 1999), 192.

(52) Douglass, "Meaning of July Fourth," 194.

(53) Douglass, "Meaning of July Fourth," 195.

(54) Douglass, "Meaning of July Fourth," 196.

(55) Douglass, "Meaning of July Fourth," 204.

(56) 米国下院は2008年に，過去の奴隷制度について謝罪した．いいことだが，それでアメリカという国が謝罪したことにはならない．Danny Lewis, "Five Times the United States Officially Apologized," *Smithsonian Magazine*, May 27, 2016, www.smithsonianmag.com/smart-news/five-times-united-states-officially-apologized.

(57) Ta-Nehisi Coates, "The Case for Reparations," *The Atlantic*, June 2014, www.theatlantic.com/magazine/archive/2014/06/the-case-for-reparations/361631.

(58) Daniel Fryer, "What's the Point of Reparation?" *Harvard's Law and Philosophy Workshop*, April 6, 2022.

(59) Stephen H. Norwood and Harold Brackman, "Going to Bat for Jackie Robinson: The Jewish Role in Breaking Baseball's Color Line," *Journal of Sport History* 26, no. 1 (1999): 131.

(60) Jackie Robinson and Wendell Smith, *Jackie Robinson: My Own Story* (New York: Greenberg, 1948), 96.

(61) Robinson and Smith, *Jackie Robinson*, 96–97.

(62) ロビンソンは招待を断った．グリーンバーグに迷惑をかけたくなかったのだ．次のグリーンバーグの自伝を参照．Hank Greenberg, *The Story of My Life*, ed. Ira Berkow (Chicago: Ivan R. Dee, 2001), 183.

(63) 以下を参照のこと．Robinson and Smith, *Jackie Robinson*, 96 および "Hank Greenberg a Hero to Dodgers' Negro Star," *New York Times*, May 18, 1947, https://timesmachine.nytimes.com/timesmachine/1947/05/18/99271179.html.

(64) Lenny Bruce, *How to Talk Dirty and Influence People* (Boston: Da Capo Press, 2016), 155.（レニー・ブルース『やつらを喋りたおせ！——レニー・ブルース自伝』藤本和子訳，晶文社，1977年）

(65) 次の記事に引用されたコメント．Dana Goodyear, "Quiet Depravity," *New Yorker*, October 17, 2005, www.newyorker.com/magazine/2005/10/24/quiet-depravity.

(66) Emma Green, "Why the Charlottesville Marchers Were Obsessed with Jews," *The Atlantic*, August 15, 2017, www.theatlantic.com/politics/archive/2017/08/nazis-racism-charlottesville/536928.

(67) 黒人のユダヤ人は，しばしば板挟みになる．Deena Yellin, "Subjected to Anti-

Cafeteria?: And Other Conversations About Race, rev. ed. (New York: Perseus Books, 2003), 31–51.
(36) Chike Jeffers, "Cultural Constructionism," in Glasgow et al., *What Is Race?*, 75.
(37) Chike Jeffers, "The Cultural Theory of Race: Yet Another Look at Du Bois's 'The Conservation of Races,'" *Ethics* 123, no. 3 (2013): 422.
(38) Jeffers, "Cultural Theory of Race," 422.
(39) Jeffers, "Cultural Constructionism," 74–88.
(40) Belle はかつて Kathryn T. Gines 名義で執筆していた．この引用は下記より．Kathryn T. Gines, "Fanon and Sartre 50 Years Later: To Retain or Reject the Concept of Race," *Sartre Studies International* 9, no. 2 (2003): 56.
(41) Gines, "Fanon and Sartre," 56.
(42) James Baldwin は "On Being White . . . and Other Lies" (p.91) に次のように書いている．「アメリカは白人の国になった．この国を『平定』したと主張する人びとが，黒人の存在を否定し，黒人を隷従させることを正当化するために白人となった．だが，こんな原則の上に，こんなジェノサイド的な嘘の上に成立する共同体などありえない．たとえば，それまでノルウェー人と呼ばれていた男が，大量の家畜を殺し，井戸に毒を投げ込み，アメリカ先住民を殺し，黒人の女性をレイプすることによって白人になったのである」
(43) Judith Jarvis Thomson, "Morality and Bad Luck," *Metaphilosophy* 20, nos. 3–4 (July/October 1989): 203–21.
(44) 以下を参照のこと．David Schaper, "Boeing to Pay $2.5 Billion Settlement Over Deadly 737 Max Crashes," NPR, January 8, 2021, www.npr.org/2021/01/08/954782512/boeing-to-pay-2-5-billion-settlement-over-deadly-737-max-crashes および Dominic Gates, "Boeing's 737 MAX 'Design Failures' and FAA's 'Grossly Insufficient' Review Slammed," *Seattle Times*, March 6, 2020, www.seattletimes.com/business/boeing-aerospace/u-s-house-preliminary-report-faults-boeing-faa-over-737-max-crashes.
(45) W. Robert Thomas, "How and Why Corporations Became (and Remain) Persons under Criminal Law," *Florida State University Law Review* 45, no. 2 (2018): 480–538.
(46) David Enoch, "Being Responsible, Taking Responsibility, and Penumbral Agency," in *Luck, Value, & Commitment: Themes from the Ethics of Bernard Williams*, ed. Ulrike Heuer and Gerald Lang (Oxford: Oxford University Press, 2012), 95–132.
(47) Enoch, "Being Responsible," 120–23.
(48) Isabel Wilkerson, *Caste: The Origins of Our Discontents* (New York: Random House, 2020), 15–20.（イザベル・ウィルカーソン『カースト――アメリカに渦巻く不満の根源』秋元由紀訳，岩波書店，2022 年）
(49) Wilkerson, *Caste*, 16.（ウィルカーソン『カースト』）

(22) Staples, "How Italians Became 'White.' "
(23) 以下を参照のこと. Sally Haslanger, "A Social Constructionist Analysis of Race," in *Resisting Reality: Social Construction and Social Critique* (New York: Oxford University Press, 2012), 298–310; and Haslanger, "Tracing the Sociopolitical Reality of Race," 4–37.
(24) Adam Mann, "Why Isn't Pluto a Planet Anymore?" *Space*, March 28, 2019, www.space.com/why-pluto-is-not-a-planet.html.
(25) Michael Root, "How We Divide the World," *Philosophy of Science* 67, Supplement (2000), S628–S639.
(26) Science Reference Section, Library of Congress, "Why Is Pluto No Longer a Planet?" Library of Congress, November 19, 2019, www.loc.gov/everyday-mysteries/astronomy/item/why-is-pluto-no-longer-a-planet.
(27) Neil Bhutta, Andrew C. Chang, Lisa J. Dettling, and Joanne W. Hsu, "Disparities in Wealth by Race and Ethnicity in the 2019 Survey of Consumer Finances," *FEDS Notes*, Federal Reserve System, September 28, 2020, www.federalreserve.gov/econres/notes/feds-notes/disparities-in-wealth-by-race-and-ethnicity-in-the-2019-survey-of-consumer-finances-20200928.htm.
(28) Jhacova Williams and Valerie Wilson, "Black Workers Endure Persistent Racial Disparities in Employment Outcomes," *Economic Policy Institute*, August 27, 2019, www.epi.org/publication/labor-day-2019-racial-disparities-in-employment.
(29) Clare Lombardo, "Why White School Districts Have So Much More Money," NPR, February 26, 2019, www.npr.org/2019/02/26/696794821/why-white-school-districts-have-so-much-more-money.
(30) Max Roberts, Eric N. Reither, and Sojung Lim, "Contributors to the Black-White Life Expectancy Gap in Washington D.C.," *Scientific Reports* 10 (2020): 1–12.
(31) David R. Williams and Toni D. Rucker, "Understanding and Addressing Racial Disparities in Health Care," *Health Care Financing Review* 21, no. 4 (2000): 75–90.
(32) Becky Pettit and Bryan Sykes, "Incarceration," *Pathways* (Special Issue 2017), https://inequality.stanford.edu/sites/default/files/Pathways_SOTU_2017_incarceration.pdf.
(33) History.com editors, "Tulsa Race Massacre," *History*, March 8, 2018, www.history.com/topics/roaring-twenties/tulsa-race-massacre.
(34) Equal Justice Initiative, "Study Finds Racial Disparities in Incarceration Persist," June 15, 2016, https://eji.org/news/sentencing-project-report-racial-disparities-in-incarceration.
(35) Beverly Daniel Tatum, *Why Are All the Black Kids Sitting Together in the*

Appiah, "Race, Culture, Identity," 69.
(10) 以下を参照のこと．Douglas L. T. Rohde, Steve Olson, and Joseph T. Chang, "Modelling the Recent Common Ancestry of All Living Humans," *Nature* 431 (2004): 562–66.
(11) 以下を参照のこと．Scott Hershberger, "Humans Are All More Closely Related Than We Commonly Think," *Scientific American*, October 5, 2020, www.scientificamerican.com/article/humans-are-all-more-closely-related-than-we-commonly-think.
(12) Hershberger, "Humans Are All More Closely Related" に引用された発言．
(13) L. Luca Cavalli-Sforza and Marcus W. Feldman, "The Application of Molecular Genetic Approaches to the Study of Human Evolution," *Nature Genetics Supplement* 33 (2003): 270.
(14) Douglas Rohdeらが行ったコンピュータ・シミュレーションによる．以下に紹介されている．Hershberger, "Humans Are All More Closely Related."
(15) この見解に対する異論は次を参照．Quayshawn Spencer, "How to Be a Biological Racial Realist," in *What Is Race?: Four Philosophical Views*, Joshua Glasgow, Sally Haslanger, Chike Jeffers, and Quayshawn Spencer (New York: Oxford University Press, 2019), 73–110. Spencer は集団遺伝学によって人類は5つの人種——アフリカ人，東アジア人，ユーラシア人，アメリカ先住民，そしてオセアニア人——に分類されると主張している．ただし彼も，それはこれらの集団が「社会的に重要な形質（知能，美，道徳性その他）において異なる」ことを意味するものではないと明確に述べている (p.104).
(16) 以下を参照のこと．Ron Mallon, " 'Race': Normative, Not Metaphysical or Semantic," *Ethics* 116, no. 3 (2006): 525–51; Naomi Zack, *Philosophy of Science and Race* (New York: Routledge, 2002); and Appiah, "Race, Culture, Identity."
(17) このような見方について下記が明瞭に論じている．Sally Haslanger, "Tracing the Sociopolitical Reality of Race," in Glasgow et al., *What Is Race?*, 4–37.
(18) W. E. B. Du Bois, *Dusk of Dawn: An Essay Toward an Autobiography of a Race Concept* (Piscataway, NJ: Transaction Publishers, 2011), 153.
(19)「『白人』とか『黒人』とかいう人種の呼び名は，双子として同時に生まれた」. Kwame Anthony Appiah, "I'm Jewish and Don't Identify as White. Why Must I Check That Box?" *New York Times Magazine*, October 13, 2020, www.nytimes.com/2020/10/13/magazine/im-jewish-and-dont-identify-as-white-why-must-i-check-that-box.html.
(20) James Baldwin, "On Being White . . . and Other Lies," *Essence*, April 1984, 90–92.
(21) Brent Staples, "How Italians Became 'White,' " *New York Times*, October 12, 2019, www.nytimes.com/interactive/2019/10/12/opinion/columbus-day-italian-american-racism.html.

segregation.

(56) S. E. James, J. L. Herman, S. Rankin, M. Keisling, L. Mottet, and M. Anafi, *The Report of the 2015 U.S. Transgender Survey* (Washington, DC: National Center for Transgender Equality, 2016), 44, https://transequality.org/sites/default/files/docs/usts/USTS-Full-Report-Dec17.pdf.

(57) Dembroff, "Why Be Nonbinary?" を参照．さらに Dembroff, "Real Talk on the Metaphysics of Gender," 38 を参照．そこで Dembroff は次のように述べている．「ジェンダーが自認に基づいて決められることになれば，社会的期待，家族構造，性的関係性，ジェンダーに基づく労働区分などが問題なく決まっている社会システムが混乱し，非効率になるのではないかと懸念されている．私の考えでは，ある男性の後件否定（modus tollens）はあるクィアの前件肯定（modus ponens）である」

(58) ノンバイナリーのアイスホッケー選手が少なくとも一人，男女両方のホッケー・チームでプレーしている．Donna Spencer, "Non-binary Athletes Navigating Canadian Sport with Little Policy Help," CBC Sports, May 26, 2020, www.cbc.ca/sports/canada-non-binary-athletes-1.5585435.

Chapter7　差別——ほかの人がやったのに、責任を取らなきゃいけない？

(1) Brad Meltzer, *I Am Rosa Parks* (New York: Dial Books for Young Readers, 2014).

(2) Brad Meltzer, *I Am Martin Luther King, Jr.* (New York: Dial Books for Young Readers, 2016).

(3) Brad Meltzer, *I Am Jackie Robinson* (New York: Dial Books for Young Readers, 2015).

(4) Cathy Goldberg Fishman, *When Jackie and Hank Met* (Tarrytown, NY: Marshall Cavendish, 2012).

(5) こうした考え方の変遷をたどったのが以下の書である. K. Anthony Appiah, "Race, Culture, Identity: Misunderstood Connections," in K. Anthony Appiah and Amy Gutmann, *Color Conscious: The Political Morality of Race* (Princeton, NJ: Princeton University Press, 1996), 30–105.

(6) Appiah, "Race, Culture, Identity," 68–71.

(7) そうした試みの概要については以下を参照のこと. Gavin Evans, "The Unwelcome Revival of 'Race Science,' " *The Guardian*, March 2, 2018, www.theguardian.com/news/2018/mar/02/the-unwelcome-revival-of-race-science および William Saletan, "Stop Talking About Race and IQ," *Slate*, April 27, 2018, https://slate.com/news-and-politics/2018/04/stop-talking-about-race-and-iq-take-it-from-someone-who-did.html.

(8) Evans, "Unwelcome Revival of 'Race Science.' "

(9) Paul Hoffman, "The Science of Race," *Discover*, November 1994, 4, cited in

(44) "Eligibility Regulations for the Female Classification (Athletes with Differences of Sex Development)," International Association of Athletics Federations, May 1, 2019, www.sportsintegrityinitiative.com/wp-content/uploads/2019/05/IAAF-Eligibility-Regulations-for-the-Female-Classi-2-compressed.pdf.

(45) Jordan-Young and Karkazis, *Testosterone*, 199.

(46) アイビーのかつての名前はレイチェル・マッキノン（Rachel McKinnon）であった．マイケル・フェルプスに関する彼女の主張は次を参照のこと．Fred Dreier, "Q&A: Dr. Rachel McKinnon, Masters Track Champion and Transgender Athlete," *VeloNews*, October 15, 2018, www.velonews.com/news/qa-dr-rachel-mckinnon-masters-track-champion-and-transgender-athlete. アイビーは次のように書いている．「エリート選手にはだれでも，すばらしいパフォーマンスを可能にする何らかの遺伝子変異がある．マイケル・フェルプスは，関節の構造と身体のプロポーションによって魚のように泳ぐことができる．それはすばらしいことであって，不当な競争優位だと言うことはできない」

(47) 次を参照されたい．Rachel McKinnon, "I Won a World Championship. Some People Aren't Happy," *New York Times*, December 5, 2019, www.nytimes.com/2019/12/05/opinion/i-won-a-world-championship-some-people-arent-happy.html.

(48) McKinnon, "I Won a World Championship."

(49) 同様の議論について以下を参照されたい．Rebecca Jordan-Young and Katrina Karkazis, "You Say You're a Woman? That Should Be Enough," *New York Times*, June 17, 2012, www.nytimes.com/2012/06/18/sports/olympics/olympic-sex-verification-you-say-youre-a-woman-that-should-be-enough.html.

(50) この点について適切な助力を与えてくれた Daniel Halberstam と Ellen Katz に感謝する．

(51) Harper, "Athletic Gender," 141.

(52) Robin Dembroff, "Real Talk on the Metaphysics of Gender," *Philosophical Topics* 46, no. 2 (2018): 21–50.

(53) Alexis Burgess and David Plunkett, "Conceptual Ethics I," *Philosophy Compass* 8, no. 12 (2013): 1091–1101 を参照のこと．

(54)「女性」(*woman*) という言葉の意味についてのさらなる考察と，自己同一性の根拠とするような使い方を支持するもう一つの議論については，次を参照されたい．Talia Mae Bettcher, "Trans Women and the Meaning of 'Woman,' " in *The Philosophy of Sex: Contemporary Readings*, 6th ed., ed. Nicholas Power, Raja Halwani, and Alan Soble (Lanham, MD: Rowman & Littlefield, 2013), 233–50.

(55) Robin Dembroff, "Why Be Nonbinary?" *Aeon*, October 30, 2018, https://aeon.co/essays/nonbinary-identity-is-a-radical-stance-against-gender-

(30) Sandra E. Garcia, "Explosion at Gender Reveal Party Kills Woman, Officials Say," *New York Times*, October 28, 2019, www.nytimes.com/2019/10/28/us/gender-reveal-party-death.html.

(31) Jeanne Maglaty, "When Did Girls Start Wearing Pink?" *Smithsonian Magazine*, April 7, 2011, www.smithsonianmag.com/arts-culture/when-did-girls-start-wearing-pink-1370097に引用された「アーンショーズ幼児用品一覧」(Earnshaw's Infants' Department) の記事.

(32) トランスジェンダーの子どもに関する研究の現状について, 以下に有益な概観が紹介されている. Kristina R. Olson, "When Sex and Gender Collide," *Scientific American*, September 1, 2017, www.scientificamerican.com/article/when-sex-and-gender-collide.

(33) たとえば以下を参照. Talya Minsberg, "Trans Athlete Chris Mosier on Qualifying for the Olympic Trials," *New York Times*, January 28, 2020, www.nytimes.com/2020/01/28/sports/chris-mosier-trans-athlete-olympic-trials.html.

(34) Katherine Kornei, "This Scientist Is Racing to Discover How Gender Transitions Alter Athletic Performance—Including Her Own," *Science*, July 25, 2018, www.sciencemag.org/news/2018/07/scientist-racing-discover-how-gender-transitions-alter-athletic-performance-including.

(35) Joanna Harper, "Athletic Gender," *Law and Contemporary Problems* 80, no. 4 (2017): 144.

(36) Jeffrey M. Jones, "LGBT Identification Rises to 5.6% in Latest U.S. Estimate," Gallup, February 24, 2021, https://news.gallup.com/poll/329708/lgbt-identification-rises-latest-estimate.aspx.

(37) Briar Stewart, "Canadian Researcher to Lead Largest Known Study on Transgender Athletes," CBC News, July 24, 2019, www.cbc.ca/news/health/trans-athletes-performance-transition-research-1.5183432.

(38) Joanna Harper, "Do Transgender Athletes Have an Edge? I Sure Don't," *Washington Post*, April 1, 2015, www.washingtonpost.com/opinions/do-transgender-athletes-have-an-edge-i-sure-dont/2015/04/01/ccacb1da-c68e-11e4-b2a1-bed1aaea2816_story.html.

(39) Joanna Harper, "Race Times for Transgender Athletes," *Journal of Sporting Cultures and Identities* 6, no. 1 (2015): 1–9.

(40) ハーパー (Harper) の研究に対する懸念については次を参照のこと. Rebecca M. Jordan-Young and Katrina Karkazis, *Testosterone: An Unauthorized Biography* (Cambridge, MA: Harvard University Press, 2019), 188–89.

(41) Jordan-Young and Karkazis, *Testosterone*, 159–201に, テストステロンとスポーツ・パフォーマンスに関する研究の包括的レビューが掲載されている.

(42) Harper, "Athletic Gender," 148.

(43) Harper, "Athletic Gender," 148.

(13) 次を参照されたい．Reed Ferber, Irene McClay Davis, and Dorsey S. Williams 3rd, "Gender Differences in Lower Extremity Mechanics During Running," *Clinical Biomechanics* 18, no. 4 (2003): 350–57.
(14) English, "Sex Equality in Sports," 274.
(15) Resnik, Adams, and Grandy, "Jane English Memorial Resolution," 377.
(16) English, "Sex Equality in Sports," 271.
(17) English, "Sex Equality in Sports," 273.
(18) "Angela Schneider to Serve as New Director of ICOS," International Centre for Olympic Studies, www.uwo.ca/olympic/news/2019/angela_schneider_to_serve_as_new_director_of_icos.html.
(19) Angela J. Schneider, "On the Definition of 'Woman' in the Sport Context," in *Values in Sport: Elitism, Nationalism, Gender Equality and the Scientific Manufacturing of Winners*, ed. Torbjörn Tännsjö and Claudio Tamburrini (London: E & FN Spon, 2000), 137.
(20) Schneider, "On the Definition of 'Woman,'" 137.
(21) Cindy Boren, "Michael Jordan Pledged $100 Million to Improve Social Justice Because 'This Is a Tipping Point,' " *Washington Post*, June 7, 2020, www.washingtonpost.com/sports/2020/06/07/michael-jordan-pledged-100-million-improve-social-justice-because-this-is-tipping-point.
(22) Schneider, "On the Definition of 'Woman,' " 137.
(23) Schneider, "On the Definition of 'Woman,' " 134.
(24) Melissa Cruz, "Why Male Gymnasts Don't Do the Balance Beam," *Bustle*, August 11, 2016, www.bustle.com/articles/178101-why-dont-male-gymnasts-do-the-balance-beam-this-olympic-event-could-use-a-modern-update.
(25) Jason Sumner, "Fiona Kolbinger, 24-Year-Old Medical Student, Becomes First Woman to Win the Transcontinental Race," *Bicycling*, August 6, 2019, www.bicycling.com/racing/a28627301/fiona-kolbinger-transcontinental-race.
(26) Angie Brown, "Nursing Mother Smashes 268-mile Montane Spine Race Record," BBC News, January 17, 2019, www.bbc.com/news/uk-scotland-edinburgh-east-fife-46906365.
(27) Claire Ainsworth, "Sex Redefined," *Nature*, February 18, 2015, www.nature.com/articles/518288a を参照.
(28) Sarah Moon and Hollie Silverman, "A California Fire Sparked by a Gender Reveal Party Has Grown to More Than 10,000 Acres," CNN, September 8, 2020, www.cnn.com/2020/09/08/us/el-dorado-fire-gender-reveal-update-trnd/index.html.
(29) Nour Rahal, "Michigan Man Dead after Explosion at Baby Shower," *Detroit Free Press*, February 8, 2021, www.freep.com/story/news/local/michigan/2021/02/07/harland-cannon-explosion-baby-shower/4429175001.

us/article/pgnav7/why-are-female-athletes-criticised-for-developing-a-masculine-physique.

(2) 大人もそんなことを言うことがある．女性スポーツ財団（Women's Sports Foundation）の研究では，3分の1に近い親が，「男子は女子よりスポーツが得意だという考えを支持した」．N. Zarrett, P. T. Veliz, and D. Sabo, *Keeping Girls in the Game: Factors That Influence Sport Participation* (New York: Women's Sports Foundation, 2020), 5.

(3) "Senior Outdoor 2019 100 Metres Men Top List," World Athletics, www.worldathletics.org/records/toplists/sprints/100-metres/outdoor/men/senior/2019.

(4) "U18 Outdoor 2019 100 Metres Men Top List," World Athletics, www.worldathletics.org/records/toplists/sprints/100-metres/outdoor/men/u18/2019.

(5) 少なくとも，私の親族のあいだではそう語り継がれている．ランキングの記録は残されていないが，フライ級のタイトル挑戦権を賭けた試合をした記事は確認している．勝っていればミゼット・ウォルガスト――ニックネームとは裏腹にベニーより約4センチ背が高かった――と対戦するはずだったが，敗れたために対戦は実現しなかった．彼のプロとしての戦績はBoxRecで見ることができる．BoxRec, accessed January 17, 2020, https://boxrec.com/en/proboxer/431900.

(6) 以下を参照のこと．Nicholas P. Linthorne, *The 100-m World Record by Florence Griffith-Joyner at the 1988 U.S. Olympic Trials*, report for the International Amateur Athletic Federation, June 1995, www.brunel.ac.uk/~spstnpl/Publications/IAAFReport(Linthorne).pdf. ならびに "Senior Outdoor 100 Metres Women All Time Top List," World Athletics, www.worldathletics.org/records/all-time-toplists/sprints/100-metres/outdoor/women/senior.

(7) セレナはこれに加えて，「私は女子テニスでプレーするのが大好き．恥をかきたくないから，女子としかやりたくないわ」と述べている．Chris Chase, "Serena Tells Letterman She'd Lose to Andy Murray in 'Five or Six' Minutes," *For the Win*, August 23, 2013, https://ftw.usatoday.com/2013/08/serena-williams-playing-men-andy-murray.

(8) Sarah Ko, "Off the Rim: The WNBA Is Better Than the NBA," *Annenberg Media*, September 20, 2019, www.uscannenbergmedia.com/2019/09/20/off-the-rim-the-wnba-is-better-than-the-nba.

(9) Michael D. Resnik, E. Maynard Adams, and Richard E. Grandy, "Jane English Memorial Resolution 1947–1978," *Proceedings and Addresses of the American Philosophical Association* 52, no. 3 (1979): 376.

(10) Jane English, "Sex Equality in Sports," *Philosophy & Public Affairs* 7, no. 3 (1978): 269–77.

(11) English, "Sex Equality in Sports," 270.

(12) English, "Sex Equality in Sports," 270.

NY: Dover, 2008).（エミール・デュルケーム『宗教生活の基本形態——オーストラリアにおけるトーテム体系』〈全2巻〉山﨑亮訳，ちくま学芸文庫，2014年）

(18) その点をジョン・マホーターが論じている. John McWhorter, "The F-Word Is Going the Way of Hell," *The Atlantic*, September 6, 2019, www.theatlantic.com/ideas/archive/2019/09/who-cares-beto-swore/597499. マホーターは「fuck」が罵倒語ではなくなりつつあることを示唆している. それは子どもだけが嫌がる「hell」（地獄）と同じような言葉になりつつある. ローチの「侮辱のエスカレーション」（本文202ページ参照）という用語にならって，そのプロセスを「侮辱のデ・エスカレーション」と呼べるかもしれない. ある言葉を発すれば発するほど，その言葉に慣れ，不快に思わなくなる.

(19) その点について以下が論じている. Geoffrey K. Pullum, "Slurs and Obscenities: Lexicography, Semantics, and Philosophy," in *Bad Words: Philosophical Perspectives on Slurs*, ed. David Sosa (New York: Oxford University Press, 2018), 168–92.

(20) Eric Swanson, "Slurs and Ideologies," in *Analyzing Ideology: Rethinking the Concept*, ed. Robin Celikates, Sally Haslanger, and Jason Stanley (Oxford: Oxford University Press, forthcoming).

(21) Swanson, "Slurs and Ideologies."

(22) Swanson, "Slurs and Ideologies."

(23) Swanson, "Slurs and Ideologies."

(24) James Baldwin, "The Fire Next Time," in *Collected Essays*, ed. Toni Morrison (New York: Library of America, 1998), 291.（J・ボールドウィン『次は火だ——ボールドウィン評論集』黒川欣映訳，弘文堂新社，1968年）

(25) Martin Luther King Jr., *Letter from the Birmingham Jail* (San Francisco: Harper San Francisco, 1994).

(26) Ta-Nehisi Coates, *Between the World and Me* (New York: Spiegel & Grau, 2015).（タナハシ・コーツ『世界と僕のあいだに』池田年穂訳，慶應義塾大学出版会，2017年）

(27) 中傷語の使用や言及について，理由によって区別することに共感する議論は以下を参照のこと. John McWhorter, "The Idea That Whites Can't Refer to the N-Word," *The Atlantic*, August 27, 2019, www.theatlantic.com/ideas/archive/2019/08/whites-refer-to-the-n-word/596872.

(28) Swanson, "Slurs and Ideologies."

(29) Swanson, "Slurs and Ideologies."

Chapter6　男女——性、ジェンダー、スポーツを考える

(1) Emilia Bona, "Why Are Female Athletes Criticised for Developing a 'Masculine' Physique?" *Vice*, July 29, 2016を参照されたい. www.vice.com/en_

(3) Roache, “Naughty Words.”

(4) Melissa Mohr, *Holy Shit: A Brief History of Swearing* (New York: Oxford University Press, 2013) を参照されたい.

(5) Ronald Dworkin, *Taking Rights Seriously* (Cambridge, MA: Harvard University Press, 1977), 73.（ドゥオーキン『権利論』）

(6) Richard Stephens, John Atkins, and Andrew Kingston, “Swearing as a Response to Pain,” *Neuroreport* 20, no. 12 (2009): 1056–60. その要約が次の書籍に紹介されている. Emma Byrne, *Swearing Is Good for You: The Amazing Science of Bad Language* (New York: W. W. Norton, 2019), 46–48.（エマ・バーン『悪態の科学――あなたはなぜ口にしてしまうのか』黒木章人訳, 原書房, 2018年）

(7) リチャード・スティーブンスが未発表の追跡研究を評価している. 以下を参照されたい. Byrne, *Swearing Is Good for You*, 58.（バーン『悪態の科学』）

(8) Michael C. Philipp and Laura Lombardo, “Hurt Feelings and Four Letter Words: Swearing Alleviates the Pain of Social Distress,” *European Journal of Social Psychology* 47, no. 4 (2017): 517–23. 以下にその要約がある. Byrne, *Swearing Is Good for You*, 61.（バーン『悪態の科学』）

(9) Byrne, *Swearing Is Good for You*, 120.（バーン『悪態の科学』）

(10) Byrne, *Swearing Is Good for You*, 21–45.（バーン『悪態の科学』）

(11) Byrne, *Swearing Is Good for You*, 94.（バーン『悪態の科学』）

(12) このあたりの議論は次の記事に依拠した. Gretchen McCulloch, “A Linguist Explains the Syntax of ‘Fuck’ ” *The Toast*, December 9, 2014, https://the-toast.net/2014/12/09/linguist-explains-syntax-f-word. この記事で McCulloch が参考とした論文の多くは以下に収録されている. *Studies Out in Left Field: Defamatory Essays Presented to James D. McCawley on the Occasion of His 33rd or 34th Birthday*, ed. Arnold M. Zwicky, Peter H. Salus, Robert I. Binnick, and Anthony L. Vanek (Philadelphia: John Benjamins Publishing Company, 1992).

(13) マコーリー（James D. McCawley）の主張の概要と論文の背景については, 以下を参照されたい. Gretchen McCulloch,“ A Linguist Explains the Syntax of ‘Fuck.’”

(14) John J. McCarthy, “Prosodic Structure and Expletive Infixation,” *Language* 58, no. 3 (1982): 574–90.

(15) Byrne, *Swearing Is Good for You*, 37–38.（バーン『悪態の科学』）

(16) Kristin L. Jay and Timothy B. Jay, “A Child’s Garden of Curses: A Gender, Historical, and Age-Related Evaluation of the Taboo Lexicon,” *American Journal of Psychology* 126, no. 4 (2013): 459–75 を参照されたい.

(17)「聖と俗」という言葉で両者の対比を論じたのはエミール・デュルケームだが, 私はこの言葉を彼とは違う意味で使っている. 以下を参照のこと. Émile Durkheim, *The Elementary Forms of the Religious Life*, trans. Joseph Ward Swain (Mineola,

your-political-beliefs-13547984.
(22) Roger S. Achille, "Policy Banning Extreme Hair Colors Upheld," *Society for Human Resource Management*, March 14, 2018, www.shrm.org/resourcesandtools/legal-and-compliance/employment-law/pages/court-report-policy-banning-extreme-hair-colors-upheld.aspx.
(23) Elizabeth Anderson, *Private Government: How Employers Rule Our Lives (and Why We Don't Talk about It)* (Princeton, NJ: Princeton University Press, 2017).
(24) *Frlekin v. Apple, Inc.*, 2015 U.S. Dist. LEXIS 151937, cited in Anderson, *Private Government*, xix を参照のこと.
(25) Stephanie Wykstra, "The Movement to Make Workers' Schedules More Humane," *Vox*, November 5, 2019, www.vox.com/future-perfect/2019/10/15/20910297/fair-workweek-laws-unpredictable-scheduling-retail-restaurants.
(26) Achille, "Policy Banning Extreme Hair Colors Upheld."
(27) Colin Lecher, "How Amazon Automatically Tracks and Fires Warehouse Workers for 'Productivity,' " *The Verge*, April 25, 2019, www.theverge.com/2019/4/25/18516004/amazon-warehouse-fulfillment-centers-productivity-firing-terminations.
(28) 以下を参照のこと. Oxfam America, *No Relief: Denial of Bathroom Breaks in the Poultry Industry* (Washington, DC, 2016), 2, https://s3.amazonaws.com/oxfam-us/www/static/media/files/No_Relief_Embargo.pdf. Anderson, *Private Government*, xix に引用されている.
(29) Thomas Hobbes, *Leviathan*, ed. A. R. Waller (Cambridge: Cambridge University Press, 1904), 137.（ホッブズ『リヴァイアサン』）
(30) Hobbes, *Leviathan*, 81.（ホッブズ『リヴァイアサン』）
(31) Hobbes, *Leviathan*, 84.（ホッブズ『リヴァイアサン』）
(32) Hobbes, *Leviathan*, 84.（ホッブズ『リヴァイアサン』）
(33) Hobbes, *Leviathan*, 84–89.（ホッブズ『リヴァイアサン』）
(34) John Locke, *Two Treatises on Civil Government* (London: Routledge, 1884), 267–75.（ジョン・ロック『完訳　統治二論』加藤節訳，岩波文庫，2010 年）
(35) Locke, *Two Treatises*, 306–7.（ロック『完訳　統治二論』）

Chapter5　言葉——言ってはいけない言葉は言ってはいけないか？

(1) Neil deGrasse Tyson, *Astrophysics for Young People in a Hurry* (New York: Norton Young Readers, 2019), 16.
(2) Rebecca Roache, "Naughty Words," *Aeon*, February 22, 2016, https://aeon.co/essays/where-does-swearing-get-its-power-and-how-should-we-use-it.

(5) Wolff, *In Defense of Anarchism*, 13.
(6) Wolff, *In Defense of Anarchism*, 13.
(7) Wolff, *In Defense of Anarchism*, 18–19.
(8) 以下を参照のこと．Wolff, *In Defense of Anarchism*, 12–13.
(9) Raz, *Authority of Law*, 13–15.（ラズ『権威としての法』）
(10) 以下を参照のこと．Scott J. Shapiro, “Authority,” in *The Oxford Handbook of Jurisprudence and Philosophy of Law*, ed. Jules L. Coleman, Kenneth Einar Himma, and Scott J. Shapiro (New York: Oxford University Press, 2002), 383–439 および Raz, *Authority of Law*, 3–36.（ラズ『権威としての法』）
(11) ラズはこれを「通常正当化テーゼ（*normal justification thesis*）」（命題，判断）と呼んでいる．Joseph Raz, *Morality of Freedom* (Oxford: Clarendon Press, 1986), 53. 私はラズのテーゼの概略とそれへの懸念を論じた．Scott Hershovitz, “Legitimacy, Democracy, and Razian Authority,” *Legal Theory* 9, no. 3 (2003): 206–8.
(12) Raz, *Morality of Freedom*, 56.
(13) Raz, *Morality of Freedom*, 74–76.
(14) Raz, *The Morality of Freedom*, 49–50.
(15) Raz, *Morality of Freedom*, 47.
(16) 私は次の3つの論文でラズの見解に対する批判を論じている．Hershovitz, “Legitimacy, Democracy, and Razian Authority,” 201–20; and Scott Hershovitz, “The Role of Authority,” *Philosophers' Imprint* 11, no. 7 (2011): 1–19; and “The Authority of Law,” in *The Routledge Companion to Philosophy of Law*, ed. Andrei Marmor (New York: Routledge, 2012), 65–75.
(17) 以下を参照されたい．Hershovitz, “Role of Authority”; Stephen Darwall, “Authority and Second-Personal Reasons for Acting,” in *Reasons for Action*, ed. David Sobel and Steven Wall (Cambridge: Cambridge University Press, 2009), 150–51; and Kenneth Einav Himma, “Just ’Cause You’re Smarter than Me Doesn’t Give You a Right to Tell Me What to Do: Legitimate Authority and the Normal Justification Thesis,” *Oxford Journal of Legal Studies* 27, no. 1 (2007): 121–50.
(18) ここで述べた見方については，以下の論文で詳しく論じている．Scott Hershovitz, “Role of Authority.”
(19) Massimo Pigliucci, “The Peter Parker Principle,” *Medium*, August 3, 2020, https://medium.com/@MassimoPigliucci/the-peter-parker-principle-9f3f33799904.
(20) オーナーシップは権限の役割であるという考えについては次を参照．Christopher Essert, “The Office of Ownership,” *University of Toronto Law Journal* 63, no. 3 (2013): 418–61.
(21) Robert McGarvey, “You Can Be Fired for Your Political Beliefs,” *The Street*, April 28, 2016, www.thestreet.com/personal-finance/you-can-be-fired-for-

(13) Adam Grant がそうした研究のいくつかを紹介している．次を参照のこと．Adam Grant, "Raising a Moral Child," *New York Times*, April 11, 2014, www.nytimes.com/2014/04/12/opinion/sunday/raising-a-moral-child.html.
(14) そのことをストローソンは，「本番に向けてリハーサルが気づかないうちに調整されていく」と書いている．Strawson, *Freedom and Resentment*, 19.
(15) 私はこの矯正的正義と報復的正義の見解を次の論考で展開した．Scott Hershovitz, "Treating Wrongs as Wrongs: An Expressive Argument for Tort Law," *Journal of Tort Law* 10, no. 2 (2017): 405–47.
(16) ミラーは暴行を受けた体験とその後の影響について書いている．Chanel Miller, *Know My Name: A Memoir* (New York: Viking, 2019).（シャネル・ミラー『私の名前を知って』押野素子訳，河出書房新社，2021 年）
(17) 次を参照のこと. Liam Stack, "Light Sentence for Brock Turner in Stanford Rape Case Draws Outrage," *New York Times*, June 6, 2016, https://www.nytimes.com/2016/06/07/us/outrage-in-stanford-rape-case-over-dueling-statements-of-victim-and-attackers-father.html.
(18) California Penal Code §§ 487–88 (2020).
(19) Roy Walmsley, "World Prison Population List," 12th ed., *Institute for Criminal Policy Research*, November 6, 2018, www.prisonstudies.org/sites/default/files/resources/downloads/wppl_12.pdf.
(20) Ruth Bader Ginsburg, "Ruth Bader Ginsburg's Advice for Living," *New York Times*, October 1, 2016, www.nytimes.com/2016/10/02/opinion/sunday/ruth-bader-ginsburgs-advice-for-living.html.
(21) Sutherland, "What Shamu Taught Me About a Happy Marriage."
(22) Sutherland, "What Shamu Taught Me About a Happy Marriage."
(23) Strawson, *Freedom and Resentment*, 10.

Chapter4 権威——親は子どもに命令できるか?

(1) 以下を参照されたい．Joseph Raz, *The Authority of Law: Essays on Law and Morality*, 2nd ed. (Oxford: Oxford University Press, 2009), 19–20.（ジョセフ・ラズ『権威としての法——法理学論集』深田三徳編，勁草書房，1994 年）
(2) たとえば以下を参照．Joseph Raz, *Ethics in the Public Domain*: Essays in the Morality of Law and Politics (Oxford: Oxford University Press, 1994), 341（「権威を持つということは，それに服従する人びとを支配する権利を持つということである．そして，支配する権利には必然的に服従の義務がともなう」）．Robert Paul Wolff, *In Defense of Anarchism* (Berkeley: University of California Press, 1998), 4（「権威とは命令する権利であり，それに対応して，従わせる権利である」）.
(3) 次を参照されたい．Wolff, *In Defense of Anarchism*, 4.
(4) Wolff, *In Defense of Anarchism*, 12–15.

529–55.

(20) Hieronymi, "Articulating an Uncompromising Forgiveness," 530.

(21) Jeffrie G. Murphy and Jean Hampton, *Forgiveness and Mercy* (New York: Cambridge University Press, 1988).

(22) Hieronymi, "Articulating an Uncompromising Forgiveness," 546.

(23) 次を参照されたい. Scott Hershovitz, "Treating Wrongs as Wrongs: An Expressive Argument for Tort Law," *Journal of Tort Law* 10, no. 2 (2017): 405–47.

(24) テイラー・スウィフト（Taylor Swift）についての議論は私自身の次の論考を再構成したもの. Scott Hershovitz, "Taylor Swift, Philosopher of Forgiveness," *New York Times*, September 7, 2019, www.nytimes.com/2019/09/07/opinion/sunday/taylor-swift-lover.html.

Chapter3 罰——「おしおき」は哲学的に正当か？

(1) 報復に関するさまざまな考え方の概要については次を参照のこと. John Cottingham, "Varieties of Retribution," *Philosophical Quarterly* 29, no. 116 (1979): 238–46. 有力なアイデアに対する懐疑論については次を参照のこと. David Dolinko, "Some Thoughts about Retributivism," *Ethics* 101, no. 3 (1991): 537–59.

(2) Amy Sutherland, *What Shamu Taught Me about Life, Love, and Marriage* (New York: Random House, 2009).（エイミー・サザーランド『ダンナちゃん、よくできました！——シャチがジャンプを覚え、夫が家事を覚える魔法の水族館プログラム』青山陽子訳，早川書房，2008年）

(3) Amy Sutherland, "What Shamu Taught Me About a Happy Marriage," *New York Times*, June 25, 2006, www.nytimes.com/2019/10/11/style/modern-love-what-shamu-taught-me-happy-marriage.html.

(4) Sutherland, "What Shamu Taught Me About a Happy Marriage."

(5) P. F. Strawson, *Freedom and Resentment and Other Essays* (London: Methuen, 1974), 1–25.

(6) Strawson, *Freedom and Resentment*, 9.

(7) Sutherland, "What Shamu Taught Me About a Happy Marriage."

(8) Strawson, *Freedom and Resentment*, 6–7.

(9) Joel Feinberg, "The Expressive Function of Punishment," *The Monist* 49, no. 3 (1965): 397–423.

(10) Feinberg, "Expressive Function of Punishment," 403.

(11) David Hume, *A Treatise of Human Nature* (Cambridge: Deighton and Sons, 1817), 106.（デイヴィッド・ヒューム『人間本性論』〈普及版・全3巻〉木曾好能ほか訳，法政大学出版局，2019年）

(12) Strawson, *Freedom and Resentment*, 9.

Helped Us: Direct Negative Reciprocity Precedes Direct Positive Reciprocity in Early Development," *Psychological Science* 30, no. 9 (2019): 1273–86.
(2) 次を参照のこと．Susan Cosier, "Is Revenge Really Sweet?" *Science Friday*, July 1, 2013, www.sciencefriday.com/articles/is-revenge-really-sweet/ ならびに Eddie Harmon-Jones and Jonathan Sigelman, "State Anger and Prefrontal Brain Activity: Evidence That Insult-Related Relative Left-Prefrontal Activation Is Associated with Experienced Anger and Aggression," *Journal of Personality and Social Psychology* 80, no. 5 (May 2001): 797–803.
(3) ホメーロスはアキレスに「復讐は蜜の味」と言わせているが，それは頭の中で復讐を考えているときに感じる甘さである．Homer, *The Iliad*, trans. Peter Green (Oakland: University of California Press, 2015), 18.108–10.（ホメロス『イリアス』〈全 2 巻〉松平千秋訳，岩波文庫，1992 年など）
(4) Simon Sebag Montefiore, *Young Stalin* (New York: Vintage Books, 2008), 295.（サイモン・セバーグ・モンテフィオーリ『スターリン――青春と革命の時代』松本幸重訳，白水社，2010 年）
(5) 次を参照のこと．William Ian Miller, *Eye for an Eye* (New York: Cambridge University Press, 2006), 68–69.
(6) 『新約聖書』「ローマ人への手紙」12 章 19 節．
(7) Aristotle, "Book V: Justice," *Nicomachean Ethics*, trans. C. D. C. Reeve (Indianapolis: Hackett Publishing Company, 2014), 77–97.（アリストテレス「5 巻 正義について」『ニコマコス倫理学（上）』渡辺邦夫・立花幸司訳，光文社古典新訳文庫，2015 年）
(8) Miller, *Eye for an Eye*, 特に chapter 4 ("The Proper Price of Property in an Eye").
(9) 「グドムンド王の物語」（The Saga of Gudmund the Worthy）は次の書籍で論じられている．William Ian Miller, *Bloodtaking and Peacemaking: Feud, Law, and Society in Saga Iceland* (Chicago: University of Chicago Press, 1996), 1–2.
(10) Miller, *Bloodtaking and Peacemaking*, 2.
(11) Miller, *Eye for an Eye*, 101.
(12) *Kenton v. Hyatt Hotels Corp.*, 693 S.W.2d 83 (Mo. 1985).
(13) ミラー (*Miller, Eye for an Eye*, 53–54) が説明しているように，当時，ケガの内容ごとに何を妥当な補償と見なすかについてはしばしば慣習が存在した．グドムンドはその慣習を無視して，スカリングの手の代償としてノルウェー人に 3000 ドル要求した．
(14) Miller, *Eye for an Eye*, 9.
(15) Miller, *Eye for an Eye*, 55.
(16) この指摘と，脚注に引用した指摘については，次を参照のこと．Miller, *Eye for an Eye*, 57.
(17) Miller, *Eye for an Eye*, 55.
(18) Miller, *Eye for an Eye*, 54.
(19) 次を参照のこと．Pamela Hieronymi, "Articulating an Uncompromising Forgiveness," *Philosophy and Phenomenological Research* 62, no. 3 (2001):

(9) カントの道徳哲学の概要については次を参照のこと．Robert Johnson and Adam Cureton, "Kant's Moral Philosophy," *Stanford Encyclopedia of Philosophy* (Spring 2021 edition), ed. Edward N. Zalta, https://plato.stanford.edu / archives/spr2021/entries/kant-moral.

(10) トロッコ問題の解決策として提示されているもう一つの考えも，分岐線で働いている男の死は，予見はできたが意図したものではなかったという事実に依拠している．それは，人工妊娠中絶に対するカトリックの立場を決めるうえで重要な「二重効果の原理」〔善い結果と悪い結果が考えられる行為を合法的に遂行することができるのはどのような場合かを決定するために，行為の許容性を評価する規則〕として知られている．価値ある目的を追求するとき，たとえだれかに被害を与えても，意図したものでなければ許されることがあるという教義だ．ちなみに，哲学の世界でトロッコ問題が最初に登場したのはフィリッパ・フットの次の論文においてである．Philippa Foot, "The Problem of Abortion and the Doctrine of the Double Effect," *Oxford Review* 5 (1967): 5–15. 二重効果の教義の概要とそれに対する疑問については次を参照のこと．Alison McIntyre, "Doctrine of Double Effect," *Stanford Encyclopedia of Philosophy* (Spring 2019 edition), ed. Edward N. Zalta, https://plato.stanford.edu/archives/spr2019/entries/double-effect.

(11) Thomson, "Trolley Problem," 1401–3.

(12) Thomson, "Trolley Problem," 1402.

(13) その可能性を探ったのがJohn Mikhail, *Elements of Moral Cognition* (Cambridge: Cambridge University Press, 2011), 101–21である．

(14) John Mikhailはこのケースを「突き落とされた男」(Drop Man) と呼んだ．次を参照のこと．Mikhail, *Elements of Moral Cognition*, 109.

(15) トロッコ学 (Trolleyology) の全容を楽しく概観できるのが次の書籍だ．David Edmonds, *Would You Kill the Fat Man? The Trolley Problem and What Your Answer Tells Us about Right and Wrong* (Princeton, NJ: Princeton University Press, 2014).（デイヴィッド・エドモンズ『太った男を殺しますか？――「トロリー問題」が教えてくれること』鬼澤忍訳，太田出版，2015年）

(16) Derek Wilsonの投稿は次の書籍に転載されている．Thomas Hurka, "Trolleys and Permissible Harm," in F. M. Kamm, *The Trolley Problem Mysteries*, ed. Eric Rakowski (Oxford: Oxford University Press, 2015), 135.

(17) 次を参照のこと．Judith Jarvis Thomson, "Turning the Trolley," *Philosophy & Public Affairs* 36, no. 4 (2008): 359–74.

(18) Foot, "Problem of Abortion."

Chapter2 復讐――「やられたらやり返す」は平等か？

(1) Nadia Chernyak, Kristin L. Leimgruber, Yarrow C. Dunham, Jingshi Hu, and Peter R. Blake, "Paying Back People Who Harmed Us but Not People Who

いている.「私たち二人が話をしたのが同じ母親だった可能性はあるが，もし別の人だったら，子どもはこの問いに異様なほど関心があると言えるのかもしれない」. Jana Mohr Lone, *Seen and Not Heard: Why Children's Voices Matter* (London: Rowman & Littlefield, 2021), 8. ローンは，マシューズの後継者として，子どもたちともっとも深く関わった哲学者という称号を得てもおかしくない. 彼女の著書には，子どもたちとの数えきれないほどたくさんの会話から哲学について学んだことが記されている.

(22) 連続的創造の概要については以下を参照のこと. David Vander Laan, "Creation and Conservation," *Stanford Encyclopedia of Philosophy* (Winter 2017 edition), ed. Edward N. Zalta, https://plato.stanford.edu/entries/creation-conservation/

(23) Jana Mohr Lone, "Philosophy with Children," *Aeon*, May 11, 2021, https://aeon.co/essays/how-to-do-philosophy-for-and-with-children.

(24) Thomas Hobbes, *Leviathan*, ed. A. R. Waller (Cambridge: Cambridge University Press, 1904), 137.（ホッブズ『リヴァイアサン』の邦訳は，光文社古典新訳文庫〔角田安正訳，全２巻＝原書第１部・第２部〕，中央公論新社〔永井道雄・上田邦義訳，全２巻〕，岩波文庫〔水田洋訳，全４巻〕などがある）

(25) Hobbes, *Leviathan*, 84.（ホッブズ『リヴァイアサン』）

Chapter1　権利――「わがまま」を言う権利はないのか？

(1) Can（できる）とmay（してもよい）の互換性については以下を参照のこと. "Usage Notes: 'Can' vs. 'May,' " *Merriam-Webster*, www.merriam-webster.com/words-at-play/when-to-use-can-and-may.

(2) Judith Jarvis Thomson, *The Realm of Rights* (Cambridge, MA: Harvard University Press, 1990), 123.

(3) 帰結主義の概要については，以下を参照のこと. Walter Sinnott-Armstrong, "Consequentialism," *Stanford Encyclopedia of Philosophy* (Summer 2019 edition), ed. Edward N. Zalta, https://plato.stanford.edu/archives/sum2019/entries/consequentialism.

(4) Ronald Dworkin, *Taking Rights Seriously* (Cambridge, MA: Harvard University Press, 1977).（ロナルド・ドゥオーキン『権利論』〈全２巻〉木下毅・小林公・野坂泰司訳，木鐸社，2001・2003年）

(5) Ronald Dworkin, "Rights as Trumps," in *Theories of Rights*, ed. Jeremy Waldron (Oxford: Oxford University Press, 1984), 153–67.

(6) 以下を参照のこと. Judith Jarvis Thomson, "The Trolley Problem," *Yale Law Journal* 94, no. 6 (May 1985): 1396.

(7) Thomson, "Trolley Problem," 1397.

(8) Thomson, "Trolley Problem," 1409.

ューズ『哲学と子ども——子どもとの対話から』倉光修・梨木香歩訳，新曜社，1997年）

(5) 宇宙論的証明の概要については以下を参照されたい．Bruce Reichenbach, “Cosmological Argument,” *Stanford Encyclopedia of Philosophy* (June 2022 edition), ed. Edward N. Zalta, https://plato.stanford.edu/entries/cosmological-argument/

(6) Matthews, *Philosophy of Childhood*, 2.（マシューズ『哲学と子ども』）

(7) Matthews, *Philosophy of Childhood*, 2.（マシューズ『哲学と子ども』）

(8) Gareth B. Matthews の以下の著書には子どもとの哲学的対話が集められている．*Dialogues with Children* (Cambridge, MA: Harvard University Press, 1984) および *Philosophy and the Young Child*.（G・B・マシューズ『〈合本版〉子どもは小さな哲学者』鈴木晶訳，新思索社，1996年．同書は両書の合本）

(9) Matthews, *Philosophy and the Young Child*, 28–30.（マシューズ『〈合本版〉子どもは小さな哲学者』）

(10) Matthews, *Philosophy and the Young Child* (Cambridge, MA: Harvard University Press, 1980), 37–55.（マシューズ『〈合本版〉子どもは小さな哲学者』）

(11) Matthews, *Philosophy of Childhood*, 122.（マシューズ『哲学と子ども』）

(12) Matthews, *Philosophy of Childhood*, 5.（マシューズ『哲学と子ども』）

(13) Matthews, *Philosophy of Childhood*, 5.（マシューズ『哲学と子ども』）

(14) Matthews, *Philosophy of Childhood*, 17.（マシューズ『哲学と子ども』）

(15) Michelle M. Chouinard, P. L. Harris, and Michael P. Maratsos, “Children's Questions: A Mechanism for Cognitive Development,” *Monographs of the Society for Research in Child Development* 72, no. 1 (2007): 1–129. シュイナードの研究についての議論は次を参照のこと．Paul L. Harris, *Trusting What You're Told: How Children Learn from Others* (Cambridge, MA: Belknap Press, 2012), 26–29.

(16) Brandy N. Frazier, Susan A. Gelman, and Henry M. Wellman, “Preschoolers' Search for Explanatory Information within Adult-Child Conversation,” *Child Development* 80, no. 6 (2009): 1592–1611.

(17) Matthews, *Philosophy of Childhood*, 13.（マシューズ『哲学と子ども』）アウグスティヌスの言葉は次からの引用．Augustine, *Confessions* 11.14.（アウグスティヌス『告白』〈全3巻〉山田晶訳，中公文庫，2014年）

(18) David Hills, Stanford University, Department of Philosophy, https://philosophy.stanford.edu/people/david-hills.

(19) 以下を参照のこと．Matthews, *Philosophy of Childhood*, 12–18（マシューズ『哲学と子ども』），Matthews, *Dialogues with Children*, 3.（マシューズ『〈合本版〉子どもは小さな哲学者』）

(20) 以下を参照のこと．Matthews, *Philosophy and the Young Child*, 11.（マシューズ『〈合本版〉子どもは小さな哲学者』）

(21) Jana Mohr Lone も，娘からこれと同じ質問をされた母親と出会ったことを著書に書

参考文献／出典

このリストは，一般読者に役立つものにすることを心がけた．可能な場合は，有料の雑誌記事ではなく無料で利用できる情報源を挙げた．*Stanford Encyclopedia of Philosophy*（スタンフォード哲学百科事典）や *Internet Encyclopedia of Philosophy*（インターネット哲学百科事典）など，だれでも利用できるオンライン百科事典もたくさん紹介している．

とくに *Stanford Encyclopedia of Philosophy* はすばらしいリソースだ．およそ読者が興味を持ちそうなあらゆる哲学的トピックに関する項目が立てられており，学術的レベルにまで学びを深めたい場合は，各項目の末尾にある参考文献が適切な方向を示してくれる．

Introduction　考える技術

（1）一般的に，この問題は色のスペクトルの逆転（赤から緑への 180 度のシフト）に関する議論のなかで扱われる．この問題の概要と哲学への影響については以下を参照のこと．Alex Byrne, “Inverted Qualia,” *Stanford Encyclopedia of Philosophy*, ed. Edward N. Zalta, https://plato.stanford.edu/entries/qualia-inverted.

（2）*Consciousness Explained* (Boston: Little, Brown, 1991), 389.（ダニエル・C・デネット『解明される意識』山口泰司訳，青土社，1998 年）

（3）ロックの引用の続きはこうだ（私が母に伝えようとしたこととほぼ同じであることが，おわかりいただけると思う）．「だれも他の人の身体の中に入り込んで，同じ対象を見た彼の器官がその心にどんな観念を生じさせるかを知ることはできないので，彼の中に生じた観念や彼がそれに付けた名前について，取り違えているとか，偽りだとみなすことはできない．スミレは，彼の心にどう映ろうと，彼が青と呼んでいる観念をつねに生じさせ，マリーゴールドは，彼の心にどう映ろうと，彼が黄と呼んでいる観念を生じさせる．彼にとっての青や黄が実際のところどういうものであるにせよ，彼は自分の心の中に生じた青や黄の観念に基づいて，二つの花が他の人の心の中にも自分とまったく同じ観念を生じさせているかのごとく，スミレとマリーゴールドを区別することができるのである」．John Locke, *An Essay Concerning Human Understanding*, ed. Peter H. Nidditch (Oxford: Clalendon Press, 1975), 389.

（4）ガレス・B・マシューズは次の著書でこの話を伝えている．*The Philosophy of Childhood* (Cambridge, MA: Harvard University Press, 1994), 1.（G・B・マシ

マ

ヤ

ナ

ハ

タ

サ

カ

事項索引

マ

ヤ

ラ

タ

ナ

ハ

人名索引

ア

カ

サ

［著者］
スコット・ハーショヴィッツ（Scott Hershovitz）
ミシガン大学の法学および哲学教授。また、同大学で「法と倫理プログラム」ディレクターを務める。ジョージア大学で哲学と政治学の学士号を取得、イェール大学ロースクールで法務博士号を取得、ローズ奨学生としてオックスフォード大学で哲学博士号を取得。連邦最高裁判事ルース・ベイダー・ギンズバーグの法務書記官を務めた経験を持つ。主要な学術雑誌に法律と道徳に関する記事を多数発表。妻と二人の子どもとともに米国ミシガン州アナーバー在住。

［訳者］
御立英史（みたち・えいじ）
翻訳者。訳書に、ヨハン・ガルトゥング『日本人のための平和論』、デボラ・グルーンフェルド『スタンフォードの権力のレッスン』、トーマス・グリタ他『GE帝国盛衰史』（いずれもダイヤモンド社）、ブライアン・カプラン他『国境を開こう！――移民の倫理と経済学』（あけび書房）、ロナルド・J・サイダー『聖書の経済学』『イエスは戦争について何を教えたか』（ともにあおぞら書房）などがある。

父が息子に語る
壮大かつ圧倒的に面白い哲学の書

2023年11月28日　第1刷発行
2024年2月2日　第4刷発行

著　者――スコット・ハーショヴィッツ
訳　者――御立英史
発行所――ダイヤモンド社
〒150-8409　東京都渋谷区神宮前6-12-17
https://www.diamond.co.jp/
電話／03･5778･7233（編集）　03･5778･7240（販売）
ブックデザイン―小口翔平＋畑中茜＋青山風音（tobufune）
本文DTP――キャップス
校正――――LIBERO
製作進行――ダイヤモンド・グラフィック社
印刷――――勇進印刷
製本――――ブックアート
編集協力――編集室カナール（片桐克博）
編集担当――三浦岳

©2023 Eiji Mitachi
ISBN 978-4-478-10990-8
落丁・乱丁本はお手数ですが小社営業局宛にお送りください。送料小社負担にてお取替えいたします。但し、古書店で購入されたものについてはお取替えできません。
無断転載・複製を禁ず
Printed in Japan

本書の感想募集
感想を投稿いただいた方には、抽選でダイヤモンド社のベストセラー書籍をプレゼント致します。▶

メルマガ無料登録
書籍をもっと楽しむための新刊・ウェブ記事・イベント・プレゼント情報をいち早くお届けします。▶